Un baiser diabolique

Liz Carlyle

Un baiser diabolique

Traduit de l'américain
par Catherine Algarra

Titre original :

A DEAL WITH THE DEVIL
Pocket Books, a division of Simon & Schuster Inc., New York

À mon mari bien-aimé

Prologue

Où le diable sort de sa boîte

Vous trouverez certaines personnes pour prétendre que la côte morne et désolée du Somerset possède en hiver une sorte de beauté âpre et austère. Toutefois, en ce mois de février 1827, la plupart des gens pensaient qu'elle était tout simplement sinistre. Quoique… cela aurait pu être pire encore, songea Aubrey Farquharson avec résignation. On aurait pu, par exemple, être au cœur de l'hiver 873.

Cette année-là, des paysans affamés, épuisés, harcelés par les attaquants, avaient érigé un monticule de pierres au sommet d'une colline dominant le Canal de Bristol. De là, ils avaient monté la garde et vu arriver d'éventuels envahisseurs scandinaves. Les envahisseurs, c'est connu, sont non seulement perfides, mais persévérants. Aussi, au fil des ans, le monticule s'était-il transformé en tour de guet. Celle-ci avait été à son tour remplacée par des fortifications et c'est ainsi que peu à peu Castle Cardow avait fini par s'élever sur la butte rocheuse.

Étant donné son importance stratégique, Cardow s'était rapidement retrouvé sous la bannière du Wessex. Toutefois, dès le début, le château avait semblé destiné à devenir un endroit de désolation. Certains racontaient que les pierres avaient été scellées par les larmes et les souffrances de ceux qui l'avaient construit. Et des larmes, il en était coulé des torrents, en ce lieu.

Finalement vaincus lors de la seconde guerre contre les Danois, les braves qui avaient jusque-là défendu le château furent torturés, écorchés et brûlés vifs par Gunthrun le

Viking et ses hommes. Le plus cruel d'entre eux était certainement Mangus le Waelrafaen. « Le Corbeau de la Mort », dont le nom trouvait son origine dans l'immense oiseau noir aux ailes déployées qui ornait la proue de son navire, fondait comme un prédateur sur ses victimes, auxquelles il ne laissait jamais le temps de fuir.

Après avoir pillé le château et massacré ses défenseurs, il avait décidé de prendre pour épouse la belle héritière de Cardow, épargnée par le carnage. C'était une Saxonne aux yeux bleus, dont le nom, Ermengild, signifiait littéralement « Forte dans la Bataille ». Par malheur pour lui, Mangus n'avait pas saisi l'allusion. Il avait donc rebaptisé le château et le village de son propre nom, Waelrafaen, et s'y était installé.

Pendant deux ans, tandis que les Vikings ravageaient le Wessex, Mangus avait abusé outrageusement de sa jeune femme. Ermengild avait enduré cette épreuve avec courage. Puis le roi du Wessex, celui qui porterait un jour le nom d'Alfred le Grand, avait fini par faire plier les barbares, les soumettant du même coup au joug de l'Angleterre et à celui du christianisme.

Vaincu et humilié, Gunthrum avait repris la mer avec ses hommes. Mangus avait dû abandonner sa jeune épouse enceinte de trois mois, mais avait juré de revenir.

Il avait tenu son serment quelques années plus tard. Le château de Cardow était entre-temps devenu une vraie place forte. Ermengild avait longuement médité sa vengeance et décidé que les remparts ne seraient d'aucune utilité. Lorsqu'elle avait aperçu le navire de son époux remonter le canal, elle était descendue jusqu'aux douves et avait accueilli Mangus devant le pont-levis, en épouse soumise. Elle l'avait enlacé et avait profité de ces effusions pour lui planter un poignard entre les omoplates.

Ainsi s'était terminé, dit-on, le premier d'une longue série de mariages malheureux à Castle Cardow.

Aubrey Farquharson avait entendu raconter cette histoire, et bien d'autres du même acabit, au cours du voyage qui l'avait menée de Birmingham jusque dans le Somerset. Le chirurgien de marine assis face à elle dans la diligence était originaire de Bristol et ne demandait qu'à abreuver ses compagnons de voyage de récits assommants sur l'histoire de la région. Aubrey l'avait poliment remercié avant de sauter du véhicule à Minehead. Elle s'était alors précipitée dans le minable relais de poste pour voir ses pires craintes confirmées.

Ils arrivaient trop tard, avait annoncé l'aubergiste. La voiture qui devait l'emmener à Cardow était repartie deux heures plus tôt, les domestiques du major Lorimer ayant renoncé à l'attendre davantage. Cela dit, il y avait une bonne nouvelle, selon l'aubergiste. Il possédait une vieille voiture, qu'il lui louerait volontiers pour aller jusqu'au château. *Louer ?* Le visage d'Aubrey s'était allongé. La nouvelle n'était pas aussi bonne que l'aubergiste voulait le faire croire, mais elle n'avait guère le choix. Elle ouvrit sa bourse, se sépara à regret de quelques pièces et partit vers son destin.

Lorsque la vieille voiture bringuebalante quitta la route du canal pour traverser les anciennes douves et monter en cahotant vers le château, Aubrey se pencha vers la fenêtre et essuya la buée de son poing pour observer le chemin. Très haut au-dessus d'elle, on commençait à entrevoir la sinistre bâtisse qui aurait pu servir de décor aux romans d'horreur de Mrs Ann Radcliffe. Il ne manquait, pour compléter le tableau, qu'un vol de corbeaux se détachant sur le ciel de plomb.

Cette pensée ramena à l'esprit d'Aubrey la lugubre légende du « Corbeau de la Mort » ; elle détourna les yeux en frémissant. Elle n'avait aucune envie de vivre les dix prochaines années comme une prisonnière dans cette sinistre forteresse, et elle n'avait pas le cœur d'emmener un enfant dans un endroit aussi triste.

La voiture tangua dangereusement en abordant un virage et les roues s'enfoncèrent dans la boue. À l'intérieur, l'âcre odeur du cuir moisi mêlée à celle du bois vermoulu était insoutenable. Sur le siège qui lui faisait face, Iain leva la tête et la regarda. Les grands yeux sombres du garçonnet se détachaient dans un visage d'une infinie pâleur. Comment avait-elle pu concevoir l'idée d'entraîner un enfant de cinq ans dans ce saut vers l'inconnu ? Elle aurait sans doute pu trouver quelqu'un pour le garder, si…

Non. Il n'y avait personne. Personne à qui elle aurait pu confier Iain sans éprouver d'inquiétude.

— Crois-tu que l'homme te donnera quand même cet emploi, maman ? demanda Iain d'une voix douce. Je n'ai pas fait exprès de tomber malade à Marlborough. Il faudra dire à cet homme… au major, que c'était ma faute, n'est-ce pas ?

Aubrey se pencha pour passer la main sur ses cheveux noirs et brillants. Il avait hérité cette superbe chevelure de son grand-père, le père d'Aubrey, dont il portait aussi le prénom. Aubrey n'avait pas osé l'en faire changer. Persuader un enfant qu'il doit prendre un nouveau nom de famille et oublier qu'il en a jamais eu un autre, passe encore… Corriger son léger accent écossais, le faire passer pour un de ces pauvres gosses rendus orphelins par la mine… soit. C'était encore concevable. Mais lui demander de changer de prénom ? Lui faire admettre qu'elle devait en changer elle-même ? C'était trop.

Son instinct lui avait soufflé d'y renoncer et elle se félicitait de l'avoir suivi, d'autant que le prénom de l'enfant pouvait aussi devenir son meilleur atout. Bien sûr, elle espérait que ce ne serait pas nécessaire, qu'elle n'en serait pas réduite à utiliser cette dernière carte pour obliger Lorimer à les garder au château. Cependant, elle était prête à tout pour mettre enfin un toit au-dessus de leur tête et pour semer la meute à leurs trousses. Quel meilleur refuge pour eux que cette forteresse à l'allure désolée, juchée sur un promontoire presque inaccessible ?

— Iain, chuchota-t-elle, ce n'est pas ta faute. Ne dis rien, tu entends, mon garçon ? Nous trouverons un endroit où tu pourras te reposer pendant que je parlerai au major Lorimer. Il me donnera cet emploi, je te le promets.

Iain se rencogna sur la banquette inconfortable et ferma les yeux. La voiture aborda bientôt le tronçon de route pavé menant à l'entrée de la bâtisse. Très haut dans la muraille, au-dessus d'un passage voûté, une lumière pâle s'échappait d'une meurtrière d'une étroitesse telle qu'on la distinguait à peine. Aubrey aperçut les épaisses pointes de fer d'une ancienne herse qui avait été relevée pour les laisser entrer. À moins qu'elle n'ait été soulevée trois cents ans plus tôt et laissée ainsi… Tandis que la voiture franchissait le passage, Aubrey renversa la tête en arrière et contempla la toile noire qui couvrait l'intérieur de la diligence. Parcourue par un frémissement glacé, elle imagina que la herse rouillée redescendait en grinçant derrière eux, les rendant prisonniers à tout jamais de ces murailles sinistres.

Le cocher, un vieil homme aux épaules voûtées, les fit descendre dans la cour intérieure, entassa leurs malles sous l'antique porte cochère et s'empressa de regagner son siège. Aubrey faillit lui crier d'attendre, mais se ravisa. La pluie s'était remise à tomber dru et l'homme était sans nul doute pressé de reprendre en sens inverse la terrifiante route sinueuse, avant qu'elle ne se transforme en torrent de boue. Serrant la main de Iain dans la sienne, Aubrey souleva le heurtoir et le laissa retomber contre le battant massif.

— Vous aviez pas dit qu'y avait un enfant, fit remarquer la servante qui prit leurs vêtements et s'affaira dans le hall.

Malgré son expression indécise, il y avait de la bonté dans son regard. En espérant qu'elle n'aurait pas le cœur de les jeter dehors, Aubrey esquissa un faible sourire et ne répondit rien.

La femme de chambre haussa les épaules avec détachement et continua de jacasser :

— Vous comprenez, Pevsner, le majordome, est parti au King's Arms avec les valets, expliqua-t-elle. S'il avait été là, je lui aurais demandé son avis.

Les domestiques, partis faire ribote à une heure aussi avancée de la journée ? C'était pour le moins curieux.

— J'ai oublié de parler de Iain dans la lettre que j'ai envoyée au major Lorimer, déclara Aubrey en mentant effrontément. Mais c'est un enfant tranquille, qui ne dérangera personne. Puis-je savoir comment vous vous appelez ?

— Betsy, madame.

— Merci, Betsy.

Aubrey sourit avec un peu plus de conviction.

— Iain peut-il s'allonger près du feu dans la cuisine, pendant que je vais parler au major ? Il est si sage que vous ne vous apercevrez même pas de sa présence.

Betsy dévisagea l'enfant d'un air suspicieux.

— Je suppose qu'y aucun mal à ça, madame, finit-elle par concéder. Mais votre arrivée était prévue avant l'heure du thé. Le major ne reçoit plus personne, à cette heure-ci.

— Je suis désolée, murmura Aubrey, notre diligence a eu du retard.

Une toute jeune fille attendait en silence dans un coin de la pièce, les dévisageant avec de grands yeux candides qui lui mangeaient le visage. Betsy poussa l'enfant vers elle, en lui tendant les manteaux alourdis par la pluie. Aubrey remarqua du coin de l'œil l'épaisse couche de poussière qui recouvrait le mobilier et en conclut que les visiteurs devaient être rares à Cardow. Elle embrassa légèrement Iain sur la joue, puis l'enfant disparut avec la petite servante vers un escalier sombre, à l'autre extrémité du hall.

Étant donné sa nouvelle position sociale, Aubrey ne fut pas invitée à s'asseoir au salon. On lui désigna seulement un banc raide et inconfortable, à haut dossier, dans le hall. Après l'avoir gratifiée d'un autre sourire indécis, Betsy s'engagea dans l'élégant escalier de bois sculpté menant à une galerie ouverte qui dominait la salle.

Pour calmer ses nerfs à vif, Aubrey entreprit d'examiner le vaste hall de réception. Son plafond en forme de voûte lui donnait une allure très médiévale. L'odeur qui s'en dégageait avait aussi quelque chose de moyenâgeux… Cela sentait l'humidité et la pourriture. Aubrey imagina les couches de moisissure dissimulées sous les somptueuses tapisseries. Les immenses toiles d'araignée accrochées sous la galerie évoquaient les voiles d'un navire.

Quant aux deux énormes cheminées qui se faisaient face, elles étaient d'une saleté repoussante ; de larges taches de suie maculaient les manteaux de marbre blanc. Des armoiries étaient suspendues au-dessus de celle placée contre la muraille sud. Elles représentaient un corbeau entièrement noir, aux ailes déployées, se détachant sur un fond rouge sang. Le bouclier était porté par deux lions rampants, qui figuraient bien entendu le royaume d'Angleterre.

Eh bien... Le message des comtes de Walrafen était on ne peut plus clair ! Cependant, malgré toute la moisissure et les blasons d'un autre temps, il était visible qu'on avait tenté de moderniser le château à une ou deux reprises au moins au cours des mille ans écoulés depuis sa construction. Les dalles de pierre étaient recouvertes de tapis persans qui avaient connu des jours meilleurs. Le mobilier avait sans doute été ajouté pendant le règne de Guillaume IV, le vieux roi actuel. Une partie des murs était couverte de tapisseries anciennes, mais l'autre arborait des panneaux de chêne sombre et crasseux, remontant à l'époque du roi Jacques Ier, et dont les sculptures ressemblaient à celles qui ornaient la galerie.

Aubrey leva la tête pour mieux les contempler. Au même moment, elle prit conscience d'un bruit de voix qui se répercutait contre les parois de chêne. Ce qui ne fut au début qu'un murmure enfla rapidement, cédant la place aux éclats d'une vive discussion. Quelques secondes plus tard, une voix tonna dans toute la maison.

— Eh bien, dites-lui que ce fichu poste est déjà pris ! Et maintenant, dehors, espèce de souillon ! Emportez ce maudit plateau. Votre fichu repas ne serait même pas bon à donner aux pourceaux !

Ces paroles furent suivies d'un nouveau murmure de protestation. Il y eut des bruits de vaisselle qu'on entassait plutôt vivement.

— Ça se fait si j'en ai envie ! reprit la voix. Dehors, bon sang ! Plus de discussion !

Encore des murmures agités, encore des bruits d'assiettes se heurtant les unes aux autres.

— Eh bien mettez aussi l'enfant dehors ! Il est 4 heures et demie ! La plaie soit de ces gens ! C'est l'heure de mon whisky.

Les murmures reprirent. Puis, presque aussitôt, il y eut un cri aigu, suivi d'un bruit de plats se brisant avec fracas sur le sol.

Sans prendre le temps de réfléchir, Aubrey bondit sur ses pieds et se précipita dans l'escalier. Bien que large, la galerie n'était pas éclairée. Elle se prolongeait par une sorte de corridor, le long duquel s'alignaient des portes de chêne massif profondément enfoncées sous des voûtes de pierre. À quelques pas devant elle, Aubrey distingua un faible rai de lumière sur le sol. Sans hésiter, elle poussa la porte et s'engouffra dans la pièce.

Agenouillée juste derrière le battant, Betsy ramassait des débris de porcelaine qu'elle déposait un à un dans son tablier replié. Aubrey tenta de percer l'obscurité. Un feu brûlait chichement dans l'âtre, procurant la seule source de lumière. Elle vit cependant que la salle était une vaste bibliothèque.

— Vous n'êtes pas blessée ? demanda-t-elle en se baissant pour aider la servante qui tremblait comme une feuille.

— Non, elle n'est pas blessée, grommela un homme qui se tenait dans l'ombre. Mais c'est une fichue imbécile ! Et vous, quel diable de bonne femme êtes-vous, pour débarquer ici comme ça ?

Aubrey se redressa. Ses yeux s'étaient déjà adaptés à l'obscurité.

— Major Lorimer ?

Dans un angle opposé de la salle, elle distingua les contours d'un fauteuil repoussé profondément dans l'ombre d'une alcôve, comme si son occupant souhaitait ne pas être vu. C'est à peine si elle reconnut une silhouette masculine. L'homme se leva en chancelant, agrippa une canne et avança vers elle d'un pas incertain, qui tanguait nettement vers tribord.

La servante sembla se recroqueviller sur elle-même et continua de ramasser les morceaux de porcelaine sans lever la tête. L'homme s'arrêta à quelques pas des deux femmes et dévisagea longuement Aubrey de son œil unique. Le droit. Son bras gauche pendait, raide, le long de son corps. Sa jambe gauche, amputée juste au-dessus du genou, se prolongeait par une prothèse de bois. Il était beaucoup plus vieux et plus irascible qu'Aubrey ne l'avait imaginé. Beaucoup plus ivre, aussi.

Il continua d'avancer de son pas titubant, penchant très fort sur sa jambe de bois et fixant Aubrey de son œil étréci.

— Qui diable êtes-vous ?

La jeune femme rejeta les épaules en arrière et le toisa.

— Bonsoir, major Lorimer, dit-elle d'un ton égal. Je suis Mrs Montford, la nouvelle gouvernante.

— Oh ? Vraiment ?

Tout en ricanant, le vieil homme se pencha vers elle, par-dessus la servante agenouillée.

— Tendez-moi donc votre fichue main.

Décontenancée, Aubrey fit néanmoins ce qu'il demandait. Le major prit sa main dans la sienne et la frotta du bout des doigts, comme s'il cherchait à déterminer la qualité d'un morceau de tissu.

— Peuh ! bougonna-t-il. Si vous êtes une fichue gouvernante, moi je suis l'archevêque de Canterbury !

Aubrey en avait assez entendu.

— En fait, rétorqua-t-elle, je ne suis qu'une gouvernante *ordinaire*. Pas une *fichue* gouvernante. Vraiment monsieur, ne possédez-vous pas, dans votre vocabulaire, d'autre adjectif que celui-ci ?

Déconcerté, le major fut un instant réduit au silence. Il garda son œil droit fixé sur Aubrey, puis se tourna d'un mouvement sec vers Betsy.

— Dehors ! Dehors ! s'écria-t-il en enfonçant à chaque syllabe sa canne dans les côtes de la pauvre servante. Laissez-nous, grosse truie !

— Cessez cela ! ordonna Aubrey en agrippant la canne. Cessez tout de suite.

Betsy s'enfuit, en tenant son tablier plein de débris de porcelaine serré contre sa poitrine.

Le major s'appuya des deux mains sur le pommeau de sa canne et se pencha vers Aubrey.

— Voyons un peu, miss… Mrs… Diable! Quel votre nom, déjà?

— Montford, énonça-t-elle d'une voix claire.

— Eh bien, *Mrs Montford*, répéta-t-il, narquois. Quel âge avez-vous?

— Vingt-huit ans, monsieur.

C'était encore un mensonge effronté. Un de plus. Le major dut s'en douter, car il éclata de rire.

— Oh! ça m'étonnerait! fit-il d'une voix tout de même radoucie. Et ce garçon, que vous avez traîné jusqu'ici, qui est-ce? Le rejeton de votre dernier employeur?

Aubrey sentit une vague brûlante envahir ses joues.

— C'est l'enfant que j'ai eu avec mon défunt mari, monsieur.

Ce mensonge-là était bien plus difficile à faire passer que le précédent. Le major perçut son hésitation et lui saisit prestement la main gauche pour l'examiner. Son alliance scintilla à la lueur des flammes.

— Il était employé à la mine, expliqua-t-elle. Nous vivions dans le Northumberland.

Lorimer laissa retomber sa main et observa attentivement ses traits.

— Ah bon? Moi, je trouve que vous avez plutôt le type de ces fichues Écossaises.

— Je… oui, c'est possible, admit-elle. Ma grand-mère était de Sterling.

— De toute façon, c'est sans importance, maugréa le major. J'ai engagé quelqu'un d'autre.

Aubrey secoua la tête avec obstination et chercha quelque chose dans sa poche.

— Vous m'avez promis cet emploi, major Lorimer, dit-elle en brandissant sa fausse lettre de références. Vous m'avez demandé par courrier une lettre de mon dernier employeur. Vous avez même précisé que si celle-ci vous convenait, vous m'accorderiez ce poste de gouvernante.

— Eh bien voilà! Vous avez vous-même fourni la réponse! Cette lettre de recommandation ne me satisfait pas.

Aubrey agita le papier devant lui.

— Vous ne l'avez même pas regardée ! s'exclama-t-elle avec indignation. J'ai fait un très long voyage depuis Birmingham, pour venir travailler ici, pour vous !

Le major lui arracha la feuille des mains.

— Pas pour moi ! rétorqua-t-il tout en boitillant vers un bureau placé devant la fenêtre. Pour mon fichu... pour mon *satané* neveu. Giles. Cette maison ne m'appartient pas, c'est la sienne.

Il jeta la lettre sur le bureau.

— Tout le monde sait qui est le comte de Walrafen, rétorqua Aubrey. Mais on m'a dit que Sa Seigneurie visitait rarement le château de Cardow. Et maintenant, expliquez-moi comment vous avez pu pourvoir un poste qui m'a été proposé il y a à peine trois jours.

Le major ricana d'un air méprisant.

— Vous êtes une insolente, Mrs Montford.

Aubrey refusa de se laisser intimider.

— Je n'apprécie pas d'être traitée en quantité négligeable, major Lorimer, énonça-t-elle d'un ton ferme. En outre, il est évident que Cardow a grand besoin d'une gouvernante. Monsieur le comte de Walrafen a-t-il la moindre idée de l'état lamentable dans lequel se trouve le château de ses ancêtres ?

Le major manqua s'étouffer de rire.

— Et quelle différence cela ferait-il, s'il le savait ? Cette fichue baraque pourrait s'effondrer demain, que ça ne lui ferait ni chaud ni froid ! Et maintenant, ma fille, sortez d'ici. Betsy vous trouvera un endroit où passer la nuit, avec le garçon. J'ai changé d'avis, je n'ai plus besoin d'une intendante. Il y a déjà assez de domestiques comme ça dans cette maison, qui mettent leur nez partout, boivent mon whisky et se mêlent de ce qui ne les regarde pas.

Aubrey se rendit compte qu'il ne s'agissait pas de paroles en l'air. Le vieil homme était tout à fait sérieux. Certes, c'était un ivrogne. Il puait l'alcool à plein nez, ne s'était pas rasé depuis plusieurs jours, sa cravate était défaite et sa tenue négligée. Toutefois, on sentait encore chez lui quelques lambeaux de noblesse. Un certain sens de l'honneur. Lorimer était plus âgé que le père d'Aubrey, mais il

17

se tenait toujours droit comme un vrai soldat. Son apparence était répugnante, son comportement détestable, pourtant, elle savait avec certitude que cet homme était de ceux auxquels on pouvait se fier.

De toute façon, elle n'avait pas le choix.

Elle inspira profondément et ouvrit son réticule pour en sortir une deuxième lettre, si ancienne que le papier était chiffonné et les bords déchirés. Sans un mot, elle la tendit au major.

Lorimer la dévisagea avec curiosité.

— Qu'est-ce que c'est ?

— Une autre lettre, monsieur.

— Ah ? fit-il en la saisissant presque à regret. De qui ?

— De vous, monsieur. Vous l'avez envoyée à ma mère lorsque mon père est mort. Vous lui donniez votre parole d'honneur, en tant qu'officier et gentleman, de nous venir en aide par tous les moyens possibles, au cas où les circonstances l'exigeraient.

Avec une expression indéchiffrable, le major se laissa tomber sur une chaise devant le bureau. Aubrey alla se placer à côté de lui tandis qu'il dépliait la missive et se tournait vers la cheminée pour avoir de la lumière. Il demeura longtemps silencieux, puis enroula la lettre écrite de sa main autour de la première et les fit disparaître toutes les deux dans un tiroir. Son regard se perdit dans le lointain.

— Mon Dieu ! Pauvre Janet... murmura-t-il. Elle est morte alors, n'est-ce pas ?

— Oui, monsieur.

— Et leur fille aînée ? grommela-t-il d'une voix sourde. Elle a fait un bon mariage, à ce que je sais, non ? Ne peut-elle pas vous venir en aide ?

— Muireall a toujours eu une santé fragile, répondit Aubrey. Elle est morte également, peu de temps après maman.

Le major se détourna, évitant de croiser son regard.

— Par Dieu, je savais bien que vous étiez écossaise ! marmonna-t-il, le front posé au creux de sa main. Vous avez les yeux et les cheveux de votre mère.

— Oui, fit-elle doucement.

Le major émit une sorte de grognement sourd.

— Alors, maintenant vous avez des problèmes, mon petit ? Et vous vous attendez à ce que je vous sorte de ce mauvais pas ? Eh bien, vous vous êtes trompé d'adresse. Je ne suis qu'un vieux soldat au bout du rouleau. Je n'ai aucune influence. C'est tout juste si je dispose d'assez d'argent pour me payer mon whisky et mes filles de joie.

— Monsieur, reprit-elle d'une voix humble et suppliante cette fois. Tout ce que je demande, c'est un travail qui me permette de subvenir à mes besoins.

Le regard dans le vague, le vieil homme se remit à rire.

— C'est la faute de Iain, vous savez, si j'ai pris d'aussi mauvaises habitudes, confia-t-il à mi-voix. Je ne veux pas parler des femmes, mais du whisky. Il appelait ça « l'Or de Glasgow ».

— Papa appréciait le bon whisky.

Le major la considéra en plissant son œil unique et demanda, suspicieux :

— Pourquoi êtes-vous obligée de travailler, ma petite ? Votre père ne manquait pas d'argent, il a dû vous en laisser suffisamment !

Aubrey hésita.

— J'ai besoin de ce travail. De grâce, monsieur, sur la vie de mon père, ne m'en demandez pas davantage. Et ne dites à personne que vous me connaissez.

— Par Dieu ! Mais *je ne vous connais pas* !

— Absolument, confirma vivement Aubrey. Pour vous et pour les autres domestiques, je serai seulement Mrs Montford. Votre gouvernante.

Sans répondre, le major se pencha pour prendre sa bouteille déjà à moitié vide. Il remplit lentement un verre crasseux posé à côté de lui sur le bureau.

— La vie de votre père, hein ? marmonna-t-il. Je pense qu'elle a été gâchée, sa vie, par ma faute.

— Monsieur, vous ne pouvez pas croire une chose pareille.

Il tourna vers elle un regard soudain enflammé.

— Vous ne savez rien de ce que je crois ! Cessez donc de parler à tort et à travers !

Il se tut brusquement, comme si une pensée inattendue venait de lui traverser l'esprit.

— Attendez ! Par Jupiter… Je me souviens… quelque chose me revient vaguement en mémoire…

— Monsieur ? demanda Aubrey, la voix étranglée.

— Il me semble avoir lu quelque chose dans les journaux, au printemps dernier. Un scandale…

Il pencha la tête de côté et se gratta le crâne.

— À moins que ça ne soit l'année précédente ? Le nom m'avait paru familier. Je n'étais pas ivre au point d'avoir oublié ça. Ah ! *Mrs Montford !* À d'autres ! Je parierais dix guinées que vous mentez. Ce n'est pas votre nom.

Aubrey ferma les yeux.

— Je vous en prie, monsieur. Ne me demandez rien de plus.

— Ne vous en faites pas pour ça ! Je ne veux rien savoir, affirma-t-il. Ni sur vous ni sur vos ennuis actuels. J'ai fait une promesse à votre père et je tiendrai parole. Mais c'est tout. Vous avez compris ?

— Oui, monsieur.

— Une femme de votre condition ne devrait pas être domestique, déclara-t-il, le regard fixé sur l'âtre.

— C'est un travail honnête, monsieur. Et j'ai assez d'expérience pour diriger une grande maison.

Le major fit entendre un nouveau ricanement.

— Je me fiche complètement de vos compétences ! Je renverrais tout le monde, si Giles voulait bien me laisser faire à ma guise. Mais il ne veut pas. Et maintenant, il va falloir que vous restiez aussi, je suppose ?

Aubrey se garda de répondre.

Le major jura tout bas et reposa maladroitement sa bouteille sur le bureau, comme s'il avait du mal à évaluer les distances.

— Bien. Voilà comment nous allons nous organiser, mon petit, annonça-t-il en s'essuyant la bouche du revers de la manche. J'aime que mon whisky soit frais et mon bain très chaud. On me sert le thé à 4 heures, le dîner à 6. Ici même. Sur un plateau.

— Oui, monsieur, balbutia Aubrey avec un soupir de soulagement.

— Je ne veux voir personne. Ni entendre le son d'une voix. À moins qu'il n'y ait le feu au château, ou que les Français ne soient sur le point d'attaquer. Ne me demandez aucun conseil sur la façon de diriger cette maison, car je n'ai pas d'opinion à ce sujet. Même chose en ce qui concerne le domaine. Je n'y connais rien et n'ai aucune envie de m'y intéresser.

Aubrey esquissa avec effort un signe d'assentiment.

— Oui, monsieur.

Mais Lorimer n'en avait pas fini. Il reprit sa respiration avant de poursuivre :

— Je ne prends pas de petit déjeuner. Je ne reçois pas de visiteurs. C'est vous qui ouvrirez le courrier. Si c'est une facture, payez-la. S'il s'agit d'une affaire concernant le domaine, transmettez la missive à Giles. Si c'est autre chose, vous n'aurez qu'à brûler la fichue lettre. Si je descends au village et que je ramène une femme dans ma chambre, c'est mon affaire. Si je tombe ivre mort dans cette pièce, que je vomis sur les tapis et que je souille mes vêtements, c'est mon affaire. Si je décide d'aller me promener entièrement nu sur les remparts du château… Eh bien, que diriez-vous de ça, Mrs Montford ?

— Que… que c'est votre affaire, monsieur ?

— Vous avez sacrément raison. Et si ça déplaît à quelqu'un, il peut aller se faire pendre ! Vous me suivez, Mrs Montford ?

— Oui, monsieur.

Lorimer eut un sourire diabolique.

— Encore une chose, Mrs Montford. Je déteste les enfants. Tâchez de tenir ce morveux hors de ma vue, vous entendez ? Si vous le laissez approcher, je jure devant Dieu que je lui apprendrai tous les jurons de ma connaissance !

Aubrey crut sentir ses jambes se dérober.

— Oui, monsieur, murmura-t-elle. Je lui interdirai de vous approcher, je vous le promets. Y a-t-il… autre chose ?

Lorimer éclata d'un grand rire moqueur.

— Pour ça, oui! Dans deux jours, tous ces fichus villageois raconteront que vous êtes ma nouvelle maîtresse, arrivée tout droit de Londres! C'est la même chose chaque fois qu'une jolie fille est engagée au château.

Aubrey éprouva une sensation de nausée.

— Et voilà! bougonna-t-il en avalant d'un trait le contenu de son verre. Vous l'avez, votre précieux poste de gouvernante, Mrs Montford. Je souhaite qu'il vous apporte beaucoup de joie!

Étourdie, Aubrey esquissa maladroitement une révérence.

— M... merci, monsieur.

Le major Lorimer rota bruyamment.

Aubrey s'enfuit à toutes jambes.

1

Lord Vendenheim n'aime pas la plaisanterie

Septembre 1829

Il faisait un temps radieux à Mayfair, cet après-midi-là. Tout le long de Hill Street, on avait ouvert les fenêtres pour laisser entrer dans les maisons et les échoppes la douce brise d'automne qui soufflait sur la ville. Les femmes de chambre avaient saisi cette opportunité pour sortir balayer le pas de leur porte. Les cochers, qui avaient mis leurs chevaux au pas, soulevaient galamment leur chapeau en passant devant elles. Une demi-douzaine de valets s'attardaient sur le trottoir et prenaient l'air en attendant qu'on leur donne quelque chose à faire... ou en espérant ainsi échapper à quelque corvée.

La bibliothèque du comte de Walrafen, qui se trouvait dans l'angle sud du deuxième étage de sa demeure, était idéalement située pour profiter d'une si belle journée. Les vitres des quatre fenêtres étaient relevées et le comte entendait dans son dos le roucoulement des pigeons perchés sur la toiture. Cependant, à l'inverse des femmes de chambre, Walrafen n'était pas de bonne humeur. À vrai dire, il l'était rarement. Rejetant rageusement sur son bureau la lettre qu'il était en train de lire, il foudroya son secrétaire du regard.

— Ogilvy! s'exclama-t-il. Bon sang, Ogilvy! Les pigeons! Chassez ces satanés pigeons de ma fenêtre!

Ogilvy leva vers son employeur un visage blême, mais sa réaction fut prompte. Il bondit de son siège et se rua vers la fenêtre, une règle à la main.

— Ouste! Ouste! s'écria-t-il en balayant l'air de sa baguette. Partez vite, démons!

Les pigeons s'envolèrent avec force bruissements d'ailes et cris de protestation. Ogilvy s'inclina avec raideur devant le comte et retourna à sa table de travail. Un peu gêné, Walrafen se racla la gorge. Vu son jeune âge, Ogilvy n'était pas encore un homme d'affaires accompli, mais il n'était pas payé pour chasser les pigeons. Walrafen fut sur le point de s'excuser. Alors même qu'il ouvrait la bouche pour le faire, la brise se transforma en un violent courant d'air qui fit s'ouvrir le dossier posé sur son bureau. Deux ans de correspondance s'envolèrent en tourbillonnant dans la pièce.

Pris au centre d'une tornade de feuilles blanches, Walrafen poussa un juron retentissant.

— Il ne suffit donc pas que cette femme m'assomme de ses sermons hebdomadaires? grommela-t-il en ramassant les papiers avec l'aide de son secrétaire. J'ai la fâcheuse impression que les lettres de Mrs Montford sont habitées par le diable, Ogilvy!

Cette supposition paraissait vraisemblable, car il n'y avait à présent plus un souffle d'air dans la pièce. Ogilvy rassembla les feuillets et tapota la grosse liasse contre le bord du bureau pour remettre les feuilles en ordre.

— Ce n'est pas grave, monsieur, dit-il en tendant le dossier parfaitement reconstitué à Walrafen. Toutes les lettres sont là.

— C'est bien ce qui m'ennuie, rétorqua le comte avec un sourire narquois.

Le jeune homme alla se remettre au travail. De son côté, Walrafen ouvrit le dossier et reprit sa lecture de la dernière missive expédiée par Mrs Montford.

Castle Cardow, le 21 septembre

Monsieur le Comte

    Comme je l'expliquais dans mes quatre dernières lettres, il est devenu impératif de prendre une décision au sujet de la tour ouest du château. N'ayant pas reçu de réponse de votre part, j'ai pris l'initiative de faire venir un architecte de Bristol. Le rapport de Messieurs Simpson & Verney établit que la paroi exposée à l'ouest présente une profonde fissure et que les fondations de la tour sont gravement endommagées. Pouvez-vous me dire, monsieur, s'il faut la faire abattre ou l'étayer ? Je souhaite vivement qu'une décision soit prise avant que cette partie du bâtiment ne s'effondre et ne cause un accident à l'un des jardiniers. Vous savez combien il est difficile d'en trouver de sérieux.

Votre servante dévouée,
Mrs Montford

    Seigneur ! C'était la cinquième lettre que cette femme lui envoyait au sujet de cette maudite tour. Pourquoi diable ne l'avait-elle pas encore fait réparer, puisqu'elle avait déjà engagé des architectes ? Walrafen n'avait aucune envie de s'en occuper. D'ailleurs, depuis que Cardow et tout son contenu était entre les mains compétentes de Mrs Montford, il pouvait en toute quiétude oublier ce maudit château. Et ne rien faire, un luxe auquel il était en train de s'habituer.

    Déposant de côté la dernière missive, il passa au feuillet suivant. Ah ! Cette lettre-ci traitait d'un autre de ses sujets favoris : l'oncle Elias. Pauvre diable ! Elle ne le laissait sans doute jamais en paix.

Monsieur le Comte,

    La santé de votre oncle continue de se dégrader. C'est son foie à présent qui le fait souffrir, mais il refuse de laisser entrer Crenshaw. La semaine dernière, il a lancé une bou-

teille vide à la tête du médecin, alors que celui-ci remontait dans sa voiture. Par bonheur, sa vue étant aussi mal en point que son foie, il a manqué son but. Cependant, je vous supplie de bien vouloir lui accorder un peu d'attention et au moins de le persuader de se soumettre au traitement...

— Madame, marmonna Walrafen en s'adressant au papier qu'il tenait, si une harpie telle que vous ne parvient pas à l'en persuader, je n'ai pas la moindre chance de réussir.

— Je vous demande pardon, monsieur ? dit Ogilvy en levant la tête de son travail.

Walrafen prit le feuillet entre deux doigts, comme s'il s'agissait d'un mouchoir sale, et l'agita au-dessus de son bureau.

— Ah ! s'exclama le secrétaire d'un air entendu, la gouvernante...

— Oui. La gouvernante. Une vraie plaie, cette femme.

Avec un sourire résigné, le comte rangea la lettre dans le dossier. Puis, sur une étrange impulsion, il en prit une autre au hasard dans la pile. Celle-ci était datée du mois de mars, deux ans auparavant. C'était l'une des premières, et aussi sa préférée.

Monsieur le Comte,
Votre oncle m'a une fois de plus renvoyée. Voudriez-vous avoir l'obligeance de me dire si je dois partir ou rester ? Dans le cas où vous désireriez que je m'en aille, sachez que vous me devez la somme de 1 livre et 8 shillings. Dont 6 shillings que j'ai avancés au pharmacien la semaine dernière, lorsque votre oncle a délibérément avalé la clé du coffre. (Nous avions eu des mots, au sujet de l'eau-de-vie de contrebande qu'il avait achetée au village.) Si vous préférez que je reste, je vous supplie de bien vouloir lui écrire pour lui dire que cette clé doit impérativement être récupérée et que le devoir lui en incombe...

26

Pauvre oncle Elias! Il l'imaginait penché au-dessus de son pot de chambre, tandis que l'horrible Mrs Montford attendait derrière lui, une cravache à la main! Walrafen émit un ricanement, ignora le regard intrigué d'Ogilvy, et saisit une autre lettre. Ah oui! Elle lui avait envoyé celle-ci au début du printemps, lorsqu'elle s'était mis en tête de nettoyer la maison de fond en comble. Il se demanda un instant quelle allure devait avoir le château à présent mais chassa aussitôt cette pensée.

Monsieur le Comte,

Savez-vous que j'ai trouvé six crapauds morts dans le dernier tiroir de la commode en marqueterie de votre chambre? Betsy me dit que lors de votre départ pour Eton, vous avez ordonné formellement qu'on ne touche sous aucun prétexte au contenu de ce meuble. Mais étant donné que votre départ a eu lieu en 1809 et que nous sommes maintenant en 1829, j'ai pensé qu'il valait mieux s'enquérir de votre volonté à ce jour. Puis-je me permettre de préciser que lesdits crapauds sont à l'état de poussière actuellement?

Je vous prie de croire que j'en suis sincèrement désolée.

Votre servante,
Mrs Montford

P.S. Votre oncle m'a une fois de plus mise à la porte. Je vous prie de me faire savoir si je dois rester ou partir.

Walrafen jeta la lettre de côté et se pinça l'arête du nez. Il avait une terrible envie de rire. Bon sang! À moins qu'il n'ait envie de pleurer?

« Partez! Partez, Mrs Montford! Et bon débarras! »

Avait-il réellement envie qu'elle s'en aille? Non. Par Dieu, non! Il eut la sensation tout à coup que le papier blanc l'éblouissait. Le sang qui lui battait aux tempes annonçait un mal de tête. D'une façon ou d'une autre, cette femme lui tapait sur les nerfs. Tantôt elle le mettait en colère, tantôt elle l'amusait. Elle était insolente, mais aussi d'une perspicacité redoutable.

Et c'était bien cela, le problème, n'est-ce pas ? Par simple honnêteté envers lui-même, il devait bien l'admettre : Mrs Montford le culpabilisait. Elle le faisait avec une effroyable régularité, depuis bientôt trois ans. Au fil des mois, ses lettres s'étaient faites plus insistantes, plus exigeantes et plus pertinentes. Il redoutait de les ouvrir, mais ne se lassait pas de les lire et de les relire. En règle générale, il ne prenait pas la peine de répondre. Du coup, il recevait un plus grand nombre encore de missives. Il aurait dû renvoyer cette femme au premier signe d'insolence.

Oui, mais parfois ses lettres le faisaient rire et, jusqu'ici, le rire n'avait pas eu une très grande place dans sa vie. En outre elles lui ramenaient en mémoire, avec une vivacité surprenante, des souvenirs presque oubliés. Ces missives faisaient resurgir le château de son enfance sous son aspect le plus agréable. Étrangement, il avait parfois l'impression que la véritable intention de Mrs Montford était de… *l'attirer* à Cardow. Certaines lettres contenaient bien autre chose que des remarques cyniques ou sévères ; elles faisaient parvenir jusqu'à lui une voix secrète, mystérieuse, qui s'adressait très doucement à une partie de lui enfouie profondément.

Il prit une autre lettre, datée du mois de mai dernier, déjà froissée et cornée à force d'avoir été lue.

Les bouquets d'ajoncs présentent de merveilleuses nuances de vert, cette année, Monsieur. J'aimerais tant que vous puissiez les voir ! Les massifs de roses promettent d'être splendides. Jenks songe à installer une pergola près de la roseraie…

Pourquoi l'entretenait-elle de tels sujets ? Et pourquoi diable ne cessait-il de relire les courriers qu'elle lui envoyait ? Était-elle jolie ? Ce n'était pas la première fois qu'il se posait cette question. Il ignorait son âge, mais on devinait à travers sa prose qu'elle était jeune. Jeune et pleine de vitalité. Oncle Elias aimait les jolies servantes…

surtout dans une position horizontale. Walrafen se demanda si ce vieux bouc libidineux avait réussi à mettre celle-ci dans son lit.

Probablement, sinon, la belle se serait sauvée depuis longtemps. Aucune domestique n'aurait accepté de supporter le caractère infernal de l'oncle Elias pour un salaire aussi dérisoire que celui qu'il versait à Mrs Montford. Il aurait fallu qu'elle soit réellement désespérée... Désespérée à un point inimaginable.

Cette question le perturba. Il se sentit... Eh bien, il n'aurait su dire ce qu'il éprouvait au juste. Il n'aimait pas l'idée qu'il puisse y avoir dans le royaume d'Angleterre un homme ou une femme obligé d'accepter une position intolérable, simplement pour ne pas mourir de faim.

Son mal de tête empira. Maudite soit cette Mrs Montford! La tour ouest pouvait bien s'écrouler, il s'en souciait comme d'une guigne. Quant aux jardiniers, qu'ils vivent ou qu'ils meurent, qu'est-ce que ça pouvait bien lui faire?

Grand Dieu!

Non, ce n'était pas vrai. Il n'avait pas passé la plus grande partie de sa vie à défendre les droits des travailleurs pour laisser l'un de ses employés courir des risques aussi graves. S'il ne faisait rien, Mrs Montford prendrait tout simplement la situation en main et résoudrait le problème. Naturellement, elle serait fâchée contre lui; il recevrait un torrent de lettres hautaines et méprisantes, suivies par une pluie de factures et de reçus. Mais tout se serait arrangé à Cardow sans qu'il ait eu à lever le petit doigt. Sa seule corvée consisterait à lire les lettres de la gouvernante. À moins qu'il ne s'agît plutôt d'une agréable distraction? Sans doute... Walrafen se demanda une fois de plus pourquoi une femme aussi intelligente que Mrs Montford permettait au vieil oncle Elias de prendre son plaisir avec elle.

Une douleur fulgurante lui transperça soudain la tempe.

— Ogilvy! dit-il d'un ton sec. Tirez les tentures et faites-moi apporter mon café.

Ogilvy le considéra d'un air intrigué.

— Oui, monsieur le comte.

Avant que le secrétaire n'ait eu le temps de se lever pour sonner, la porte s'ouvrit à la volée.

— Lord Vendenheim, annonça le majordome.

Max, l'ami de Walrafen, entra dans la bibliothèque.

— *Per amor di Dio !* marmonna-t-il en ôtant ses gants. Tu n'es pas encore habillé !

Mince, les épaules légèrement voûtées, le teint brun et les cheveux sombres, Max avait perpétuellement l'air irrité. Et arrogant. Le fait que Walrafen appartienne à un rang élevé de la noblesse ne l'avait jamais intimidé, pas même lorsqu'il n'était encore qu'un petit inspecteur de police, et Walrafen l'un des membres les plus influents de la Chambre des lords. Max avait un principe simple : il ne tenait compte que de vos qualités personnelles. Si vous étiez un imbécile, il vous traitait comme tel. Il avait une vision très égalitaire des rapports sociaux.

Il toisa sévèrement son ami.

— Tu ne devais pas m'accompagner ?

Un instant interloqué, Walrafen jura tout bas.

— Bon sang ! Le défilé.

Il eut un petit sourire contrit et ajouta en se levant :

— Je ne crois pas qu'ils puissent commencer sans nous, mais il faut que j'aille me changer. Je ne comprends pas comment le temps a pu passer aussi vite.

Le regard de Max se posa sur le dossier ouvert sur la table de travail. Il saisit la lettre qui se trouvait au sommet de la pile.

— Ah ! encore la gouvernante... Vraiment, Giles, quand cesseras-tu de jouer au chat et à la souris avec cette femme ?

— C'est mon affaire, dit Walrafen en lui décochant un regard noir.

Comme chaque fois qu'il restait trop longtemps assis, sa jambe s'était engourdie et il dut faire un effort pour ne pas boiter. Max le suivit, la lettre à la main. Tandis que le valet de Walrafen s'affairait autour de son maître, l'aidant à retirer sa veste et sa cravate, Vendenheim lut la missive à haute voix.

— Quelle extraordinaire créature ! s'exclama-t-il lorsqu'il eut fini sa lecture. J'aimerais bien faire sa connaissance !

Walrafen éclata d'un rire retentissant.

— Tu penses qu'il faut se méfier de l'eau qui dort, n'est-ce pas ?

Max haussa les sourcils.

— Oh ! cette eau-là ne dort pas ! affirma-t-il avec assurance. Ce sont des eaux tumultueuses, qui refusent de se laisser dompter. Et... j'ai l'impression qu'elles contiennent autre chose que nous ne voyons pas. Je me demande ce que c'est.

Walrafen se pencha vers le miroir pour ajuster sa cravate.

— Mrs Montford n'est qu'une domestique, Max. Une gouvernante autoritaire et arrogante.

— Dans ce cas, tu n'as qu'à la renvoyer.

— Quoi ? Pour qu'elle aille faire le malheur d'un autre pauvre type ? s'exclama-t-il en riant. Je ne pourrais pas renvoyer une domestique sans lui donner de références. À moins qu'elle n'ait commis un meurtre, ou pire que ça. Pour tout dire, elle ne me dérange pas.

— Ce n'est pas l'impression que j'ai quand je te regarde, déclara Max en se levant pour ouvrir la porte. Et je ne pense pas qu'elle aille jusqu'à tuer quelqu'un pour t'arracher à ta vie de... comment dis-tu ? De douce négligence ? Car dans ce cas-là, tu serais bien obligé de retourner au château, n'est-ce pas ?

Walrafen passa devant lui d'un pas vif.

— Laisse tomber cette maudite lettre et partons. Les rues autour de Whitehall vont être bondées, à cette heure-ci. Nous allons être obligés d'y aller à pied.

— À qui la faute ?

Walrafen ne se trompait pas. Il y avait tant de monde dans les rues qu'ils durent descendre de voiture à Charing Cross et se frayer un chemin dans la foule en jouant des coudes. Les employés de bureau qui quittaient tous les jours Westminster à cette heure-ci pour aller déjeuner se retrouvèrent bloqués au milieu de la rue par les carrosses des spectateurs qui arrivaient. Au siège de la police, où se trouvait le bureau de Max, ils croisèrent des policiers en uniforme qui couraient en tous sens.

Ils arrivèrent enfin devant la porte de Max. La pièce était occupée par un couple qui se tenait devant la fenêtre et observait le tumulte de la rue. Giles reconnut la jeune femme avant même qu'elle ne se retourne. Il s'agissait de Cécilia, l'épouse de son défunt père. Son second mari, lord David Delacourt, l'accompagnait.

— Bonjour, Cécilia, dit Walrafen en s'inclinant devant elle. Bonjour, Delacourt. Quelle surprise !

— Mon cher Giles ! répondit Cécilia. Bonjour, Max. Nous espérions bien vous retrouver ici.

Cécilia s'avança vers Walrafen de sa démarche souple et dansante, et lui tendit la joue pour qu'il l'embrasse, comme il le faisait toujours. À cet instant, un petit garçon surgit aux côtés de Cécilia et s'interposa.

— Giles ! Giles ! Nous avons vu le sergent Sisk ! Il m'a prêté son chapeau ! Vous allez défiler avec eux ?

Le cœur soudain plus léger, Walrafen souleva le garçonnet dans ses bras.

— Non, Simon. Mais je vais faire un long discours.

Le mari de Cécilia s'écarta de la fenêtre.

— Cécilia et Simon voulaient absolument voir le défilé de la nouvelle Police londonienne, expliqua-t-il d'un ton d'excuse. J'espère que notre présence ne vous dérange pas ?

Il s'adressait à Max, tout en gardant les yeux fixés sur Walrafen.

— Pas du tout, répliqua Max.

— Eh bien, si vous êtes prêts, messieurs, je propose de vous emmener à Bloomsbury dans notre carrosse. Simon, grimpe sur mes épaules, nous allons redescendre.

L'enfant ne se le fit pas dire deux fois et Max ouvrit la porte.

— Giles, je suis si fière de vous, aujourd'hui, chuchota Cécilia en posant la main sur le bras de Walrafen. Mon cher, votre belle-mère vous adore.

Walrafen laissa les autres passer devant eux et plongea son regard dans les superbes yeux bleus de la jeune femme.

— C'est absurde, Cécilia. Vous n'êtes plus ma belle-mère. Vous êtes la femme de Delacourt et la mère de Simon.

— J'en suis bien consciente, admit-elle avec une expression étrange. Mais cela n'empêche pas que je vous aie toujours beaucoup aimé, Giles. Pas comme une mère, bien sûr, mais… plutôt comme une sœur.

Comme une sœur. Un amour platonique ; c'était tout ce qu'il pouvait espérer désormais de la part de Cécilia. Aux yeux de l'Église, elle était en effet *sa mère* et il ne pourrait plus jamais en aller autrement. C'était précisément ce que son père avait eu en tête en l'épousant. Qu'il aille au diable ! Comme si cela n'avait pas suffi au malheur de Giles, le comte était mort prématurément. C'est ainsi que Delacourt, qui ne méritait même pas d'embrasser le sol où Cécilia posait les pieds, avait pu s'insinuer dans sa vie. À la surprise générale, cette fripouille était devenue le plus fidèle des maris ! Et il avait intérêt à le rester, songea Walrafen. Sans cela, il se chargerait lui-même de le tuer, ce qui lui causerait quelque chagrin, car il commençait à éprouver de l'affection pour ce beau parleur.

— Je suis plus vieux que vous, Cécilia, rappela-t-il à la jeune femme en l'entraînant dans l'escalier. Lorsque vous avez épousé mon père, j'avais vingt-trois ans et je siégeais déjà à la Chambre des communes. Je trouve ridicule de continuer à vous appeler ma « belle-mère ».

Cécilia laissa fuser un rire léger et s'arrêta pour lui tapoter la joue.

— Mon pauvre petit Giles ! David et moi ferons toujours partie de votre famille, que cela vous plaise ou non. En parlant de famille, donnez-moi des nouvelles d'Elias. Il ne répond jamais à mes lettres.

— Le ministère de l'Intérieur n'est pas un endroit correct pour une dame, Cécilia, déclara Walrafen en détournant délibérément la conversation. Votre mari ne devrait pas vous permettre de quitter Curzon Street. C'est là qu'est votre place.

Cette remarque provoqua un nouveau rire chez Cécilia.

— Ne soyez pas si rigide, Giles ! Je n'aurais manqué cette sortie pour rien au monde. Sans vous et sans le travail de Max, Peel n'aurait jamais réussi à faire passer cette loi sur la police au Parlement. Tout le monde le dit.

Walrafen laissa tomber le sujet et Cécilia en resta là.

Ils prirent place sur l'estrade qui leur était destinée et regardèrent les brigades de la nouvelle Police métropolitaine défiler dans leurs uniformes flambant neufs. Avec leurs longs manteaux et leurs chapeaux, les hommes avaient fière allure. Lorsque la parade fut terminée et tous les discours prononcés, le petit groupe se sépara. Cécilia tendit une fois de plus la joue à Walrafen, qui l'embrassa. Max et lui déclinèrent l'offre de Delacourt qui proposait de les ramener à Mayfair dans leur carrosse. Les deux amis redescendirent donc Upper Guilford Street à pied.

— C'est une femme exceptionnelle, tu ne trouves pas ? dit Max, alors que Cécilia leur faisait un dernier signe de la main tandis que le carrosse s'éloignait en fendant la foule.

Walrafen ne répondit pas tout de suite. Cécilia était plus qu'exceptionnelle : elle était incomparable.

— En parlant de femmes, marmonna-t-il. Où est ton épouse ?

— Dans notre maison du Gloucestershire, répondit Max d'un ton morne. Pour la naissance d'un neveu… ou d'une nièce. Ou peut-être les deux, qui sait ?

— Tu ne vas pas la rejoindre ? La ville ne va pas tarder à se vider pour la saison de la chasse.

Ils traversèrent Russell Square, et Max évita de justesse un vendeur de journaux qui passait en criant.

— Je le ferai sans doute. Nous ne passerons pas l'hiver en Catalogne, cette année, à cause du bébé.

— Pourquoi ne pas rester en ville avec Peel ? suggéra Walrafen.

— Il risque de rentrer chez lui également, fit Max en secouant la tête. La santé de son père est déclinante.

— Ah ! Donc, il s'appellera bientôt sir Robert. On perd un parent bien-aimé et on y gagne un titre. Certains trouvent que ce n'est pas juste.

Max le dévisagea avec une curiosité manifeste.

— C'est ce que tu as pensé quand ton père est mort ?

Le regard de Walrafen balaya la place.

— La mort de mon père nous a causé un choc, dit-il lentement. Nous ne nous y attendions pas. Il avait toujours eu une excellente santé.

— Mon ami, tu n'as pas répondu à ma question.

— Inspecteur de police avant tout, n'est-ce pas ? Eh bien non, Max. Je n'ai pas éprouvé de chagrin quand mon père est mort. Je le détestais depuis que j'étais enfant et les efforts de Cécilia pour nous réconcilier furent vains. Nous n'étions pas en bons termes au moment de sa mort, c'est à peine si nous nous adressions la parole. Je ne peux pas dire que cet événement m'ait empli de tristesse. Je suppose que tu m'estimes moins, maintenant que tu sais cela ?

La réaction de Max le surprit : son ami lui tapota gentiment le dos.

— Non, Giles. Rien ne pourra jamais te faire baisser dans mon estime, mais je trouve que ce serait vraiment dommage que tu restes seul en ville. Car c'est ce que tu comptes faire, n'est-ce pas ?

Giles réfléchit un court instant à la question. À vrai dire, il n'avait nulle part où aller. Naturellement, Cécilia l'avait invité dans le Derbyshire, où se trouvait la maison de Delacourt, mais il aurait eu des remords à accepter l'hospitalité d'un homme dont il désirait la femme. Il lui restait la solution de partir dans le Gloucestershire avec Max et Catherine, et de passer la saison à chasser sur leurs terres. Son ami était sur le point de l'inviter, il le voyait bien, mais l'exubérance et la générosité de la famille de Catherine le mettaient vaguement mal à l'aise. Comme s'il prenait conscience auprès d'eux de manquer de certaines qualités qu'il ne parvenait ni à nommer ni à définir.

Il ne lui restait donc plus que sa propre demeure : Cardow, avec les souvenirs qui le hantaient.

— Je suis trop occupé pour partir, Max, finit-il par dire. Il y a tant à faire, avant la prochaine réunion du Parlement ! Le mouvement qui s'est formé en faveur d'une réforme radicale est une vraie lame de fond. Peel est très inquiet, et à juste titre. L'égalité entre les personnes est une notion que j'admire et que je soutiens ; mais je crains que, dans le cas présent, la situation ne devienne incontrôlable.

Max le considéra d'une façon bizarre.

— Mon père a soutenu un mouvement radical, autre-fois, dit-il d'un ton d'avertissement. Tout ce que ça lui a rapporté, c'est une balle en pleine tête. Fais attention à toi, Giles. Un jour ou l'autre, tes idées nobles risquent fort de te faire tuer, et il ne me restera plus qu'à découvrir qui t'a assassiné. Les Whigs, les syndicats, les manifestants radi-caux, ou ton propre parti !

Giles haussa les épaules avec fatalisme.

— Il faut bien que quelqu'un se préoccupe de l'avenir de l'Angleterre. C'est le travail auquel je désire consacrer ma vie.

Max eut un petit rire tranquille.

— Mon ami, si j'ai appris une chose, c'est justement que le travail ne suffit pas à remplir une vie.

Il marqua une pause et ajouta, presque sur le ton de la plaisanterie :

— J'ai une idée, mon vieux. Tu devrais te trouver une épouse. Après tout, il te faut un héritier. Pour l'instant, le seul dont tu disposes, c'est Elias !

— Oh ! j'ai bien un ou deux cousins, partis je ne sais où ! En Pennsylvanie, peut-être... Ils finiront par refaire sur-face, si ma fortune les intéresse. Les Américains sont si matérialistes.

Max éclata de rire.

— Mais n'y aurait-il pas une de ces jolies filles de la campagne, éclatante de santé, qui t'attend dans le Somer-set ? Il faudra bien un jour ou l'autre que tu y retournes, ne serait-ce que pour remettre cette gouvernante à sa place !

— Mrs Montford ? Je risque de l'étrangler dans un accès de rage !

Max lui coula un regard en coin et poursuivit :

— Dis-moi, Giles... est-elle jeune ou vieille, cette Mrs Montford ? Entre deux âges, peut-être ?

Walrafen haussa les épaules avec indifférence.

— Plutôt jeune, j'imagine. Elles le sont toutes.

— Que veux-tu dire ?

— C'est oncle Elias qui l'a engagée. Tu vois ce que je veux dire ?

— Ah! Cela signifie que son travail ne consiste pas seulement à diriger la maison?

Walrafen eut une légère hésitation.

— Eh bien… c'était ainsi autrefois, admit-il, mais mon oncle se fait vieux. Cependant, je me suis laissé dire que Mrs Montford et lui se querellaient souvent.

— Oh? Et qui t'a dit cela?

— Pevsner, le majordome. J'ai l'impression que Mrs Montford l'a quelque peu irrité, lui aussi. Mais comme oncle Elias ne s'est jamais plaint d'elle, j'en conclus qu'il doit y avoir quelque chose entre eux. Sans cela, il ne chercherait pas à la protéger. Mon oncle n'est pas du genre charitable.

Max ne répondit rien et ils traversèrent Berkeley Square en silence.

— Comment va cette jambe aujourd'hui? interrogea-t-il au bout de quelques minutes. Il me semble que tu boites légèrement.

Walrafen estima que, décidément, son ami se mêlait trop de ce qui ne le concernait pas.

— Tu n'es pas responsable de l'état de ma jambe, grommela-t-il avec mauvaise humeur. Continuons à marcher et, pour l'amour du Ciel, cessons de parler de ces sottises.

De quelles sottises? se demanda Max, déconcerté. Sa jambe? Son père? Cardow? Comme aucun de ces sujets n'était agréable, Max choisit donc de se taire.

2

Où l'on conclut un marché désastreux

L'accès à la tour ouest de Castle Cardow était depuis longtemps interdit aux domestiques. Personne ne s'y aventurait jamais car c'était un lieu sinistre, humide et glacial. La tour nord, en revanche, aux fenêtres orientées vers le canal et le rivage du pays de Galles, était entièrement différente. On y avait entassé au dernier étage un grand nombre de meubles et d'objets précieux qui s'y trouvaient parfaitement en sécurité car, dans le village, la tour avait la réputation d'être hantée.

Au début du XVIe siècle, l'épouse du troisième comte de Walrafen s'était jetée de la plus haute fenêtre. On avait retrouvé son corps disloqué sur les pierres. Depuis, lorsque des domestiques éméchés rentraient du King's Arms, il n'était pas rare qu'ils montent en titubant le long de la colline dans l'espoir d'apercevoir la silhouette de lady Walrafen, flottant au-dessus du parapet. Nombreux étaient les mariages qui avaient connu une fin tragique, à Cardow.

Après avoir timidement poussé la porte, Aubrey souleva sa lanterne pour inspecter le grenier. Elle ne vit que des pierres grises. Pas de fenêtre, et pas trace non plus du moindre fantôme.

— Ô mon Dieu ! chuchota Betsy, tandis que la flamme de la lanterne vacillait. Vous croyez qu'il y a des chauves-souris, Mrs Montford ?

Aubrey dut faire un effort sur elle-même pour chasser un mauvais pressentiment.

— Je n'en serais pas étonnée, dit-elle en faisant le tour de la pièce circulaire. Il doit y avoir des souris et des araignées aussi.

— Oh! Mais des chauves-souris, madame! bredouilla la servante. On dit qu'elles vous sucent le sang! Et moi, je veux le garder, mon sang!

Aubrey commença à regretter de n'être pas restée prudemment au rez-de-chaussée, où leur sang aurait pu continuer de couler tranquillement dans leurs veines.

— Les chauves-souris ne sucent pas le sang des humains! déclara-t-elle d'un ton qu'elle voulait ferme. Et si ces portraits sont là, nous allons les prendre, Betsy. Combien dites-vous qu'il y en a?

Betsy poussa un landau sur le côté, chassant du même coup une souris qui détala en couinant.

— Au moins une demi-douzaine, madame, si je me souviens bien. Mais ils sont tous trop grands pour les transporter nous-mêmes.

Aubrey souleva le balai qu'elle avait emporté et s'en servit pour écarter une épaisse toile d'araignée collée à la paroi. Un immense portrait apparut comme par magie.

— Dieu du Ciel! murmura-t-elle. Regardez ça.

— Miséricorde! Vous croyez que c'est celle qui s'est jetée par la fenêtre?

À en juger par la robe, qui avait dû être à la mode au siècle dernier, il ne pouvait s'agir de cette malheureuse.

— C'est plus probablement l'arrière-grand-mère du major, dit Aubrey en suspendant sa lampe à un piton qui dépassait du mur. Aidez-moi à faire glisser le tableau, Betsy.

Elles parvinrent non sans peine à le déplacer et en découvrirent un second, encore plus grand et plus beau. Il était difficile toutefois de deviner de quelle époque il datait, car la jeune femme qui avait posé portait une couronne de fleurs et une toge grecque. Elle était d'une beauté lumineuse.

— Elle, je sais qui c'est, déclara néanmoins Betsy sans hésitation. C'est la lady qui a sauté du haut de la galerie et s'est rompu les os. Son portrait était toujours accroché dans le hall quand je suis arrivée à Cardow.

— Elle a sauté ? répéta Aubrey, horrifiée.

Betsy haussa les épaules.

— Certains disent qu'elle a sauté, d'autres qu'elle est tombée. C'était la mère du comte actuel. Le pauvre n'était encore qu'un petit garçon et il a été terriblement bouleversé par cet événement. Quand le bruit s'est répandu que sa mère avait voulu se suicider, l'Église a fait des tas d'histoires. Le vieux comte a dû étouffer l'affaire. Il a promis de construire un nouveau presbytère pour que sa femme soit enterrée en bonne chrétienne.

— C'est épouvantable !

— Oh ! la famille n'avait pas besoin de ce scandale. Mais les gens ont aussitôt raconté que c'était la malédiction de Cardow et qu'aucune jeune épousée ne pourrait y vivre heureuse.

— Eh bien, cette pauvre lady va retrouver la place d'honneur dans le hall, décida vivement Aubrey. Nous allons pousser le portrait près de la porte et j'enverrai des valets le chercher.

Betsy obéit, non sans cacher sa réticence.

— Monsieur le comte risque de ne pas être content en voyant que nous avons remis les portraits à leur place, madame, bougonna-t-elle. Après tout, cela fait des années qu'ils sont entreposés ici. Et cette tapisserie bleu et or fait très bel effet dans le hall.

Excédée, Aubrey leva les sourcils.

— Quelqu'un a-t-il *interdit* d'accrocher les portraits ?

Betsy s'essuya les mains sur son tablier et haussa les épaules.

— Il me semble avoir entendu dire qu'il ne fallait pas le faire. Mais je ne me rappelle plus très bien…

Aubrey n'était pas disposée à lâcher prise, aussi répliqua-t-elle :

— Ces tapisseries sont très sales et usées. Il faut les enlever pour les faire nettoyer. Nous n'allons pas laisser les murs nus, n'est-ce pas ?

Betsy ne répondit pas. Toutefois, lorsqu'elles eurent

déplacé le tableau, le visage de la servante s'illumina de plaisir. Un autre portrait apparut. On y voyait une très jeune femme, dont les cheveux étaient presque aussi roux que ceux d'Aubrey.

— Oh! regardez, madame! La dernière lady Walrafen!

Aubrey considéra la toile avec stupéfaction. Le portrait était d'une incroyable modernité. La jeune femme avait un ravissant visage rond et de beaux yeux bleus à l'expression amusée. Sa silhouette était pleine, sensuelle, et elle portait une robe à taille haute dont le style était encore très en vogue.

— Par exemple! s'exclama Aubrey, légèrement mal à l'aise. Je ne savais pas... personne ne m'avait dit que le comte était... ou avait été... marié.

Betsy se mit à rire.

— Oh non, madame! Pas le comte actuel. Lady Cécilia Markham-Sands est sa belle-mère. Le portrait a été exécuté à Londres, juste avant qu'elle n'épouse le frère aîné du major Lorimer.

— Doux Jésus! s'exclama Aubrey dans un souffle. Quel âge avait-il?

Betsy réfléchit, les sourcils froncés.

— ... Cinquante ans, peut-être. Mais elle semblait l'aimer beaucoup. C'était un bon mariage, puisque c'est la seule lady Walrafen qui ne soit pas morte à Cardow.

— Où... où est-elle morte?

Cette fois, Betsy s'esclaffa.

— Elle n'est pas morte, madame! Elle a enterré son époux peu de temps après leur mariage. Ensuite, elle a épousé un jeune dandy, un très bel homme. Elle s'appelle lady Delacourt, à présent, et elle vit à Londres, où elle s'occupe d'œuvres de charité et donne des bals masqués chez elle. Enfin, tout ce qui est à la mode, vous voyez?

Aubrey était abasourdie. Depuis bientôt trois ans qu'elle vivait à Cardow, elle n'avait encore jamais entendu parler de la dernière femme du comte. Celle-ci n'avait laissé aucune trace de sa présence dans la maison.

— Ils n'ont... pas eu d'enfants?

Betsy eut une hésitation.

— Eh bien… je ne pense pas qu'ils auraient pu en avoir, madame, dit-elle enfin à voix basse. Vous vous rappelez Maddy ? La blanchisseuse ? Elle disait toujours que le vieux comte était un coureur de jupons. Un jour, juste avant son remariage, il a coincé Maddy dans la buanderie. Seulement… il n'est pas arrivé à faire ce qu'il voulait. Vous voyez ce que je veux dire ?

Aubrey sentit son visage s'empourprer et réprimanda sévèrement Betsy.

— Pas de ragots sur la famille, Betsy. C'est un manque de respect !

Betsy baissa la tête d'un air contrit, mais la releva presque aussitôt.

— En tout cas, lady Walrafen n'a pas mis les pieds ici plus de trois ou quatre fois, reprit-elle en regardant de nouveau le portrait avec adoration. Ce qu'elle était belle ! Et pas fière, avec ça ! Une année, pour Noël, elle avait apporté des cadeaux à tous les domestiques. Et elle a aidé Mrs Jenks à préparer des paniers pour les fermiers. Mais le vieux comte n'aimait pas Castle Cardow.

— Son fils non plus, apparemment.

Le comte s'obstinait à ignorer ses lettres au sujet de la tour ouest, et Aubrey ne décolérait pas.

— Descendons ce portrait, madame, suggéra Betsy avec enthousiasme. Elle est si jolie ! Autrefois, le tableau était accroché sur le mur sud du grand hall, au-dessus de la cheminée. On pourrait transporter cet affreux bouclier avec le vilain oiseau dans la galerie ?

— L'oiseau est un corbeau, Betsy. Et je pense qu'il n'y aurait aucun inconvénient à…

Elle fut interrompue par un fracas épouvantable. Un grondement sourd, monstrueux, qui secoua les murs et fit trembler le sol sous leurs pieds. Betsy poussa un hurlement. La flamme de la lanterne se mit à danser follement, mais par bonheur ne s'éteignit pas. Seigneur ! Qu'était-ce ? Un tremblement de terre ? Une avalanche ? *Dans le Somerset ?* Non, impossible.

Elles entendirent un des valets se mettre à crier dans la cour :

— Partez vite ! Courez ! Courez !

Alors seulement Aubrey recouvra ses esprits. Oubliant sa lanterne, elle prit ses jambes à son cou et s'élança dans l'obscurité sans plus se soucier des fantômes ou des chauves-souris. Agrippant à tâtons la corde qui servait de rampe dans l'escalier en colimaçon, elle dévala les marches raides, ses pieds touchant à peine terre.

Derrière elle, Betsy priait à haute voix.

— Jésus, protégez-nous ! Oh ! madame, quelqu'un est mort, c'est sûr !

Ravalant un cri de terreur, Aubrey continua de courir. Elle atteignit enfin, deux étages plus bas, la porte de chêne qui ouvrait sur les remparts et secoua désespérément le verrou rouillé qui refusa de céder.

— Mon Dieu ! Ô mon Dieu ! marmonna Betsy tout en tirant avec elle sur la poignée de fer.

Le grondement s'était arrêté. Un enfant pleurait quelque part et le valet continuait de hurler. Enfin, le verrou céda, écrasant le pouce d'Aubrey qui, sans prendre garde à la douleur, se précipita le long des remparts, Betsy sur ses talons.

Elle vit tout de suite les décombres éparpillés dans la cour. Seule une moitié de la tour ouest tenait encore debout. La plus grande partie du mur s'était effondrée, formant une plaie béante dans la muraille. Des hommes couraient en tous sens, affolés. Betsy et Aubrey continuèrent leur course sur le rempart et atteignirent la tour nord. Pevsner hurla :

— Reculez ! Mrs Montford, reculez ! Tout va s'écrouler !

Au même instant, Aubrey se pencha par-dessus le parapet. Retenant un hurlement d'effroi, elle plaqua une main sur sa bouche. Dans l'amas de gravats se détachait un fragment de tissu blanc. Des livres étaient dispersés sur le sol et une petite main émergeait d'un tas de pierres, tendue vers le ciel.

— Iain ! cria-t-elle. Iain ! *Iain !*

Elle sentit Betsy l'attraper par la taille et la tirer en arrière. Poussée par un instinct plus fort que tout, Aubrey se dégagea et se rua vers l'escalier nord.

Descendre! Aller au secours de Iain.

Elle ne garda qu'un souvenir confus de ce qui se passa ensuite. Toujours suivie de Betsy, elle réussit à gagner le jardin. Elle se rappela avoir traversé les massifs pour se précipiter vers le parterre, repoussant les branches qui lui fouettaient le visage lorsqu'elle rencontrait un bouquet d'arbrisseaux. Enfin, elle tomba à genoux et écarta les pierres qui recouvraient le corps de l'enfant. Deux jardiniers l'avaient précédée et essayaient aussi de dégager le garçonnet.

Loin derrière eux, Pevsner criait toujours, leur ordonnant de s'éloigner car le reste de la tour était sur le point de s'écrouler. Aubrey l'ignora et continua de repousser les pierres avec l'aide des deux hommes. Jenks, le jardinier en chef, parvint à glisser un bras sur la poitrine de Iain.

— Il respire! s'écria-t-il en retirant l'enfant de l'amas de débris.

Phelps, le deuxième jardinier, prit Aubrey par le bras.

— Venez maintenant, madame. Courez! Courez, vite!

Elle obéit. Il y eut un craquement derrière elle. Une autre pierre se détacha des ruines et roula par-dessus le parapet. Aubrey se figea, inquiète pour Iain, que Jenks emportait; mais Betsy lui posa une main sur le dos et la poussa. Elle se remit à courir, comme un automate. Le grondement recommença et tout ce qui restait de la tour ouest, pierres, poutres, ardoises, s'effondra dans un terrible vacarme. À eux quatre, ils ramenèrent Iain à l'intérieur du château. Betsy se dirigea droit vers les cuisines, criant à un jeune valet d'aller chercher au plus vite le Dr Crenshaw.

La chambre de Iain n'était séparée de celle d'Aubrey que par un petit salon. Au moment où ils l'allongèrent sur son lit, le jeune garçon battit des paupières. Son visage était couvert de poussière.

— Maman, chuchota-t-il d'une voix à peine audible. Maman... le major est... tombé... les pierres ont... roulé sur lui.

Aubrey eut du mal à retenir ses larmes. Elle posa légèrement la main sur le front de Iain et lui dit de ne pas s'inquiéter. Jenks croisa son regard et secoua la tête.

— Il était ivre, expliqua-t-il dans un murmure. Phelps a réussi à le sortir des décombres. Il était évanoui, madame. Mais pas gravement blessé.

Aubrey ferma les yeux et pensa à lord Walrafen. À sa négligence, à sa cruauté. À son absence totale de sens des responsabilités. Tout cela était arrivé par sa faute ! Seigneur ! Dire qu'elle avait amené Iain ici pour lui sauver la vie ! Et l'enfant avait failli mourir à cause de la nonchalance de cet homme.

Elle rouvrit les yeux et fixa Jenks sans le voir.

— Dieu ait pitié de lui ! Mais cette fois il est allé trop loin, murmura-t-elle. Je le tuerai !

Crenshaw travaillait à la lueur d'une bougie. Iain avait un doigt et deux côtes cassés, une vilaine entorse à la cheville gauche, de multiples coupures et contusions sur le crâne. Il avait fallu lui faire six points de suture. Le médecin avait prononcé des mots tels que *traumatisme, commotion*. Aubrey avait dû accomplir un terrible effort sur elle-même pour essayer de comprendre ce qu'il disait, de faire ce qu'on attendait d'elle. Et, surtout, pour réprimer les sanglots qui lui contractaient la gorge.

Les jardiniers avaient vu Iain remonter la colline en courant, à son retour de l'école. De loin, il avait aperçu Lorimer titubant dans les allées du jardin à la française. Le major avait trébuché et était tombé au pied de la tour ouest. C'est à ce moment-là que les pierres avaient commencé à rouler du haut de la tour. Au début, il n'y en avait eu que quelques-unes. Sous les yeux des jardiniers horrifiés, l'enfant s'était mis à courir pour se porter au secours de Lorimer. Grâce au Ciel, l'avalanche avait été freinée par les montants de pierre qui marquaient l'entrée du parterre.

Cependant, Iain était blessé. Gravement blessé, avait précisé le médecin en remballant ses instruments. Assise au bord du petit lit, Betsy enroulait un bandage à la lueur de la bougie. Aubrey saisit la main de l'enfant et la serra doucement. Il commençait à se réchauffer. Le médecin se pencha pour observer encore une fois son visage, détecter un signe de vitalité. Des ombres effrayantes, projetées par la bougie, dansèrent sur la silhouette de Crenshaw.

Il finit de ranger ses affaires dans sa sacoche de cuir et lança un coup d'œil d'encouragement à Aubrey.

— Nous avons eu de la chance qu'il n'ait pas le poumon perforé par une des côtes cassées, dit-il. Ses blessures restent superficielles. Cependant, la douleur persistera quelque temps. Il doit rester au lit et respirer calmement. Donnez-lui du laudanum pour l'aider à dormir.

— Du laudanum ? Vous croyez ? Avec une commotion ?

Le médecin sourit et lui prit la main pour la rassurer.

— Cela lui permettra de se reposer et de récupérer ses forces, madame. Quant à la commotion, ce n'est pas elle qui m'inquiète, mais plutôt son asthme. Comment va-t-il de ce côté-là ?

— Il n'en a presque plus. L'air de la mer lui a fait du bien.

— Peut-être en est-il définitivement débarrassé, dit le médecin avec espoir. Les hématomes apparaîtront demain et il ressentira des douleurs dans tout le corps. Je pense qu'il n'aura pas d'appétit. Demandez à Mrs Jenks de lui préparer un bouillon de bœuf et ne lui donnez rien d'autre.

Aubrey se leva pour aller chercher le manteau du médecin.

— Pauvre petit ! murmura Betsy en allant se placer au pied du lit. Il va manquer la fête de la moisson. Lui qui avait tant envie de voir ça ! Jenks lui avait promis de l'emmener.

La main sur la poignée de la porte, Crenshaw se retourna.

— Quand la fête doit-elle avoir lieu, au juste ? Dans deux semaines, c'est cela ?

— Samedi prochain.

Crenshaw eut un sourire un peu triste.

— Cela lui laisse dix jours pour se remettre. Je ne pense pas qu'il pourra faire la course en sac. Pour l'instant, il a besoin de repos et doit absolument rester allongé.

Ensuite, eh bien… son corps lui dira lui-même de quoi il est capable.

Betsy sourit. Aubrey remercia le médecin et le raccompagna dans le hall. Un orage avait éclaté au-dessus du canal et la voiture de Crenshaw attendait sous la porte cochère.

— Je repasserai demain ! cria-t-il afin de dominer le crépitement assourdissant de la pluie sur les pavés.

Un valet lui ouvrit la portière. C'est alors seulement qu'Aubrey se rappela l'existence de l'autre blessé.

— Docteur Crenshaw, attendez ! Comment avez-vous trouvé le major ?

Crenshaw releva les revers de son manteau pour se protéger de la pluie et du vent glacial.

— Aussi mal en point que d'habitude, hélas ! Avec quelques hématomes en plus. Mais ne vous inquiétez pas pour lui. Mrs Jenks a envoyé une des filles de cuisine passer la nuit à son chevet.

Le major s'était donc une fois de plus enivré au-delà du raisonnable. Cela arrivait si régulièrement, maintenant, que c'en devenait effrayant. Ses bruyantes disputes avec Aubrey faisaient jaser tous les habitants du château et du village. Les domestiques pensaient que la gouvernante était folle de s'opposer à lui. Malgré tout, elle persistait.

La voiture du médecin, happée par l'obscurité, disparut en cahotant sous la herse. Aubrey aurait tellement aimé pouvoir expliquer à Crenshaw quel genre d'homme avait été le major. Lui dire pourquoi elle estimait qu'il valait la peine qu'on se querelle avec lui, pour l'empêcher de se détruire.

Le major avait été le meilleur ami de son père. Ce dernier, à l'époque où il servait sous ses ordres, n'envoyait pas une lettre à sa famille sans y citer le nom du major et vanter ses mérites de soldat. Et lorsque son père était tombé à Waterloo sous le feu des Français, en essayant de traîner Lorimer blessé hors du champ de bataille, Aubrey n'avait éprouvé aucune amertume à l'idée que le major avait survécu, alors que son père était mort. Ce qui la scandalisait en revanche à présent, c'était de le voir faire si peu de cas de sa propre vie. Son père s'était sacrifié pour le sauver, il ne fallait pas que ce soit en vain !

Cependant, ses supplications ne servaient à rien. Elle commençait à croire que rien n'empêcherait Lorimer de se tuer lentement. Les domestiques allaient continuer à se moquer d'elle et de ses efforts pour encourager le major à la sobriété en se demandant pourquoi une gouvernante à l'allure aussi convenable se donnait tant de mal pour un vieux grincheux qui passait son temps à les insulter…

Un grincement métallique la ramena à la réalité. C'était la herse qui redescendait lentement derrière la voiture de Crenshaw. Aubrey rentra dans le hall. Elle devait cesser de s'inquiéter autant pour Lorimer. Après tout, elle n'était rien de plus qu'une gouvernante, dans cette maison.

Dix jours passèrent et l'état de santé de Iain s'améliora visiblement. Les hématomes disparaissaient peu à peu et l'enfant ne boitait presque plus. Ce qui réjouissait le plus Aubrey, c'était que les crises d'asthme, dont il souffrait depuis des années et plus particulièrement en automne, avaient cessé. Lorsque le jour de la fête de la moisson arriva, elle ne vit aucune raison de refuser à Iain une sortie qu'il attendait depuis si longtemps.

L'aube se leva sur une journée radieuse. L'air était pur et on avait rarement eu une température aussi douce en automne dans le Somerset. À 10 heures du matin, le soleil chauffait déjà les pierres de la cour, à l'intérieur du mur d'enceinte. À l'office, les filles de cuisine s'agitaient en tous sens et emplissaient des paniers de victuailles. Un peu anxieuse, Aubrey surveillait ces préparatifs de sa fenêtre. On avait ouvert les portes à deux battants de la cuisine afin d'entasser les paniers dans une charrette rangée dans la cour. Les exclamations des servantes surexcitées se répercutaient contre les murailles.

Craignant que leurs cris n'indisposent le major, Aubrey se leva pour aller les calmer. Elle ouvrit la porte de sa chambre à l'instant où Lettie et Ida sortaient en courant du cellier. Chacune tenait une chope vide et elles riaient ensemble en regardant les valets s'affairer dans la cour. De toute évidence, elles venaient de chiper du cidre à la réserve. Elles échangèrent un regard embarrassé en voyant Aubrey, la saluèrent d'une révérence et s'esquivèrent. Aubrey ouvrit la bouche pour les réprimander, puis se ravisa. Elles ne faisaient rien de bien grave, après tout.

— Lettie ! Ida ! Attendez ! dit-elle sur une impulsion.

Les deux jeunes servantes s'arrêtèrent brusquement et Lettie pivota sur ses talons, les yeux baissés.

— Oui, madame ?

— Emportez donc le tonneau de bière qui reste dans le cellier. Jenks vous aidera à le charger sur la charrette.

De larges sourires s'inscrivirent sur leur visage et elles filèrent pour appeler Jenks.

La fête de la moisson, un pique-nique dans le pré communal, n'était somme toute qu'une petite récompense pour le dur labeur fourni au cours des semaines précédentes. Aubrey avait décidé de rester seule pour s'occuper de la maison. Les domestiques, qui avaient travaillé dur pour redonner à Cardow son lustre et son élégance, méritaient bien cette journée de détente.

Quant à Iain, eh bien… elle ne pourrait pas toujours le dorloter comme un bébé, n'est-ce pas ? Jenks, le jardinier, et sa femme, la cuisinière, l'aimaient autant que s'il était leur propre petit-fils. En outre, Crenshaw lui avait assuré que l'enfant était en assez bonne forme pour les accompagner.

Elle en était là de ses réflexions lorsqu'une ombre se profila sur le carrelage du corridor. Levant les yeux, elle vit qu'il s'agissait de Mr Brewster, le jeune homme que Simpson & Verney avaient envoyé à Cardow pour superviser la démolition de ce qui restait de la tour ouest. Il s'était habillé pour sortir et tenait son chapeau à la main.

— Partez-vous à la fête, madame ?

Aubrey sourit.

— Non, monsieur Brewster. Il faut bien que quelqu'un reste ici, vous comprenez.

— Qu'est-ce qui peut vous obliger à rester enfermée par une journée pareille ?

Elle eut une seconde d'hésitation.

— Eh bien, pour commencer, je dois servir son café au major.

C'était une bien piètre excuse, mais Aubrey ne tenait pas à ce que le château restât totalement vide pendant toute une journée.

— Et puis il faut bien que quelqu'un aille ouvrir la porte aux visiteurs, ajouta-t-elle.

Renversant la tête en arrière, Brewster éclata de rire.

— Allons, madame Montford ! La cloche n'a pas retenti une seule fois depuis que je suis arrivé, il y a une semaine !

Aubrey sentit ses joues s'empourprer, mais répéta avec fermeté :

— Je ne peux pas partir. Mais vous, il faut que vous sortiez avec les autres. De toute façon, j'ai donné congé à tous les domestiques et il n'y aura personne pour vous aider à finir de démonter la tour.

— Comme vous voudrez, madame.

Avec un sourire, Brewster enfonça son chapeau sur sa tête et franchit la porte voûtée.

Un peu triste, Aubrey regagna son petit salon. Brewster et elle avaient une position un peu délicate, dans la maison. Ils étaient tous deux employés mais, avec Pevsner, ils occupaient le sommet de la hiérarchie parmi les domestiques. Ces derniers les traitaient avec déférence. Avec une légère différence, cependant, à l'égard de Pevsner mais celui-ci ne pouvait s'en prendre qu'à lui-même. Avant l'arrivée d'Aubrey, il n'avait pas su tenir les rênes de la maison convenablement et il avait permis aux domestiques sous ses ordres des familiarités qu'il n'aurait jamais dû tolérer.

— Maman, je suis prêt, annonça une petite voix derrière elle.

Aubrey se retourna et s'agenouilla afin de serrer le garçonnet contre son cœur.

— Oh ! comme tu es beau ! s'exclama-t-elle en s'écartant pour l'admirer. Tu dois être très sage aujourd'hui, Iain. Obéis gentiment à Mr et Mrs Jenks et ne…

— Je sais ! Je ne dois pas me fatiguer.

— Oui, reprit-elle doucement. Ne t'épuise pas à courir et à bouger, mon chéri.

Elle lui passa une main dans les cheveux et le regarda longuement. Il avait les yeux de Muireal, les yeux bleu sombre des Farquharson, que l'on retrouvait dans les portraits des ancêtres alignés tout le long de la galerie, à Cragwell Court. Des visages d'Écossais, à l'allure austère. Elle n'aurait jamais cru que les portraits de ses ancêtres lui manqueraient un jour. Or, maintenant, elle savait qu'elle ne les reverrait plus jamais et cette idée faisait naître en elle une profonde tristesse. Une vague de nostalgie l'envahit, qu'elle s'efforça aussitôt de réprimer.

Iain avait remarqué son expression mélancolique.

— Je me sens bien, maman, affirma-t-il avec force. Vraiment bien, tu sais.

Aubrey ferma les yeux et se pencha, pressant les lèvres contre le front de l'enfant. L'espace d'un instant, elle retrouva son odeur de bébé et sentit son cœur fondre de tendresse. Iain déposa un rapide baiser sur sa joue et s'enfuit en sautillant dans la cour ensoleillée où il rejoignit Jenks qui était en train de hisser le tonneau de bière sur la charrette.

Ils s'éloignèrent tous bien vite, les domestiques entourant le véhicule chargé de couvertures, de paniers et de tonneaux. Le valet qui fermait la marche s'arrêta pour tirer la grille derrière lui, puis disparut à son tour dans le chemin descendant au village.

Le cœur un peu lourd, Aubrey rabattit les deux grands panneaux de chêne de l'office et glissa la barre dans les encoches pour fermer.

Celle-ci se mit en place avec un bruit sourd et soudain Castle Cardow fut coupé du monde. Aubrey s'efforça de chasser le sentiment de tristesse qui l'avait envahie et gagna les cuisines à pas lents. Dans sa nouvelle vie, il n'y avait pas de place pour l'apitoiement sur soi. Il était déjà 11 heures du matin et elle devait préparer le café du major. Aujourd'hui, c'était à elle que revenait l'honneur de le lui servir !

Les cuisines étaient très éloignées de la tour sud et la chambre du major se trouvait au troisième étage. Lorsqu'elle atteignit sa porte, Aubrey était un peu hors d'haleine et avait les nerfs à vif car l'idée de pénétrer dans l'antre du lion ne lui plaisait guère. Après avoir frappé légèrement à la porte, elle entra, posa le plateau à côté du lit et alla tirer les lourdes tentures de velours qui masquaient les fenêtres.

Caché derrière les rideaux de son lit, le major jurait déjà, pestant contre le soleil qui inondait la chambre. Il n'aimait pas du tout la petite routine qu'elle lui avait imposée : du café et des toasts chaque matin. Néanmoins, Aubrey tenait bon et exigeait, depuis son arrivée à Cardow, qu'on lui servît ce petit déjeuner. Il fallait bien qu'il mange quelque chose dans la journée, n'est-ce pas ?

— Bonjour, major, dit-elle d'un ton enjoué. Votre café est chaud. Asseyez-vous donc pour le boire.

Il y eut un autre juron, suivi par une quinte de toux rauque et sifflante.

— C'est vous, hein ? aboya-t-il derrière le rideau. Vous venez encore me persécuter !

Aubrey espérait un peu qu'il aurait oublié leur terrible dispute de la veille.

— Nous nous étions mis d'accord, monsieur. Je vous avais prévenu que les autres se rendraient à la fête de la moisson aujourd'hui. Vous ne vous rappelez pas ?

— Oui, oui. Le diable vous emporte ! grommela-t-il en repoussant le rideau de sa main valide. Je suis peut-être ivrogne, mais je ne suis pas idiot.

Il s'assit et la considéra avec méfiance. Le soir précédent, il s'était enivré encore plus qu'à son habitude et son état de santé, déjà alarmant, semblait s'être encore dégradé. Il avait le teint terreux, le visage boursouflé ; son estomac gonflé contrastait avec la maigreur extrême du reste de son corps. Une fois de plus, il n'avait pas touché à son dîner. C'était d'ailleurs la raison qui avait fait éclater la querelle.

Aubrey joignit les mains devant elle.

— Buvez votre café, je vous prie, dit-elle d'un ton ferme. Et vous devez absolument manger ces toasts. J'insiste.

Le major fit la grimace et parodia la voix d'Aubrey d'un ton de fausset :

— « Vous devez manger ces toasts ! » Madame Montford, est-il besoin de vous rappeler que vous n'êtes qu'une domestique dans cette maison ? Je mangerai ce que je voudrai, quand j'en aurai envie ! Et décroisez les mains, cette attitude vous donne l'air pieux. S'il y a quelque chose que je déteste, c'est une femme qui a l'air pieux !

Aubrey obtempéra mais le fixa d'un air inflexible.

— Major, vous ne pouvez pas continuer à boire comme vous le faites, tout en refusant de manger. Je vous supplie de prendre plus de soin de votre santé. Votre état est très inquiétant.

Il marmonna un juron particulièrement grossier.

— Major Lorimer, je vous prie de surveiller votre langage, le réprimanda Audrey.

Le visage du major s'empourpra de colère.

— Surveiller mon langage ! rugit-il. Manger mes toasts ! Par Dieu, quelle vie !

D'un ample geste du bras, il envoya le plateau et son contenu rouler sur le sol.

Aubrey se précipita, mais trop tard. Le pot de café était renversé sur le tapis et le liquide formait déjà de larges taches brunes sur la laine. Les toasts, la marmelade et le beurre ne formaient plus qu'un amas répugnant.

— Et voilà, madame Montford, dit-il, narquois. Je me suis occupé du café et des toasts.

Irritée, Aubrey ramassa vivement le plateau et y entassa les assiettes et l'argenterie.

— Certainement pas. Je retourne de ce pas à la cuisine, préparer un autre plateau. Et cette fois, vous aurez droit aussi à un œuf dur.

— Je n'en veux pas, de votre fichu œuf !

— Eh bien, vous le mangerez quand même.

Accroupie sur le tapis, elle lui lança un regard noir.

— Sinon, je jure devant Dieu que je viderai toutes vos bouteilles de whisky dans l'égout une à une. Et que je vous apporterai pour le déjeuner un gigot de mouton que je vous obligerai à avaler jusqu'à la dernière bouchée !

C'était une menace en l'air, mais sur le moment Aubrey n'avait trouvé que cela. Elle se releva avec son plateau et vit que le major la dévisageait en tremblant de colère et d'indignation.

— Vous n'oseriez pas ! Touchez à mon whisky et, par Dieu, vous serez renvoyée sur l'heure !

Il n'en ferait rien, ils le savaient tous deux. Le major ne voulait pas qu'Aubrey quitte Castle Cardow ; au fond de lui, il ne le souhaitait pas. En dépit de ses colères, de son caractère exécrable, il avait trouvé en Aubrey une amie, en quelque sorte.

Avec un soupir triste, elle posa le plateau puis se pencha vers le major et saisit sa main valide.

— Je vous en prie, monsieur, cessons de nous disputer, dit-elle en esquissant un faible sourire. Cela ne sert qu'à perturber les domestiques. Hier soir, ils ont bien cru que nous allions nous entre-tuer.

— Mais ils ne sont pas là aujourd'hui, rétorqua-t-il d'un ton maussade. Ils sont tous partis au village, n'est-ce pas ?

Aubrey haussa les épaules.

— Parfois vous criez si fort qu'on nous entend même du village.

Quelque chose sembla soudain l'apaiser. Peut-être le ton de la jeune femme ? Sa hargne retomba et il s'essuya la bouche du revers de la main.

— D'accord, finit-il par dire, vaincu. Apportez-le, ce satané œuf. J'essaierai de le manger.

— Merci, monsieur.

Elle lui sourit puis ajouta :

— Je ferai fondre du beurre dessus, comme vous l'aimez.

Il resserra alors l'étreinte de ses doigts osseux sur la main d'Aubrey et lui lança un regard de côté, l'air presque timide.

— Aubrey, dit-il d'une voix enrouée. Où est le petit ?

Ce n'était pas la première fois qu'il appelait Aubrey par son prénom. Chaque fois qu'il le faisait, il avait le même regard confus, un peu perdu.

— Je vous demande pardon ? De qui voulez-vous parler ?

— Le garçon, voyons ! Il n'y en qu'un dans cette maison, n'est-ce pas ?

Aubrey fut déconcertée; le major ne faisait jamais allusion à Iain.

— Jenks a emmené Iain à la fête, monsieur.

— Ah.

Lorimer plissa les lèvres, dans une attitude qui lui ressemblait davantage.

— Iain, oui. Betsy m'a dit qu'il avait eu une côte cassée quand la tour s'est écroulée.

Il avait eu d'autres blessures, et bien plus graves, mais Aubrey s'abstint de le faire remarquer.

— C'est vrai, monsieur, dit-elle simplement.

Le major se gratta le crâne.

— Passez-moi ce coffret, grommela-t-il après quelques secondes. Non, non, bon sang! Pas celui-ci, l'autre, sur la table de toilette.

Aubrey trouva ce qu'il demandait et le lui apporta. Le major ouvrit le coffret, en tira sa montre en or, accrochée à une chaîne, et la déposa au creux de la main d'Aubrey.

— Tenez, fit-il d'un ton encore plus bourru que d'ordinaire. Vous donnerez ça au garçon.

Aubrey contempla la montre en or massif qui pesait comme une pierre dans sa main.

— Major, nous ne pouvons pas accepter…

— Ne faites pas d'histoires! s'exclama le vieil homme. Vous la donnerez au petit, bon sang!

Aubrey l'observa longuement. Le blanc de ses yeux était jaunâtre, son nez boursouflé strié de fines veinules rouges. Sa peau blafarde, creusée de rides profondes, pendait autour de son visage amaigri.

— Pourquoi faites-vous cela, monsieur?

Le major se rembrunit.

— Jenks m'a dit que le garçon a voulu m'aider quand les pierres se sont mises à tomber autour de moi. Ce n'était pas la peine, je ne risquais rien, mais c'était courageux de sa part. Cette montre m'a été offerte par votre père et les hommes de son régiment. Après la bataille de Toulouse. Je n'en ai plus besoin, à présent.

— Monsieur, je ne peux pas la prendre.

Elle voulut la lui rendre, mais il repoussa sa main.

— Je ne suis qu'une domestique, protesta-t-elle. Je ne peux pas accepter un objet d'une telle valeur.

— Ce n'est pas à vous que je la donne, n'est-ce pas ? C'est pour le garçon. Les armes du régiment de son grand-père sont gravées à l'intérieur. Je veux qu'il la garde.

Aubrey se mordit la lèvre.

— D'accord, dit-elle doucement. Mais à une condition.

— Oh ? Et laquelle ?

— Que vous acceptiez de recevoir Crenshaw demain. Vous n'allez pas bien. Il faut le voir et faire ce qu'il vous ordonnera. Voilà. Ce n'est qu'à cette condition que j'accepterai la montre.

La mâchoire du major se remit à trembler. Était-ce l'indignation, ou un effet de la maladie ? Aubrey n'aurait su le dire.

— Très bien ! finit-il par lancer d'un ton sec. Faites donc venir cet idiot, si vous croyez que ça peut me faire du bien. Demain, ça me convient parfaitement. Pourquoi ne pas l'inviter pour le thé ? Nous pourrons faire une partie de piquet. Pourquoi pas ?

Il renversa la tête en riant bruyamment.

Cependant, le marché était conclu. Satisfaite, Aubrey glissa la montre dans sa poche.

— Merci, monsieur, dit-elle d'un ton cassant. Dès que j'aurai fini de vous servir votre petit déjeuner, j'enverrai un mot à Crenshaw.

— C'est cela, madame Montford.

Aubrey gagna la porte ; la voix du major l'arrêta alors qu'elle allait franchir le seuil.

— Aubrey, attendez.

— Oui, major ?

— Le garçon et vous… Tout va bien, hein ? Vous n'avez dit à personne que vous étiez ici ?

Il n'y avait plus dans sa voix la moindre trace de sarcasme. Aubrey secoua la tête.

— Personne ne le sait, monsieur.

Le major hocha la tête, comme s'il réfléchissait.

— Et vous donnerez la montre au petit ?

— Oui, major. Plus tard, répondit-elle en faisant mine de sortir.

— Plus tard ?

— Il est encore trop jeune pour que je lui explique certaines choses, expliqua-t-elle en détournant les yeux. Je la lui donnerai à sa majorité. Vous êtes d'accord ?

Lorimer marmonna quelques paroles inintelligibles, parmi lesquelles elle crut discerner une vague approbation. Tenant son plateau d'une main, Aubrey referma la porte derrière elle.

La majorité de Iain… songea-t-elle en contemplant la poignée de cuivre. L'échéance était encore lointaine. Mais aussi trop proche, beaucoup trop proche. Elle sentit la montre peser lourdement au fond de sa poche.

Tournant les talons, elle s'éloigna dans le long corridor désert.

3

Dieu rappelle à lui ceux qu'il aime

Le matin était le moment de la journée où régnait la plus grande agitation dans le bureau de lord Walrafen. Des messagers, des employés, des politiciens obséquieux se croisaient dans le couloir, chargés de dossiers, de missives urgentes, de propositions de lois. Contrairement à la plupart des membres de la noblesse, Walrafen ne faisait pas de politique en amateur. La politique, c'était toute sa vie. C'était un homme capable de briser les pouvoirs en place, de former des coalitions, de faire surgir la controverse.

Il était le seul pair du Royaume à ne pas avoir manqué une seule session de la Chambre des communes lorsqu'il y siégeait. Puis il avait continué sur la même lancée à la Chambre des lords, après avoir hérité du titre de son père. En mars dernier, il s'était couvert de gloire en parvenant à rester éveillé tout le long du discours de Peel – une diatribe contre l'émancipation des catholiques – qui avait duré quatre heures.

Officiellement, Walrafen était un Tory, bien que la plupart des conservateurs eussent répugné à le considérer comme l'un des leurs. Tous, en revanche, le craignaient. Il savait être caustique, arrogant, et même machiavélique quand cela l'arrangeait. Cependant, le vrai problème, nul n'osait en parler à voix haute. On chuchotait dans les cercles politiques qu'il était *libéral*. Du moins, aussi libéral qu'un Tory pouvait l'être sans se faire clouer au pilori par ses pairs. Le comte avait la conviction que l'Angleterre pendait trop de criminels et affamait en toute bonne conscience la plus grande partie de son peuple. Son souhait était d'accorder aux Irlandais une place de choix au Parlement. Et on l'avait même vu dans certains salons littéraires, en compagnie d'un homme au visage sombre et à l'allure de dandy qui commençait à faire parler de lui. Ce Benjamin Disraeli était un Juif, un arriviste aux ambitions politiques démesurées. Tout cela était parfaitement choquant.

Walrafen se moquait bien de choquer son entourage, si c'était pour la bonne cause. Ce qui le troublait ce matin, c'est qu'il n'avait pas une minute à lui et que quelque chose le tarabustait. Un souci d'ordre personnel... Pour lui, c'était le pire des problèmes. Ignorant donc ce qui le tourmentait, il suivit sa routine quotidienne avec une précision toute mécanique. Il signa méthodiquement les dix documents alignés sur son bureau et les fit passer un à un à Wortwhistle, le plus ancien de ses collaborateurs.

— Merci, monsieur le comte, dit ce dernier en s'inclinant chaque fois qu'il recevait un nouveau document.

Au fur et à mesure, ses lunettes cerclées d'argent glissaient sur son nez, mais il demeurait imperturbable.

Quand tout fut signé, les messagers qui patientaient en file indienne derrière la porte poussèrent un soupir de soulagement. Smythe, le majordome, les fit entrer un par un, afin qu'ils présentent l'affaire urgente dont ils étaient chargés. Walrafen parcourut rapidement des yeux chaque document, signa encore et les messagers purent repartir à Whitehall, où là où ils étaient attendus.

— Ensuite, Smythe ? lança Walrafen, tandis que Wortwhistle regagnait son bureau.

Smythe s'éclaircit la gorge et déplia sa liste de visiteurs.

— Tout d'abord, monsieur le comte, sir James Seese attend dans l'antichambre. Il aimerait savoir si vous avez toujours l'intention d'assister à l'inauguration du nouveau bâtiment de chirurgie à l'hôpital St Thomas à 3 heures et demie.

— Naturellement. Je le retrouverai là-bas un quart d'heure avant le début de la cérémonie.

— Ensuite, monsieur, lady Kirton vous a adressé une lettre demandant si vous acceptiez d'accueillir chez vous la réunion de la Société de Nazareth. Le major Lauderwood, qui les reçoit habituellement, a une crise de goutte.

Walrafen se tourna vers son secrétaire.

— Notez donc ceci, Ogilvy, je vous prie. Ensuite, Smythe, la réunion avec le gouverneur et le dîner. Assurez-vous qu'il y aura bien de la soupe à la tortue. Lady Delacourt en raffole. Et trouvez une bouteille de bordeaux pour le révérend Amherst.

— Très bien, monsieur le comte.

À cet instant, la sonnerie d'une pendulette résonna sur le bureau d'Ogilvy qui saisit l'agenda du comte.

— Ah ! Vous déjeunez à Whitehall dans une heure, avec le Premier ministre et le ministre de l'Intérieur, monsieur.

— Wellington *et* Peel ? En même temps ? Je ne devais pas avoir toute ma raison, le jour où j'ai accepté ce rendez-vous.

Avec un sourire contraint, Walrafen repoussa sa chaise dans l'intention d'aller s'habiller mais, contre toute attente, il ne se leva pas. Ogilvy et Smythe attendirent en silence.

Finalement, le majordome se racla une nouvelle fois la gorge et demanda :

— Y a-t-il… autre chose, monsieur ?

Walrafen désigna les documents encore étalés sur son bureau.

— Le courrier de ce matin, Smythe. Tout est là ?

— Euh… oui, monsieur, répondit-il, visiblement dérouté. Tout y est.

— Je vois, fit Walrafen en feuilletant la liasse de feuillets.

— Attendiez-vous quelque chose d'autre, monsieur ? s'enquit Ogilvy avec sollicitude.

— Non. Non, je ne pense pas…

Walrafen secoua la tête en signe de dénégation, mais le souci qui le poursuivait depuis le matin refusa de lâcher prise.

Il se leva enfin et sortit. Tandis qu'il franchissait les couloirs et les escaliers le séparant de son appartement personnel, une vague inquiétude continuait de l'agacer. Tous ces messages, toutes ces lettres… et rien de Mrs Montford? Une bonne quinzaine de jours s'étaient écoulés depuis sa dernière missive. C'était vraiment étrange. Depuis que son oncle avait engagé cette femme, Walrafen n'avait pas eu la paix une seule semaine. Et maintenant, quinze jours de silence total? Sa propre indifférence l'aurait-elle poussée à bout? Avait-elle rendu son tablier? Oncle Elias avait-il réussi à la mettre hors d'elle?

Dieu du Ciel… il n'avait aucun moyen de le savoir, et cela le rendait fou!

En fait, il avait besoin d'une nouvelle maîtresse. Il fallait qu'il se change les idées. Qu'il cesse de se tourmenter au sujet de sa belle-mère et de son nouveau mari, qu'il cesse de penser à cette intendante et à ses fichues lettres et, surtout, qu'il oublie complètement Cardow et les souvenirs qu'il contenait. La seule façon d'échapper au sentiment de frustration qui le tenaillait, était de passer quelques heures dans les bras d'une demi-mondaine. Il regretta presque d'avoir laissé Yvette… ou était-ce Yvonne? partir sans essayer de la retenir, mais la donzelle devenait de plus en plus exigeante et prétendait qu'il se consacrait trop à son travail.

Elle se moquait de savoir que la moitié de la population de Londres vivait dans un état de pauvreté qu'elle ne pouvait même pas imaginer. Elle n'avait pas davantage envie qu'on lui rappelle qu'en Angleterre des enfants étaient régulièrement battus, emprisonnés ou même pendus, avec l'approbation des classes sociales les plus élevées. Non. Yvonne, ou quel que soit son nom, n'avait dans la vie qu'une préoccupation: que ses gants soient assortis à son chapeau.

Tout à coup, Walrafen se rendit compte qu'aucune nouvelle maîtresse ne parviendrait à soulager le malaise qui pesait sur son cœur comme du plomb.

Un malaise! Allons bon, il devenait larmoyant, à présent. Il n'était plus un enfant, privé de sa mère, expédié en pension ou relégué dans l'aile des domestiques afin de ne pas incommoder son père par sa présence. Du nerf, que diable! Sur cette pensée, il s'engouffra dans sa chambre pour se changer. Bidwell, son valet, venait à peine de lui retirer sa veste quand le majordome fit son entrée.

— Monsieur le comte, dit Smythe d'une voix étranglée. Un messager vient juste d'arriver…

— Faites-le attendre, répliqua sèchement Walrafen. J'ai rendez-vous avec le Premier ministre.

— Il arrive de Cardow, précisa Smythe d'un ton lugubre.

— De Cardow?

Walrafen fit signe à Bidwell de disposer. Smythe était livide.

— Allons, dit le comte, radouci. Que se passe-t-il?

Smythe grimaça un sourire désolé.

— Ce sont de mauvaises nouvelles, monsieur.

Walrafen eut un pressentiment qui le glaça d'effroi.

— C'est… mon oncle Elias, n'est-ce pas? murmura-t-il.

— Je suis désolé, monsieur, dit le majordome à mi-voix. Le major Lorimer est mort.

Le comte ferma les yeux un bref instant.

— Comment est-ce arrivé, Smythe? Comment est-il mort?

— L'affaire est déplaisante, monsieur. Le juge de paix vous demande de vous rendre à Cardow sur-le-champ.

Walrafen eut un geste d'impatience.

— Cela va sans dire, voyons! Mais… le juge de paix, dites-vous? Que vient-il faire dans cette histoire?

L'expression de Smythe se rembrunit davantage.

— Je suis vraiment désolé, monsieur, mais il semblerait que les circonstances de la mort soient suspectes.

Walrafen fut saisi par une sorte de nausée. Il eut l'impression de ne plus tenir sur ses jambes. Soudain, il se sentit seul. Très seul. Comment cela avait-il pu arriver? Il repensa aux avertissements de Mrs Montford, à ses mises en garde à peine voilées. Il n'y avait pas prêté attention. Pour lui, Elias avait toujours été invincible.

— Comment est-il mort? s'enquit-il à voix basse.

Il y eut quelques secondes de silence, pendant lesquelles on n'entendit que le bruit que faisait Bidwell en tirant les malles de voyage des placards.

— On lui a tiré dessus, monsieur. Avec une arme à feu.

— Quoi ?

Incrédule, Walrafen dévisagea son majordome sans comprendre. Puis il murmura :

— Mais comment ? Qui a fait cela ? Par Dieu, je jure de faire pendre son assassin ! Il ira rôtir en enfer !

Sous le coup de l'émotion, il venait d'oublier qu'il était farouchement opposé à la peine de mort.

— On pense qu'un voleur s'est introduit dans la bibliothèque et que votre oncle l'a surpris.

— Un voleur ? À Cardow ? Impossible ! Personne n'oserait s'y risquer. Les murailles crénelées sont trop hautes, toutes les fenêtres du bas sont munies de barreaux. Il y a deux postes de garde et les grilles sont maintenues fermées nuit et jour.

— Les serrures ont peut-être été forcées ? suggéra Smythe.

— Non. Elles sont trop lourdes et trop anciennes. Cardow est une forteresse. Les fenêtres de la bibliothèque se trouvent à trente pieds au-dessus du sol. Personne, vous m'entendez ? Personne n'est jamais entré dans le château clandestinement. Du moins, pas au cours des huit derniers siècles.

— Ô Ciel ! marmonna Smythe, plongé dans une totale perplexité.

Le comte avait déjà enfilé son manteau.

— Faites parvenir un mot au Premier ministre pour remettre notre rendez-vous, Smythe, ordonna-t-il. Annulez sir James, repoussez la réunion de la Société de Nazareth et envoyez un message à lady Delacourt. Il faut qu'elle soit prête à 3 heures pour partir à Cardow.

Smythe parut vaguement surpris.

— Lady Delacourt vous accompagne, monsieur ?

— Il le faut, rétorqua Walrafen d'un air résolu. Il va falloir que je m'occupe de cette terrible affaire. Elle se chargera de recevoir les invités, de faire préparer les repas et Dieu sait quoi encore. Après tout, elle est toujours la belle-sœur du major. Ses devoirs envers notre famille persistent, malgré la mort de mon père.

En réalité, Cécilia ne demandait pas mieux que d'accomplir ses devoirs. Walrafen avait compris depuis longtemps que sa belle-mère adorait se sentir indispensable. Pour Dieu sait quelle raison, il ne lui déplaisait pas de faire partie du clan Lorimer. Pendant son bref mariage avec le père de Giles, elle était devenue le pivot de la famille, celle à qui chacun se raccrochait. Après la mort de son époux, elle était restée en contact avec la plupart des proches de celui-ci. En outre, malgré de fréquentes chamailleries, Walrafen et Cécilia étaient les meilleurs amis du monde. C'était mieux que rien, se disait-il pour se consoler et, en ce moment, il avait vraiment besoin d'elle.

Aussi fut-il profondément soulagé de la voir arriver à Hill Street avec un quart d'heure d'avance, prête à affronter ce long voyage vers l'ouest. Delacourt l'accompagnait, naturellement, comme Walrafen s'y attendait. S'il avait été lui-même le mari de Cécilia, elle ne serait jamais restée longtemps hors de sa vue.

Il y avait quatre voitures en tout, dont deux pour transporter les bagages et les domestiques. Lui-même en occupait une troisième avec Ogilvy et la quatrième était celle de lord et lady Delacourt. Le voyage lui parut interminable. Le pire était qu'avant même d'avoir atteint Cardow Walrafen ne songeait déjà qu'à repartir. Il l'aurait fait dès le lendemain, si cela avait été possible.

Cependant, ce qu'il désirait plus encore, c'était mettre la main sur le meurtrier de son oncle. Pour cela, il devrait vaille que vaille supporter Cardow. Son oncle et lui n'étaient pas très proches, mais il savait qu'Elias était un homme bon et généreux qui avait tout sacrifié pour son roi et son pays. Aussi était-il inconcevable de laisser son assassin en liberté. Par Dieu, c'eût été une terrible injustice et Walrafen n'était-il pas un fervent défenseur de la justice ? N'était-ce pas la cause qui lui tenait le plus à cœur ? S'il dépensait autant d'énergie pour qu'on accorde une certaine justice aux pauvres du pays, il pouvait bien consacrer quelques jours à rendre le même service à son oncle !

Il s'aperçut avec surprise que ses yeux s'étaient embués de larmes et se sentit terrassé par les remords. Seigneur !

Cela faisait des années qu'il aurait dû cesser d'inviter Elias à Londres et lui ordonner d'y venir. Fermer Cardow, ne pas lui laisser le choix. Alors, peut-être, ne serait-il pas mort dans d'aussi terribles circonstances. Puis Walrafen s'efforça de repousser les regrets qui s'insinuaient comme des lames dans son cœur. Cela n'aurait pas marché : Elias était trop entêté, il aurait refusé de quitter Cardow.

À leur arrivée, ils constatèrent que le Canal de Bristol disparaissait sous une épaisse nappe de brouillard. La brume s'étendait à l'intérieur des terres, inondant les champs, les forêts et les villages. La jambe de Walrafen le faisait terriblement souffrir. Au pied de la butte de Cardow, ils tournèrent à gauche et s'engagèrent lentement sur la route escarpée menant au château.

Walrafen regardait par la vitre, essayant de distinguer les contours du mur d'enceinte ouest. Impossible de le distinguer, dans cette brume aussi épaisse que de la ouate. Ah ! mais si, il était là... Lourd, immuable, avec ses créneaux à peine visibles dans le brouillard.

Un peu plus tard, Walrafen se rendit compte que sans cette satanée purée de pois il aurait tout de suite remarqué l'horrible amas de pierres et de décombres à la place de la tour ouest. Et il aurait vu également que quelqu'un – sans doute Pevsner – avait fait aligner les domestiques dans la cour pour l'accueillir de façon très formelle.

Toutefois, l'obscurité ne cessait de s'épaissir au fur et à mesure qu'ils gravissaient la colline. Quand il vit que le carrosse, au lieu de s'arrêter sous la porte cochère, avançait au milieu de la cour principale, il ouvrit sa portière en levant sa canne, avec la ferme intention de réprimander le cocher. Mais à peine eut-il posé le pied à terre, qu'il vit les deux longues rangées de domestiques qui l'attendaient dans des volutes de brouillard. Tous vêtus de noir, les yeux baissés, ils gardèrent un visage grave tandis qu'Ogilvy et lui passaient entre eux pour gravir les marches du perron.

Devant la porte se tenait le majordome, dont la manche gauche était ornée d'un brassard noir en signe de deuil.

— Bienvenue à Cardow, monsieur le comte.

— Bonjour, Pevsner. Je vois que tout est parfaitement en ordre, grâce à vous.

Mais, bien qu'il s'adressât au majordome, Walrafen ne le regardait pas. Ses yeux étaient fixés sur la grande et mince jeune fille qui se tenait à côté de lui. Une jeune fille ! Le terme s'était imposé à son esprit car elle avait une silhouette souple et délicate. Pourtant, elle avait légèrement – très légèrement – dépassé la prime jeunesse.

Son cou, se détachant contre le col noir de sa robe, avait la blancheur pure de l'albâtre et les traits de son visage étaient très finement sculptés. Elle était aussi grande que Pevsner. Ses cheveux auburn, presque entièrement cachés par une coiffe de dentelle noire, étaient tirés en arrière en un chignon strict mais, en dépit de tous ses efforts, elle n'avait pas du tout l'allure d'une gouvernante.

Walrafen lança à Pevsner un regard appuyé. Le majordome se redressa.

— Monsieur le comte, dit-il, je vous présente Mrs Montford. Elle est avec nous depuis bientôt trois ans.

Mrs Montford fit la révérence avec autant de grâce et d'aisance qu'une débutante présentée à la cour. Ses épaules étaient rejetées en arrière et elle se tenait droite comme un i.

— Bienvenue à Castle Cardow, monsieur le comte, dit-elle sans le regarder vraiment.

Il eut l'impression d'être invisible, tant le regard de la jeune femme paraissait lointain. Cela eut le don de le mettre en colère ; ses nerfs étaient trop tendus.

— Madame Montford, dit-il d'un ton coupant. Nous nous entendrons beaucoup mieux si vous me regardez lorsque je m'adresse à vous.

Il la vit se raidir.

— Je vous demande pardon, monsieur, répondit-elle avec une sorte de détachement. Je n'avais pas compris que c'était ce que vous faisiez.

Walrafen darda son regard sur elle et fut stupéfait de découvrir la lueur exprimant une haine violente et farouche qui dansait dans ses yeux verts. L'espace d'une seconde il chercha ses mots, mais la lueur disparut, prestement remplacée par un masque d'indifférence. Il se sentit légèrement déstabilisé.

Son imagination avait dû lui jouer un tour : l'atmosphère de Cardow avait toujours eu un effet étrange sur lui.

— Eh bien, madame Montford, dit-il en tendant sa canne à Pevsner pour enlever rapidement ses gants. C'est à vous que je m'adresse, à présent. Je veux vous voir dans mon bureau dans une demi-heure, s'il vous plaît.

— Oui, monsieur le comte.

Sa voix grave avait de très belles intonations, mais elle lui tapa sur les nerfs. Sans le quitter des yeux, la jeune femme esquissa une lente révérence. Elle semblait vouloir lui lancer un défi, mais de quel genre ?

Il entendit Cécilia monter les marches derrière lui, s'arrêtant au passage pour parler avec les domestiques qu'elle connaissait. Ces derniers lui répondirent spontanément, abandonnant leurs airs graves et leurs manières guindées.

— Madame Montford, ajouta-t-il avec raideur. Voici lady Delacourt, la veuve de mon père. Et son époux, lord Delacourt. Veillez à ce qu'ils soient confortablement installés.

Cécilia tapota familièrement le bras de Pevsner.

— Cet accueil était splendide, Pevsner. Mais ne laissez pas les domestiques exposés à l'humidité, faites-les rentrer. Bonjour, madame Montford. Je suis heureuse de constater que Cardow a retrouvé une intendante digne de ce nom.

Sans faire le moindre commentaire, Walrafen les précéda dans la maison qui lui sembla telle qu'il l'avait gardée en mémoire. La première chose qu'il remarqua, cependant, fut l'odeur, un mélange de cire et de savon, donnant l'impression réconfortante de propreté qui avait accompagné sa jeunesse. Lors de ses deux ou trois dernières visites, il avait trouvé que Cardow sentait l'humidité et paraissait, pour tout dire, un peu… délabré.

Il entendit Cécilia raconter avec volubilité à Mrs Montford leur étape désastreuse de la veille dans une auberge fort inconfortable. Sa vue s'adaptant peu à peu à l'obscurité, il avança avec une impatience mêlée d'appréhension dans l'immense hall de réception et balaya la vaste pièce du regard. Il fut tout de suite frappé par son aspect différent... il manquait quelque chose. Presque immédiatement, il sut ce qui n'allait pas. Par Dieu ! Les tapisseries avaient disparu ! Son regard se porta sur l'un des murs nus, puis sur l'autre. Et c'est alors seulement qu'il vit quelque chose de bien pire.

Il dut pousser une exclamation involontaire, car Cécilia se précipita à son côté.

— Oh ! Giles ! J'ignorais que vous aviez fait accrocher mon portrait dans le hall !

Pour une fois, Cécilia ne se trouvait pas au centre de ses pensées. Ce n'était pas sur son portrait que les yeux du comte étaient fixés, mais sur celui qui s'exposait sur le mur opposé.

Seigneur ! Sa mère avait été d'une beauté incomparable, à dix-sept ans. À l'aube de sa jeunesse, son regard reflétait encore tous les espoirs de bonheur contenus dans son cœur, mais ses espérances avaient été réduites à néant. Le contraste entre ce qu'elle avait été et ce qu'elle était devenue par la suite était si saisissant que Giles vit une fois de plus sa peine ravivée, son cœur déchiré.

Elle qui était si belle, elle qu'il avait tant aimée... voir son portrait exposé dans ce lieu qu'elle avait détesté, méprisé ! Il éprouva une bouffée de colère si violente qu'il se sentit suffoquer.

Ce mariage, arrangé contre sa volonté, avait été une erreur lamentable. À tort ou à raison, elle avait fait payer cher cette erreur à son époux, en reportant tout son amour et son attention sur son fils unique et adoré, Giles. Sa mère n'avait pas eu le choix : elle avait été obligée de vivre à Cardow car, pour la punir de l'amour maternel démesuré qu'elle portait à ce fils, son père lui avait formellement interdit de quitter la sinistre forteresse. Mais bon sang ! Même morte, elle avait encore le droit d'exiger que son portrait ne figurât pas dans ce lieu tant haï !

— Madame Montford, articula-t-il d'une voix claire et glaciale. Venez ici.

Les domestiques allaient et venaient autour d'eux dans la salle, parlant tous en même temps tandis qu'on apportait les bagages.

Dans un état second, Walrafen se rendit compte qu'il gênait le passage.

— Madame Montford! s'écria-t-il d'une voix rugissante. Venez ici!

Toutes les personnes présentes se figèrent. Bien qu'il ne détournât pas une seconde les yeux du portrait, il eut conscience que quelqu'un venait se placer près de lui.

— Oui, monsieur le comte? dit l'intendante d'une voix parfaitement maîtrisée.

— Ce portrait! C'est vous qui êtes responsable de ça?

— Responsable? répéta-t-elle avec une pointe de condescendance. En fait, je suis responsable de toute la maison, monsieur, et...

— Bon sang, cela suffit! Avez-vous, oui ou non, fait accrocher ce portrait dans le hall?

— Oui, répondit-elle promptement. C'est moi qui ai pris cette décision.

Giles planta son regard dans le sien.

— Votre sursis est passé d'une demi-heure à dix minutes, madame, énonça-t-il d'un ton coupant. Je vous attends dans mon bureau.

Elle lui lança un regard dédaigneux qu'on ne s'attendait pas à rencontrer chez une domestique.

— Bien sûr, monsieur le comte.

Ogilvy était déjà en train de préparer la table de travail du comte lorsque Mrs Montford entra dans le bureau, dix minutes plus tard. Le secrétaire lança à la gouvernante un regard apitoyé qui n'échappa pas à Walrafen. La colère de ce dernier était évidente, presque palpable, pour tous ceux qui le connaissaient bien, mais le comble c'est qu'il ne comprenait pas lui-même la raison de cette fureur.

Pour commencer, il y avait le portrait. Puis cet endroit, cette maison lugubre, avec tous les souvenirs sinistres qu'elle contenait. Et pour finir, il devait bien le reconnaître, il y avait cette femme. Elle était belle, avec son allure lointaine, son élégance naturelle. Il ne s'attendait pas à cela, et justement, cette élégance le mettait hors de lui.

— Je vois que vous êtes ponctuelle, dit-il en rabattant le couvercle de sa montre avec un claquement sec.

— Oui, répondit-elle avec simplicité. Je le suis toujours. Que puis-je pour vous, monsieur le comte ?

— Tout d'abord, madame Montford, vous allez m'expliquer certains mystères.

Le ton était impérieux. Elle leva cependant le menton avec un soupçon d'arrogance.

— En ce qui concerne le portrait, monsieur ?

Walrafen sentit un nerf tressauter sur sa joue.

— Commençons par le commencement, madame. Je vous prie de me dire ce que sont devenues mes tapisseries flamandes ? Elles sont restées accrochées dans le hall de Cardow pendant plus de trois cents ans. Aujourd'hui, j'arrive chez moi et je m'aperçois qu'elles ont disparu. À leur place se trouve un portrait que vous avez pris la liberté d'exposer sans ma permission. J'exige qu'il soit retiré sur-le-champ.

À son immense désappointement, Mrs Montford ne broncha pas. Avec un calme dont elle semblait ne jamais se départir, elle annonça :

— Je vais donner sur-le-champ les ordres nécessaires. Quant aux tapisseries, elles sont en effet superbes, mais gravement endommagées par l'humidité. Sans compter que les bords ont été rongés par les souris.

— Les… souris ?

— Ces bestioles avaient envahi la maison avant mon arrivée. Les tapisseries ont été expédiées dans les Flandres pour y être réparées. Je vous ai adressé une estimation du coût de ces réparations il y a déjà quelques mois.

Elle avait fait cela ? C'était sans doute vrai, bon sang.

— Désirez-vous que le portrait de lady Delacourt soit enlevé en même temps que celui de votre mère ? poursuivit-elle.

Certes, mais cela était un peu délicat, puisque Cécilia l'avait déjà vu.

— Laissez-le où il est, lâcha-t-il d'un ton sec. Mais faites enlever celui de ma mère et… faites-le emballer. Je ne tiens pas à ce qu'il soit accroché ici. Je veux dire que… je souhaite l'emporter avec moi lorsque je m'en irai.

Il mentait et elle le comprit immédiatement. Elle avait toujours son air hautain et majestueux, les épaules rejetées en arrière comme si elle portait une robe de bal profondément décolletée. Toutefois, Mrs Montford arborait un vêtement adapté à sa position sociale. Une robe coupée dans un tissu noir et raide, qui lui montait jusqu'au cou. Une ceinture enserrait sa taille fine et un anneau comportant toutes les clés de la maison y était accroché. Sa chevelure aux riches tons de roux était couverte d'une sévère coiffe noire.

— Je vais le faire emballer sur-le-champ, déclara-t-elle d'une voix froide, parfaitement contrôlée. Y a-t-il autre chose, monsieur le comte ?

— Oui, répliqua-t-il avec brusquerie. J'avais coutume d'accéder à cette pièce en traversant l'aile sud et en montant l'escalier de la tour ouest. Aujourd'hui, j'ai trouvé ce passage fermé par des poutres sur lesquelles on a cloué de la toile. Un beau fatras ! Je veux qu'on nettoie tout cela immédiatement et qu'on enlève ces poutres.

— Les enlever ? s'exclama-t-elle d'une voix sifflante.

Où étaient donc passés son calme et sa maîtrise ?

Walrafen eut l'impression qu'une flèche lui transperçait la tempe.

— Je n'ai pas apprécié, madame, d'avoir à traverser l'aile des domestiques pour parvenir jusqu'ici.

Il posa le bout de ses doigts sur sa tempe douloureuse et ajouta, glacial :

— Des invités vont arriver. Le moment était particulièrement mal choisi pour engager des travaux de rénovation. De plus, je ne me souviens pas de vous avoir donné la permission de le faire.

La lueur de haine resurgit instantanément dans les prunelles vertes de la jeune femme.

— Ce ne sont pas des travaux de rénovation, monsieur. Simplement l'évacuation des gravats.

— Je vous demande pardon ?

Le visage de Mrs Montford se crispa de colère.

— La tour ouest s'est effondrée.

Walrafen en resta un instant muet.

— Je… je vous demande pardon ?

— La tour ouest, dit-elle en détachant les syllabes, comme si elle s'adressait à un arriéré mental. Elle est tombée. À quoi vous attendiez-vous ? Vous ne vous en êtes pas occupé.

— Je ne m'en suis pas occupé ? bredouilla-t-il. Mais vous… je croyais… vous deviez…

— Je vous ai envoyé cinq lettres ! s'exclama-t-elle, les yeux étrécis par la fureur. En vain. C'était une perte de temps ! À présent, le passage doit être maintenu fermé. Non pour vous causer du désagrément, monsieur, mais plutôt pour éviter que vos domestiques ne tombent dans les décombres. Dieu seul sait ce qui est sur le point de s'écrouler, maintenant.

Walrafen n'avait pas encore assimilé tout ce qu'elle venait de lui expliquer, mais il était certain d'une chose : le moment était venu de remettre Mrs Montford à sa place.

— Madame, votre ton ne me plaît guère, dit-il. Insinuez-vous que je ne me soucie pas de la sécurité de mon personnel ?

Mrs Montford leva les mains devant elle dans un mouvement d'exaspération.

— Dieu du Ciel, vous ne comprenez donc pas ? Les gens travaillent près de ce mur en ruine ! Il n'aurait pas été prudent de le laisser en l'état. L'endroit n'est d'ailleurs toujours pas sûr. Tenez-vous vraiment à ce que ces barrières soient enlevées ?

Ces dernières paroles contenaient un monde de sous-entendus.

— Vous auriez dû m'envoyer une autre lettre pour m'avertir, protesta Walrafen. Pourquoi n'en avez-vous rien fait ?

Mrs Montford tremblait de colère contenue.

— Toute discussion m'a paru inutile. Je vous ai informé clairement sur l'état de délabrement de la tour. Ce qui devait arriver est arrivé : la tour s'est écroulée. Je suis en train de faire déblayer les gravats et j'ai demandé que les passages soient murés.

— C'est inacceptable ! s'écria Walrafen.

Le Seigneur était-il sur le point d'exaucer ses prières ? Cardow allait-il s'effondrer comme un château de cartes, être englouti et disparaître ? Tout à coup, il n'eut plus du tout envie que cela se produise.

— Sans cette tour, le château n'aura plus de symétrie et l'ensemble perdra son harmonie. En outre, il faudra marcher pendant près d'un kilomètre pour le traverser d'un bout à l'autre !

Elle haussa les sourcils et demanda d'un ton vif :

— Vous souhaitez donc que la tour soit reconstruite ?

— Absolument.

Mrs Montford fit un rapide signe de tête, comme si c'était elle qui le congédiait.

— Je vais en informer MM. Simpson & Verney au plus tôt.

Simpson et Verney ? Sacrebleu ! Les architectes. C'est seulement lorsqu'elle prononça leur nom qu'il se rappela les termes de sa dernière lettre.

Je vous prie de me dire, monsieur, si nous devons faire réparer la tour ou la détruire ? Je souhaite qu'une décision soit prise avant qu'elle ne s'écroule sur l'un des jardiniers...

Walrafen fut envahi d'un léger malaise. L'insolence de cette femme était certes inacceptable. Cela dit, il l'avait totalement ignorée ! Le résultat était catastrophique et la situation dépassait de loin les capacités d'une gouvernante. Pour bonne intendante qu'elle fût, elle n'allait tout de même pas se transformer en ouvrier de maçonnerie, que diable !

— Madame Montford ?

La main posée sur la poignée de la porte, elle se figea.

— Monsieur le comte ?

— J'espère... je... J'espère de tout cœur que personne n'a été tué ou blessé dans l'accident ?

— Personne n'a été tué, répondit-elle en butant légèrement sur le dernier mot.

— Bien. Très bien.

Sans ajouter une parole, elle pivota sur ses talons pour sortir.

Malgré son agacement, Walrafen répugnait à la laisser partir. Diable! Que lui arrivait-il? Et pourquoi se montrait-il si dur envers cette femme? Jusqu'à présent, le seul reproche qu'il ait eu à lui adresser concernait les lettres dont elle le harcelait et ses tentatives incessantes pour l'obliger à s'intéresser à Cardow et au domaine. Il l'avait ignorée… et ce qui était arrivé à la tour ouest démontrait amplement qu'il avait eu tort.

Il s'éclaircit brièvement la gorge.

— Madame Montford?

Elle se retourna encore une fois.

— Oui, monsieur?

— Je ne vous ai pas encore congédiée, dit-il en faisant une vaine tentative pour adoucir le ton de sa voix. Je dois vous communiquer la liste des invités que nous attendons.

Mrs Montford tira une feuille de papier de sa poche et revint vers lui pour la lui donner. Il remarqua alors ses mains, fines et solides. De belles mains, qui ne tremblaient pas.

— J'ai déjà préparé une liste, avec l'aide du pasteur.

Walrafen détacha à regret le regard de ses mains et lut ce qu'elle avait inscrit sur la feuille. Sa tante Harriet, de Bath, avec toute sa famille. Un grand-oncle, du côté de sa grand-mère. Deux cousins du pays de Galles. En six lignes, elle avait établi la liste de toute sa parenté, à l'exception de ceux qui vivaient en Amérique. Il se racla encore une fois la gorge.

— Cela me paraît… très complet.

— Je suis enchantée de vous l'entendre dire, répliquat-elle, acerbe.

Comme pour se donner une contenance, Walrafen rouvrit sa montre et la regarda sans la voir. Une fois de plus, il se demanda si cette femme, cette créature à l'allure trompeusement délicate, avait été la maîtresse de son oncle.

Mais quelle différence cela faisait-il ? En quoi cela le tou-
chait-il ?

— Y aura-t-il autre chose, monsieur le comte ? s'enquit-
elle avec impatience.

Sortant de sa torpeur, il esquissa un signe de tête.

— Oui. Tant que lady Delacourt sera là, vous prendrez
vos ordres auprès d'elle pour tout ce qui concerne la
marche de la maison. Considérez-la comme la maîtresse de
ces lieux. Je ne veux pas être importuné avec des questions
sur les horaires des repas ou l'attribution des chambres. J'ai
des affaires plus importantes à traiter.

— Oui, monsieur.

— Vous l'installerez dans la chambre qu'elle occupait
autrefois.

Mrs Montford marqua une légère hésitation.

— La chambre principale ?

— Oui.

D'un pas vif, elle traversa la pièce et alla tirer sur le cor-
don des domestiques.

— Ses bagages ont déjà été montés à l'étage.

— Faites-les redescendre immédiatement.

Elle le considéra avec hauteur.

— Je viens de sonner Betsy pour lui en donner l'ordre.

— Parfait, dit-il avec un geste désinvolte.

— Quelle chambre désirez-vous occuper, monsieur ?

— Je m'en moque. Quelque part pas trop loin d'Ogilvy.

— Votre ancienne chambre dans l'aile nord ?

Il secoua vivement la tête.

— Non. Je déteste cette partie de la maison. En outre, il
y a le problème de ces crapauds qui occupaient un tiroir
de ma commode. Leurs fantômes risquent de venir me
poursuivre, ajouta-t-il à mi-voix.

Il crut voir l'ombre d'un sourire flotter sur les lèvres de
Mrs Montford.

— Que diriez-vous de la chambre chinoise ? Elle ne se
trouve pas loin de votre bureau.

— Ce sera parfait.

À cet instant, une servante pointa timidement le bout de
son nez. Mrs Montford se tourna vers elle.

— Betsy, demandez aux valets de descendre les bagages de lady et lord Delacourt dans la chambre principale. Monsieur le comte souhaite dormir dans la chambre chinoise.

— Oui, madame, répondit docilement Betsy.

— Quand vous aurez fini, vous irez préparer une tisane de reine-des-prés et de gaulthérie pour monsieur le comte. Vous vous rappelez comment faire?

— Oui, madame, dit Betsy avant de s'éclipser.

— Une tisane? s'exclama Walrafen. Sacré nom! Pour quoi faire?

Avec ses mains sagement croisées devant elle, Mrs Montford avait une allure des plus convenable, ce qui eut le don de l'exaspérer.

— Vous avez la migraine, dit-elle. Et à en juger par votre démarche, votre jambe droite vous fait souffrir.

Walrafen eut un reniflement de mépris.

— Je me sens très bien. Et je suis certain que mon médecin désapprouve le recours aux infusions de plantes.

— Je n'en doute pas, monsieur. Mais la reine-des-prés contient de la salicine.

Walrafen releva l'ombre d'un accent dans la façon dont elle prononçait certains mots, mais ne s'attarda pas sur ce détail. L'aplomb de cette femme était exaspérant. En plus, elle avait vu juste, aussi bien en ce qui concernait la migraine, que la douleur dans sa jambe droite.

— La salicine? marmonna-t-il. Jamais entendu parler.

— C'est une substance qui soulage les inflammations. C'est excellent contre les rhumatismes.

— Bon sang! Je n'ai pas de rhumatismes!

— Bien sûr que non, monsieur le comte.

Il eut la nette impression qu'elle se moquait de lui, ce qui lui déplut souverainement.

— Madame Montford, dit-il avec raideur, revenons aux affaires qui nous occupent. Où se trouve la dépouille de mon oncle?

— Dans le salon doré, monsieur. Désirez-vous que je le fasse transporter ailleurs?

— Je vous demande pardon?

— Vous semblez désapprouver la place de toutes les choses dans cette maison, expliqua-t-elle doucement. Si vous désirez que le corps de votre oncle soit exposé dans une autre chambre, je demanderai aux valets de le déplacer.

— Non, répondit-il en luttant contre une soudaine vague de chagrin.

Il ne voulait pas qu'on déplace son oncle. Ce qu'il voulait, c'était le voir *vivant*. Vivant, en pleine santé, déambulant dans la maison de sa démarche claudicante, grommelant dans sa barbe et jurant comme sur un champ de bataille. Cependant, quels que soient ses talents, Mrs Montford ne pouvait accomplir ce genre de miracle !

— Le salon doré est une grande pièce, murmura-t-il en faisant un effort sur lui-même pour dominer sa peine. Beaucoup de gens sont venus lui rendre hommage ?

— La moitié du Somerset.

Tous étaient venus, poussés davantage par la curiosité que par le chagrin. La gouvernante avait eu la même pensée que lui, car il avait remarqué une pointe d'amertume dans sa voix. Il l'observa de nouveau, s'attardant sur les détails de son visage. Cette femme était une énigme.

Il dut garder le silence un peu trop longtemps, car Mrs Montford toussota discrètement.

— Y a-t-il autre chose pour votre service, monsieur le comte ?

— Oui, madame Montford. J'ai oublié de vous poser une question. Quel âge avez-vous ?

— Quel âge ? répéta-t-elle, déconcertée. J'ai trente ans, monsieur.

Giles eut un sourire sceptique. Il était certain qu'elle mentait mais, après tout, qu'est-ce que ça pouvait lui faire ? Elle était compétente, c'était l'essentiel.

— Merci, madame Montford, fit-il d'un ton abrupt. Vous pouvez disposer.

— Merci, monsieur.

— Oh… madame Montford ?

Elle se retourna pour le regarder, mais ne dit rien.

— Je suis conscient que nous sommes tous sous l'emprise d'une grande émotion. C'est pour cette raison que je ne vous tiendrai pas rigueur du ton que vous avez employé avec moi. Cependant, à l'avenir, veuillez vous rappeler que quelle que soit l'excellence de votre travail, je ne tolère pas d'insolence chez mon personnel. Est-ce clair ?

Le visage de la jeune femme avait de nouveau revêtu un masque d'indifférence polie.

— Très clair, monsieur.

Walrafen éprouva tout à coup le besoin d'être seul. Il se sentait accablé par le chagrin et Mrs Montford, avec ses redoutables yeux verts, voyait trop de choses. Elle était trop intelligente, trop directe et, surtout, beaucoup trop belle. Pas du tout ce à quoi il s'attendait, pas le genre de personne avec qui il se sentait à l'aise. En fait, il avait purement et simplement envie de la renvoyer. Impossible, cependant : Cardow avait besoin d'elle. En outre, ils attendaient une foule d'invités. Bon sang, les devoirs familiaux, quelle corvée ! Les Radicaux déchaînés qui défilaient en foule dans les rues de Londres l'effrayaient moins que la vie à Cardow. Dire que Max le trouvait courageux !

— Merci, madame Montford, finit-il par articuler lentement. Vous pouvez vous retirer.

Son secrétaire, qui n'avait pas ouvert la bouche en présence de la gouvernante, suivit celle-ci des yeux, l'air intrigué.

— Ogilvy, je veux voir le médecin de mon oncle sur l'heure, déclara-t-il en rejoignant le jeune homme près de son bureau. Et je recevrai le pasteur demain matin à la première heure.

— Que dois-je dire au juge de paix, monsieur ?

— Qui ça ? Higgins ? Faites-le venir demain également.

Ogilvy paraissait un peu perdu. Walrafen regretta de ne pas avoir emmené son vieux Wortwhistle, mais celui-ci était de santé trop fragile pour passer des heures dans un carrosse, si confortable soit-il.

— Vous semblez perplexe, Ogilvy.

Le secrétaire, dont le regard était resté fixé sur la porte, se tourna vers son employeur.

— C'est cette gouvernante... commença-t-il d'un air incertain. De quelle région est-elle originaire ?

Walrafen prit une pile de lettres sur son bureau.

— Du Nord, je crois, répondit-il distraitement. New-castle.

Ogilvy fronça les sourcils.

— Non. Je ne pense pas.

Le comte haussa les sourcils, vaguement étonné.

— Pourquoi ? Vous la connaissez ?

— Non, mais cette voix... enfin, cet accent... Elle a l'accent écossais. Oh ! il est très léger, comme dans les classes élevées de la société. Mais tout de même...

Pour Walrafen, tout ce qui se trouvait au nord de White-hall aurait pu tout aussi bien être sur la Lune.

— Oui, le Nord, l'Écosse, marmonna-t-il en feuilletant sa correspondance. Dites-moi, Ogilvy, comment ces lettres de condoléances font-elles pour arriver aussi vite ? Cela dépasse l'entendement, non ?

Le secrétaire acquiesça.

— En effet, monsieur. C'est très mystérieux.

Aubrey quitta le bureau de lord Walrafen et referma sans bruit la porte derrière elle, comme elle avait demandé aux autres domestiques de le faire. Ils ne devaient être ni vus ni entendus ; ils n'étaient pas payés pour avoir des sentiments.

Alors pourquoi elle-même se précipitait-elle maintenant dans l'escalier, aveuglée par l'émotion, le cœur au bord des lèvres ?

Parce qu'un instant plus tôt elle avait failli mettre elle-même sa vie en danger. N'apprendrait-elle donc jamais à se taire ? Une fois la porte rabattue, elle s'était immobilisée dans le couloir afin de se calmer, de ravaler sa colère. Elle avait alors eu le temps de surprendre la remarque du secrétaire, des paroles si innocentes en apparence... « Elle a l'accent écossais... très léger, comme dans les classes élevées de la société. »

Elle n'avait pas attendu la réponse du comte. Le contrôle qu'elle exerçait sur ses nerfs avait craqué et sa colère s'était muée en panique. Sans même réfléchir, elle s'était élancée dans un corridor vide, envahie par la terreur et une impression d'impuissance. Des sentiments trop familiers… Elle voulait s'échapper, s'enfuir. Elle s'arrêta brusquement et chercha une clé dans le trousseau à sa ceinture. Il ne fallait pas qu'elle s'affole ainsi, c'était la dernière chose à faire.

Elle parvint à ouvrir la porte d'une chambre inoccupée et s'y engouffra avec autant de hâte que si le diable était à ses trousses. Refermant le battant derrière elle, elle s'y adossa, pressant les mains contre le chêne massif comme pour l'empêcher de craquer. Seigneur! Pourquoi avait-elle laissé la situation lui échapper? Elle aurait dû dominer sa colère!

Le major était mort, et maintenant cet homme était là, avec ses yeux de glace, son rictus dédaigneux. Ce n'était pas son mépris, qu'elle redoutait, mais plutôt les questions qui ne tarderaient pas à surgir. La suspicion. Et les gens qui allaient venir… Il y aurait des étrangers. Partout. On risquait de la reconnaître. Ou, pire encore, de reconnaître Iain.

Oh… Pourquoi avait-elle commis l'erreur de tenir tête à lord Walrafen? Elle avait de la chance de ne pas avoir été chassée du château sur-le-champ. Iain dépendait d'elle!

Aubrey saisit un coussin sur le lit et le pressa contre son visage, étouffant les sanglots qui secouaient son corps. Mon Dieu, mon Dieu! Il fallait qu'elle se calme. Pour le salut de l'enfant, il fallait qu'elle parvienne à se dominer. Garder la tête froide, conserver son poste d'intendante et, surtout, garder ses réflexions pour elle. En somme, elle devait faire tout ce qu'il fallait pour satisfaire ce comte arrogant, quoi qu'il lui en coûtât.

Car tout avait changé, à présent.

Le major était mort et Cardow n'était plus un refuge sûr.

4

Une chambre avec vue

C'est avec un plaisir certain qu'un peu plus tard dans l'après-midi, Giles vit Crenshaw franchir la porte de son bureau. Certes, le médecin aux traits anguleux n'offrait plus tellement de ressemblance avec le garçon aux joues rondes et aux cheveux ébouriffés dont il avait si souvent partagé les jeux au cours de son enfance. Les pans de sa chemise sortaient de son pantalon et les poignets de ses vêtements portaient des traces de sang. Il entra d'un pas pressé, pliant sous le poids de sa sacoche, et aussi, à en croire son allure accablée, sous celui de la misère du monde.

— Désolé, je suis en retard, dit-il en tendant sa main libre. Ça fait du bien de te voir ici, Walrafen.

Giles lui désigna un fauteuil.

— Ce rendez-vous ne tombait pas très bien pour toi, on dirait. J'ai perturbé ta journée ?

Geoffrey Crenshaw sourit en hochant la tête.

— Il a fallu que je passe chez Jack Bartle, un de tes fermiers. Après avoir ingurgité pas mal de bière, il est tombé tête la première sur une faux trop bien aiguisée ! Comme ton message disait que c'était urgent, je suis venu directement en sortant de chez lui. Je suis désolé pour ton oncle, Walrafen. Une telle tragédie… C'est à peine si tu as passé une quinzaine de jours ici depuis l'enterrement de ta mère, et maintenant, tu reviens pour celui de ton oncle. Quel dommage que ce soit chaque fois la mort qui te ramène parmi nous !

Giles marcha jusqu'à la fenêtre et revint sur ses pas, les mains croisées derrière le dos.

— Je ne me sens pas chez moi, ici, Crenshaw, dit-il doucement. Je viens quand j'y suis obligé. Parce que je dois faire mon devoir.

Crenshaw eut l'air un peu embarrassé.

— Nous sommes de vieux amis, Walrafen. Nous avons passé des moments merveilleux ici quand nous étions enfants. Je sais que ta mère détestait cet endroit, mais on n'y est pas si mal que cela.

— Il n'y avait rien pour elle dans ce château, répliqua le comte d'une voix rauque. Elle était jeune, belle, pleine d'enthousiasme. Ce vieux bâtiment lugubre, la mer, le brouillard perpétuel, la solitude… tout cela l'a rongée.

— Mais elle t'avait, toi. Tu étais toute sa vie.

— En effet. Et mon père a voulu la priver de cela aussi, n'est-ce pas ?

— La plupart des garçons sont envoyés en pension, Giles, murmura Crenshaw. Ce n'est pas nécessairement la fin du monde.

Giles retourna près de la fenêtre et son regard se perdit dans l'obscurité.

— C'est du passé, nous ne pouvons plus rien y faire. Occupons-nous de la tragédie la plus récente, celle que nous avons encore une chance de venger.

— Je suis d'accord, acquiesça le médecin. Comment puis-je t'aider ?

Giles voulait connaître le point de vue de son ami sur la mort d'Elias. Comme son père l'avait été avant lui, Crenshaw était un bon médecin. Giles l'aimait et lui faisait confiance.

Crenshaw lui relata les événements devant un verre de cognac. On l'avait appelé au château pour la mort d'Elias, le jour de la fête de la moisson. Un des valets de Castle Cardow avait déboulé dans le village en hurlant que le major venait d'être assassiné.

Armé de sa sacoche, Crenshaw s'était précipité au château, mais il n'y avait plus rien à faire ; Lorimer était mort. Le constable et le juge de paix étaient arrivés sur ses talons. Les fenêtres de la bibliothèque étaient grandes ouvertes, ce qui n'avait rien d'étonnant, car la journée était belle et la température particulièrement douce. Ils n'avaient trouvé aucune trace d'effraction.

Giles faisait un terrible effort sur lui-même pour dominer son émotion et demeurer attentif.

— Dis-moi... qui a découvert le corps de mon oncle?

Le médecin eut une très légère hésitation.

— Mrs Montford, il me semble.

— A-t-elle entendu le coup de feu?

Crenshaw contempla son cognac.

— Je pense qu'elle a mis ce bruit sur le compte des festivités, dans le village. Elle ne s'est aperçu qu'il était mort que lorsqu'elle lui a monté son plateau.

— Seigneur!

Crenshaw se pencha en avant.

— Il a reçu une balle en plein cœur. Il n'a pas eu le temps de souffrir.

— En plein cœur?

Giles posa son verre et essaya de contrôler sa respiration.

— Geoff, tu ne penses pas que... Il n'aurait pas pu se...

Crenshaw secoua vigoureusement la tête.

— Ne dis jamais une chose pareille! Même pas à demi-mot. Tu sais très bien quel genre de ragots cela provoquerait. De toute façon, on n'a pas retrouvé l'arme qui l'a tué.

Pensif, Giles se passa une main dans les cheveux.

— Qu'en était-il de sa santé? Était-il déprimé?

— Il était dans un état lamentable! Il avait le teint cireux, le foie gonflé. Sa santé se délabrait de façon alarmante et il refusait tout traitement. Mais les soldats, surtout ceux de la trempe de Lorimer, ne se suppriment pas. Ils considèrent que c'est un acte déshonorant.

— Bien sûr, murmura Giles. Je n'y avais jamais pensé.

Crenshaw reposa son verre sur la table d'un geste un péu lourd.

— Eh bien, cesse d'envisager cette possibilité, dit-il. Veux-tu que la Couronne saisisse ses biens?

Le comte eut un sourire triste.

— Il en avait peu, en dehors de sa réputation de héros.

— N'est-ce pas la chose la plus précieuse au monde ? s'exclama Crenshaw en écartant les mains. Il ne mérite pas en tout cas d'être jeté dans une fosse anonyme au milieu de la nuit, sans même une prière pour accompagner sa dépouille ! Nous sommes dans un village reculé, Giles, et les gens sont soupçonneux. Il y a encore dix ans, les suicidés étaient ensevelis au bord des routes et on leur plantait un pieu dans le cœur. Laisse donc l'Église enterrer le major avec tous les égards dus à un bon chrétien. La police s'occupera du reste.

Giles soupira.

— Tu es sûr que c'est un meurtre ?

— Qu'est-ce que ça pourrait être d'autre ? Nous n'avons pas retrouvé d'arme et la maison était vide. Quelqu'un a voulu profiter de l'effervescence de la fête pour dérober quelques shillings facilement. Des bohémiens, probablement. Ils ne s'attendaient sans doute pas à trouver Elias dans la bibliothèque.

Giles fixa sur lui un regard sans expression.

— Tu dis que la maison était vide ?

Crenshaw eut l'ombre d'une hésitation.

— Mrs Montford avait accordé une journée de congé aux domestiques, à cause de la fête.

— C'est curieux. Que sais-tu de cette femme ?

Après une nouvelle hésitation, le médecin reprit :

— Rien de plus que tout le monde, à vrai dire. Elle est assez… réservée. Intransigeante, mais aussi très compétente. Il suffit de regarder la maison pour s'en rendre compte. Avant son arrivée, ce château était une vraie por…

Confus, Crenshaw s'interrompit.

— Une vraie porcherie, dit sèchement Walrafen. Oui, je sais. Mrs Montford m'a écrit régulièrement depuis son arrivée pour se plaindre de cet état de choses. Les changements qu'elle a apportés dans cette maison sont impressionnants, non ? L'endroit est presque chaleureux, à présent.

Crenshaw eut un sourire crispé.

— Cardow a toujours été l'un des plus illustres domaines d'Angleterre. Il a enfin retrouvé le lustre qu'il mérite, et tout le monde sait qui est responsable de cette transformation.

Le comte sirota son cognac dans un silence pensif.

— Dis-moi, que sait-on de cette femme ? Est-elle... ou plutôt était-elle la maîtresse de mon oncle ?

Le visage de Crenshaw devint livide.

— Ce ne sont pas mes affaires, dit-il d'un ton bourru.

— Certes, certes. Mais que dit-on au village ?

Crenshaw secoua la tête en contemplant fixement le fond de son verre.

— Il ne faut pas croire la moitié des ragots qu'on y colporte. Au début, oui, il y a eu des commérages. Elle avait une façon d'embobiner ce vieux démon... Oh ! je te demande pardon, Walrafen. Je crois qu'il l'aimait bien, puisqu'il supportait qu'elle se mêle sans arrêt de ce qu'il faisait. Mais ce qui a conforté les villageois dans leurs soupçons, c'est surtout le fait que peu de temps après son arrivée le major a cessé de... de courir les femmes.

— Il ne faisait plus venir de gueuses au château ?

Le médecin eut un pâle sourire.

— Non. Il avait tendance à rester davantage enfermé chez lui, mais je suppose que c'était l'une des conséquences de l'âge et de la boisson. Sa... euh... vigueur s'en trouvait diminuée. Tu me suis ?

— Je comprends, dit Walrafen avec un sourire crispé. Dis-moi, que pense le juge de paix de toute cette affaire ?

Le visage de Crenshaw s'allongea.

— Le vieux Higgins ? Il soupçonne Mrs Montford, naturellement. D'après lui, elle cache quelque chose. Et puis c'est tellement plus facile de s'en prendre à quelqu'un d'étranger au pays, n'est-ce pas ? C'est une personne réservée, qui s'aventure rarement jusqu'au village. Higgins a échafaudé une théorie selon laquelle le major aurait eu une de ces terribles scènes avec elle, pendant laquelle la situation aurait dérapé. Mais je sais qu'il se trompe, Walrafen. Aubrey Montford n'a pas tué ton oncle.

Giles fut surpris par la véhémence du médecin, mais il avait tendance à approuver sa position. La femme qu'il venait de rencontrer ne semblait pas capable d'un tel acte. Qu'elle puisse commettre un meurtre, il n'en doutait pas. Mais alors, sa façon d'agir serait nette et méthodique. Rien à voir avec un accès de fureur incontrôlable. Mrs Montford ne laisserait pas de taches de sang sur les tapis ni de désordre dans la maison.

— J'ai l'impression que tu as le béguin pour mon intendante, mon vieux.

Crenshaw eut un sourire éblouissant et son visage retrouva un peu de sa jeunesse.

— Ah! peut-être... avoua-t-il. Reconnais qu'elle est d'une grande beauté. Et elle a du charme, à sa façon. Pour un homme que ce genre de femmes solides et compétentes ne rebute pas.

— Je n'avais pas remarqué.

Giles mentait. En réalité, ses sentiments au sujet de Mrs Montford étaient mitigés. Il trouvait cette femme exaspérante : elle avait la langue trop acérée et son arrogance lui déplaisait. Cependant, son regard amusé quand il avait fait allusion aux crapauds morts ne lui avait pas échappé. Cela avait même contribué à calmer son irritation.

Et puis, comme l'avait fait remarquer Crenshaw, elle était d'une grande beauté. Le problème, c'est que ce visage en forme de cœur, illuminé par de superbes yeux verts, trahissait une trop grande intelligence. Il y avait aussi ses cheveux roux, aux reflets intenses, qui ne demandaient qu'à s'échapper de sa coiffe pour se répandre sur ses épaules...

Il devait reconnaître qu'il avait été très surpris en la voyant : Elias avait toujours préféré des femmes aux formes plus voluptueuses.

— Aubrey, dit-il à haute voix. Je n'avais jamais entendu ce prénom. Higgins détient-il des preuves contre elle?

Le médecin haussa les épaules.

— Il y avait du sang sur ses vêtements, et c'est elle qui avait insisté pour rester seule au château. Par ailleurs, il prétend qu'elle était beaucoup trop calme quand il lui a fait raconter sa version des événements. Il faut dire que Mrs Montford n'est pas le genre de personne à faire des drames.

Crenshaw ne se trompait pas sur ce point, songea Giles. Cet après-midi, elle lui avait tenu tête sans broncher. Pas le moindre signe d'hystérie. Elle n'avait pas semblé le moins du monde perturbée par sa colère, même quand il avait menacé de la renvoyer...

Jusqu'où faudrait-il aller pour lui faire perdre cette apparence d'impassibilité ? D'ailleurs, était-ce vraiment une apparence ? Cette femme était peut-être encore plus solide qu'il ne le croyait, et peut-être aussi cachait-elle quelque chose, comme le suspectait Higgins.

La porte s'ouvrit et Pevsner entra.

— Je vous demande pardon, monsieur le comte, dit le majordome. J'ignorais que le Dr Crenshaw était là.

Il fit mine de se retirer, mais Giles le rappela.

— Pevsner ? Vous semblez affligé. Qu'est-ce qui ne va pas ?

En fait, le majordome avait les lèvres pincées en une moue désapprobatrice. Il n'aurait pas eu une expression différente s'il avait trouvé un rat crevé sur la table de la salle à manger. Il entra dans le bureau, jeta un regard circonspect en direction de Crenshaw et referma la porte derrière lui.

— Je suis désolé d'avoir à vous apprendre, monsieur, que la montre en or de votre oncle a disparu.

— Sa montre ? répéta Giles avec impatience.

— Elle était en or massif, monsieur, et incrustée de saphirs, précisa le majordome d'un ton de reproche. Il y tenait beaucoup. Elle était toujours rangée dans un coffret, sur sa table de toilette. J'ai mis de l'ordre dans ses affaires, mais je ne l'ai trouvée nulle part. Je crains qu'elle n'ait été volée.

Walrafen soupira lourdement. À vrai dire, Elias n'attachait aucun prix aux biens matériels.

— J'en informerai Higgins, dit-il. Et je vous remercie d'être aussi attentif.

— Si l'objet n'est pas retrouvé bientôt, poursuivit le majordome, je pense qu'il faudrait effectuer une fouille complète de la maison.

— C'est cela, fit Giles avec un signe de la main. Occupez-vous-en, Pevsner.

Le majordome s'inclina et sortit. Crenshaw se leva brusquement.

— Il faut que je m'en aille. À moins que tu n'aies encore besoin de mon aide ?

— Non, Crenshaw, merci, dit Giles en se levant pour tendre la main à son ami.

Il la retira avant que celui-ci n'ait eu le temps de la serrer.

— Attends… il y a autre chose. Ogilvy s'est occupé du courrier et il a trouvé une missive qui t'était destinée.

Il alla à son bureau et fouilla dans une pile de lettres.

— La voilà ! s'exclama-t-il en tendant au médecin un feuillet plié en quatre. Ogilvy l'a trouvée dans le grand hall. Dans la confusion générale, quelqu'un avait posé le courrier par-dessus.

Crenshaw examina attentivement le papier.

— C'est l'écriture de Mrs Montford, dit-il en rompant le sceau de cire.

Il parcourut la lettre des yeux et, l'air soulagé, la passa à Giles.

— C'est extraordinaire ! dit celui-ci en la lisant. Mrs Montford te demandait de venir au château pour ausculter mon oncle ? Et elle prétend qu'il était d'accord. J'ai du mal à le croire.

— Pourquoi aurait-elle menti ? Elle a écrit ce message le matin, plusieurs heures avant la mort d'Elias. Il est clair qu'elle pensait qu'il serait vivant le lendemain. Il aurait fallu être drôlement malin pour tout prévoir.

Justement, Mrs Montford était très intelligente. Après son entrevue avec elle, Giles était bien placé pour le savoir. De là à la soupçonner de meurtre ? Non.

— Tu as raison, dit-il au médecin. Garde donc cette lettre, j'ai déjà assez de mal comme ça à traiter ma propre correspondance.

— Content de voir que tu as gardé intact ton esprit sarcastique, lança Crenshaw en empochant la lettre.

Il serra la main de Giles et alla ouvrir la porte.

— Crenshaw, une minute ! Tu ne pourrais pas dîner avec nous, mon vieux ? Les cousines de Bath seront là d'une minute à l'autre. Franchement, je me sens un peu seul parmi ces gens.

Le médecin le regarda d'un air compatissant.

— Tu veux parler de Sabrina, Sarah et Susan ?

— Je crois que c'est Sylvie, Sybil et Serena... ou Sandra ? Je ne m'en souviens jamais. Et bien sûr, tante Harriet sera aussi de la partie.

Crenshaw esquissa une grimace et désigna d'un geste ses manches tachées de sang.

— Désolé, vieille branche, déclara-t-il d'un ton presque guilleret. Je ne suis pas présentable.

Il était 5 heures et, bien que personne n'eût pu s'en douter en la voyant, Aubrey était malade d'angoisse. Elle avait de bonnes raisons pour cela. Non seulement elle avait presque insulté son employeur lors de leur première rencontre, mais un dîner de cérémonie devait avoir lieu à Cardow ce soir même. Environ la moitié de la famille Lorimer y assisterait.

Elle inspecta méthodiquement les salles de réception du château, vérifiant l'état des sols, du mobilier et des tentures. Elle s'arrêta plus d'une fois pour rajuster le pli d'un rideau, ou arranger des fleurs dans un vase. Tout devait être parfait. Net. Élégant. C'était le but qu'elle avait fixé, non seulement pour les domestiques travaillant sous ses ordres, mais aussi pour elle-même. Elle ne donnerait pas au comte de Walrafen la satisfaction de croire que, non contente d'être insolente, son intendante était aussi incompétente !

Lorsqu'elle eut visité tous les salons, Aubrey se dirigea vers la salle à manger d'apparat où les femmes de chambre avaient reçu l'ordre de dépoussiérer une dernière fois, pendant que les valets préparaient la table. En approchant, elle vit que les portes étaient grandes ouvertes. Les voix haut perchées des servantes lui parvinrent.

Trop de bruit, songea-t-elle en marquant une pause sur le seuil. Au fond de la pièce, Betsy frottait les cadres dorés des miroirs, mais Lettie et Ida mettaient moins de cœur à l'ouvrage. Debout devant les fenêtres, penchées l'une vers l'autre, elles jacassaient en observant les jardins.

— Elle est toujours aussi jolie, dit Lettie d'un ton admiratif. Je n'ai jamais vu d'aussi beaux cheveux roux ! Et lord Walrafen... quel bel homme ! Mais je lui trouve le regard sévère.

— Betsy m'a dit qu'il avait demandé à Mrs Montford d'installer lady Delacourt dans *son* appartement, chuchota Ida. Tu ne trouves pas ça bizarre ? Il a fallu redescendre toutes les malles.

Lettie ricana d'un air entendu.

— Ce que tu peux être naïve ! Quand je pense que tu viens de Londres...

— Pourquoi ? s'exclama Ida, visiblement offensée.

Aubrey était bien consciente qu'elle aurait dû intervenir, mais ses pieds semblaient cloués au sol. Elle vit Lettie repousser légèrement le rideau pour avoir une meilleure vue sur l'extérieur.

— Lord Delacourt a intérêt à fermer la chambre de sa femme à clé pendant la nuit, poursuivit Lettie. Tout le monde sait que Walrafen est amoureux d'elle. Il n'y qu'à voir comment ils se regardent !

— Oh ! tu racontes n'importe quoi ! s'exclama Ida. Moi, je trouve qu'elle le regarde normalement. Et puis, c'était pas elle qui était mariée au vieux comte ?

Lettie ricana encore.

— Ah oui ! Seulement parce que le vieux a voulu brûler la politesse à Mr Giles, répliqua-t-elle. Par pure méchanceté, il a fait ça ! C'était un vieux dégoûtant, toujours en train d'essayer de te pincer et de te toucher !

— Tais-toi, Lettie ! chuchota Ida d'une voix sifflante. Tu veux te faire attraper par Mrs Montford ?

À ce moment, Aubrey entra dans la salle, les bras croisés et la mine sévère.

— Trop tard… dit-elle tranquillement. Que se passe-t-il, ici ?

Les servantes pivotèrent sur leurs talons, les yeux écarquillés.

— Rien, madame, fit Lettie.

— J'ai cru entendre des commérages de la pire espèce, rétorqua Aubrey. Si vous avez fini votre travail, redescendez à l'office. Vous aiderez les valets à frotter l'argenterie.

Les deux servantes ramassèrent leurs chiffons à poussière et détalèrent sans demander leur reste. Betsy, qui avait apparemment fini de nettoyer les miroirs, s'approcha de la fenêtre et déposa son seau.

Aubrey jeta un coup d'œil dans le jardin. Lord Walrafen se promenait dans les allées, lady Delacourt à son bras.

La jeune femme riait en renversant la tête en arrière et les rayons du soleil déclinant éclairaient sa chevelure de reflets rougeoyants. Walrafen s'arrêta, cueillit une petite branche de verdure dans un buisson et la posa sur l'oreille de lady Delacourt. Ses doigts lui effleurèrent la joue au passage et son visage exprima une grande tendresse. Ils formaient un couple adorable. N'importe qui, en les voyant, aurait pensé qu'ils étaient amoureux.

— Les filles étaient en train de jacasser, Betsy, murmura Aubrey, absorbée malgré elle par la scène qui se déroulait dans le jardin. Elles disaient… des choses affreuses, au sujet du comte et de lady Delacourt.

Betsy se pencha à son tour vers la fenêtre.

— Elles n'ont dit que la vérité, madame, répondit-elle à voix basse. Oh ! je pense aussi que Lettie devrait tenir sa langue, mais elle ne ment pas.

— Vraiment ? fit doucement Aubrey. Je ne savais pas.

Un peu embarrassée, elle laissa la tenture retomber devant la fenêtre.

La famille de Bath arriva à Cardow peu avant l'heure du dîner. Le repas parut particulièrement long et pénible à Giles, qui dut affronter un feu de questions auxquelles il n'avait nulle envie de répondre. Tante Harriet et ses trois filles célibataires étaient de terribles commères ; Miles, son mari, était aussi discret qu'une souris. Giles était reconnaissant à Cécilia de l'habileté avec laquelle elle contournait les questions embarrassantes en se lançant à dessein dans un bavardage superficiel. Quant à son époux, il flirta sans vergogne avec Harriet et ses filles, tout au long du repas constitué de sept services.

Un autre choc pour Giles. Étant donné le peu d'expérience de son personnel, accoutumé à servir uniquement oncle Elias dont le manque d'exigence sur le plan gastronomique était notoire, il s'était attendu au pire. Pour autant qu'il sût, la moitié du personnel n'avait jamais eu l'occasion de servir à table. Pourtant, le dîner fut irréprochable. Depuis la nappe fraîchement repassée, jusqu'à la qualité du porto servi après le repas, tout était parfait. Giles savait que le pauvre Pevsner n'y était pour rien et en conclut que Mrs Montford n'avait pas usurpé sa réputation de dragon.

Grâce à Dieu, le repas se termina enfin et Giles put se retirer dans la chambre chinoise et sombrer dans un long sommeil réparateur. Le lendemain, il se leva à l'aurore, enfila sa robe de chambre et sonna pour qu'on lui apportât son café. Le courrier de Whitehall avait dû arriver pendant la nuit et Ogilvy était sans doute déjà en train de préparer les dossiers pour qu'il les examine. À 9 heures, il avait rendez-vous avec le juge de paix. Bien qu'il désirât plus que jamais mettre la main sur l'assassin d'Elias, il redoutait l'affrontement avec ce chien de garde de la bureaucratie. En outre, l'idée qu'un membre de son personnel était soupçonné lui déplaisait souverainement. Même s'il s'agissait de Mrs Montford. Surtout s'il s'agissait de Mrs Montford, rectifia-t-il malgré lui.

Plongé dans ses réflexions, il s'approcha de la fenêtre et repoussa les lourdes tentures de velours d'un geste brusque ; il voulait voir si le brouillard s'était dissipé. Alors que les anneaux vibraient encore sur la tringle, il poussa un rugissement de colère et appela son valet. À peine habillé et l'air encore ensommeillé, Bidwell entra dans la chambre avec célérité.

Giles ne prononça que trois mots :

— Mrs Montford. Immédiatement.

— Monsieur le comte ! protesta le valet. Vous n'êtes pas habillé !

— Elle n'est que l'intendante de cette fichue maison, Bidwell. Pas la reine d'Angleterre. Descendez la chercher. Tout de suite !

Il ne s'écoula pas deux minutes entre le moment où il aboya cet ordre et celui où Mrs Montford le rejoignit près de la fenêtre. Elle était un peu hors d'haleine, et cela, sans raison particulière, le réjouit. Il leva la main et pointa le doigt vers l'extérieur.

— Madame, dit-il d'une voix calme et mesurée. Si vous regardez bien au pied de cette falaise, que voyez-vous… en dehors de cet abominable brouillard ? Peut-être devrais-je dire : que ne voyez-vous pas ?

Un pli de perplexité se forma sur le front de Mrs Montford.

— Je… eh bien… je ne vois rien. C'est-à-dire, monsieur, que je ne suis pas absolument sûre…

Giles laissa retomber sa main.

— La mer ! La mer ! hurla-t-il. Où est passée la mer ? Enfin, madame, l'océan ne s'est sûrement pas évaporé pendant que j'étais à Londres ! Vous n'avez tout de même pas empaqueté le Canal de Bristol pour l'expédier je ne sais où… en Asie Mineure, par exemple ? Corrigez-moi si je me trompe, madame Montford, mais ce château n'avait-il pas autrefois une vue superbe sur le rivage et l'océan ?

Mrs Montford ouvrit la bouche puis la referma, renonçant à répondre. Quelques secondes s'écoulèrent avant qu'elle ne déclare, ses yeux verts luisant de colère :

— Vraiment, monsieur, est-il nécessaire de faire tant d'histoires pour un petit bout de rivage ? Dieu sait pourtant que…

— Je suis sûr que Dieu n'a rien à voir là-dedans ! rétorqua sèchement Giles, les yeux fixés sur les champs asséchés et gagnés sur la mer, qu'on distinguait à peine sous la brume.

— Que diable s'est-il passé, madame ? C'est incroyable ! Inconcevable ! Quoi que vous ayez fait, défaites-le sur l'heure ! Je veux ma vue sur la mer ! C'est compris ?

Mrs Montford se redressa de toute sa hauteur.

— C'est très clair, répondit-elle sur le même ton. Je vais de ce pas dire à Mr Bartle et à ses huit enfants de faire leurs bagages, car leur maison va être inondée. Située comme elle l'est, elle sera la première à subir les assauts des vagues.

Giles, qui s'apprêtait à reprendre sa harangue, retint sa respiration.

— Jack Bartle ? Que vient-il faire là-dedans ?

Mrs Montford agita le doigt en direction de la fenêtre.

— Sa métairie est la première que nous ayons développée l'année dernière, quand les travaux d'assèchement des terres ont été terminés, dit-elle. Je pense, monsieur le comte, que vous n'avez pas saisi l'importance et la nature du projet de travaux dont je vous ai parlé dans mes lettres.

— Attendez une sec…

Mais Mrs Montford n'était pas disposée à attendre.

— Encore une de mes lettres que vous n'avez pas pris la peine de lire, je suppose ? Cela importe peu. Si vous souhaitez que les terres soient de nouveau envahies par la mer, je donnerai des ordres en conséquence. Il faudra bien sûr que trois de vos fermiers quittent leur maison et perdent leur travail. Ils ont tous des femmes et des enfants, naturellement. Mais je suis là pour obéir à vos caprices.

C'en était trop. Giles explosa de colère.

— Madame ! Je n'ai pas de *caprices*.

Les mains posées sur les hanches, l'intendante eut l'audace de l'affronter du regard.

— Très bien. Quel mot faut-il employer, alors ?

— Appelez ça comme vous voudrez, grommela-t-il. Mais n'oubliez jamais, madame Montford, que vous êtes payée pour exécuter mes ordres.

Une lueur moqueuse brilla dans les larges yeux verts de Mrs Montford.

— C'est ce que je fais, monsieur le comte. Dans les rares occasions où je parviens à savoir quels sont ces ordres.

94

Après tout, vous ne m'avez jamais dit que vous étiez opposé à l'assèchement de cette partie des terres.

Bon sang ! Il ne se rappelait même pas avoir lu quoi que ce soit à ce sujet. À dire vrai, il avait tendance à faire un choix parmi les lettres qu'elle lui envoyait, évitant tout ce qui était ennuyeux ou l'obligeait à penser à Cardow. L'assèchement des terres appartenait à ces deux catégories.

Le doigt de Mrs Montford visa à nouveau la fenêtre.

— Je croyais qu'en politique vous étiez le défenseur des pauvres, monsieur le comte, dit-elle avec une pointe d'amertume. Avez-vous une idée du nombre d'hommes auxquels ces champs gagnés sur la mer vont permettre de travailler ? Non seulement parmi les gens de votre domaine, mais aussi parmi les villageois ? Cela vaut peut-être la peine de sacrifier votre vue sur le Canal ?

Le café arriva à point nommé. Giles s'en versa une tasse et l'avala d'un trait. Au diable sa vue sur la mer ! Il s'en moquait, dans le fond. Le problème, c'est qu'il se sentait de plus en plus éloigné du domaine et du château. Les changements qu'ils subissaient le contrariaient beaucoup moins qu'il ne l'aurait cru.

Et puis il y avait l'insolence de cette intendante. Par Dieu, il ne savait plus s'il devait l'étrangler ou... l'embrasser. Tout était bon pour la faire taire.

Quoi ? Oh non ! Non ! Quelle idée ! On payait une intendante pour diriger la maison et on payait une maîtresse pour... pour faire ce qu'elle avait à faire. Il fallait être fou pour ne pas faire la distinction entre ces deux personnages. En outre, on ne pouvait imaginer pire mégère que cette Mrs Montford ! Giles se secoua, comme pour chasser la folie qui s'était un instant emparée de lui.

— Qui a eu l'idée d'assécher ces champs ? Je n'y comprends plus rien. Qui a conçu ce projet et pris une décision aussi importante, madame Montford ? Qui dirige ce fichu domaine ? Pouvez-vous me le dire ?

Il fut étonné de voir que cette question la déstabilisait.

— Eh bien... je suppose que c'était votre oncle, mur-mura-t-elle d'un ton plat. Et je... je l'aidais. En quelque sorte.

Giles darda sur elle un regard perçant.

— Oh... Et moi, je pourrais supposer que les cochons volent par-dessus la lune. Mais je ne ferai rien de tel, madame.

Un silence pesant s'abattit sur eux et se prolongea quelques minutes. Mrs Montford finit par le briser.

— Très bien ! C'est moi qui ai eu cette idée, avoua-t-elle. Mais vous devez savoir, monsieur, que l'argent ne pousse pas sur les arbres ! Un domaine doit faire un profit pour subsister. En fin de compte, c'est comme une petite entreprise, n'est-ce pas ? Nous avons des bâtiments à maintenir en état, des salaires à payer. L'entretien de ce château coûte une fortune. La ferme demande sans cesse à être modernisée pour être rentable. Il nous faut des terres arables, et ces champs gagnés sur la mer valent de l'or. Comment ferions-nous, sans ces profits ? À moins que votre fortune ne soit inépuisable ? Elle l'est sans doute... Dans ce cas, j'ai perdu mon temps. Si c'est vrai, dites-le-moi. Je me retirerai dans mon salon et... et je me bornerai à repasser des taies d'oreiller jusqu'à la fin des siècles !

Repasser des taies d'oreiller ? Où était-elle allée chercher ça ? Par Dieu ! Il avait donc réussi à la faire craquer. Avec ses yeux brillants, ses joues rosies par l'émotion, elle était plus jolie que jamais, mais cela, il valait mieux ne pas y penser.

— Diable ! marmonna-t-il en se servant une deuxième tasse de café. Je suppose que ma fortune est pratiquement inépuisable. Je n'y pense jamais, c'est tout.

— Qui ne gaspille pas ne manque de rien, dit-elle d'un ton sec.

Giles la foudroya du regard.

— Vous êtes un vrai oracle, madame Montford. Je m'ef-forcerai de m'en souvenir, la prochaine fois que je jetterai mon argent par la fenêtre dans un sordide lieu de jeux de hasard !

La jeune femme pâlit visiblement.

— Je vous demande pardon, monsieur. Quelles que soient vos… insuffisances, nul ne peut vous accuser de débauche.

Ses insuffisances? Giles faillit éclater de rire. Mrs Montford avait l'air terriblement embarrassé et il s'en réjouit.

— Au fait, qu'est donc devenu le vieux Erstwilder? demanda-t-il en réprimant son envie de rire. N'est-ce pas lui, le gérant du domaine? Pourquoi ne m'a-t-il pas écrit pour me mettre au courant de ces projets de drainage?

Mrs Montford porta une main à son front.

— Oh! Erstwilder s'est enfui avec la femme de l'aubergiste, environ un mois avant mon arrivée à Cardow. Vous ne l'avez jamais remplacé.

Ciel! Il avait complètement oublié ce petit scandale local. Comme il oubliait tant d'autres choses encore, concernant le château et le village. Mais quelle importance, puisque Mrs Montford était au courant de tout? N'était-ce pas elle qu'il avait envoyé chercher instinctivement à l'instant où il s'était aperçu que la vue de sa chambre avait changé? L'idée d'appeler quelqu'un d'autre, comme Erstwilder ou Pevsner, ne l'avait même pas effleuré. Mrs Montford était responsable de la bonne marche du domaine, et tout le monde le savait. Par sa propre bienheureuse négligence, il avait contribué à créer une sorte de monstre. Une intendante aux cheveux roux et aux yeux perçants qui supervisait tout et, jusqu'ici, il n'avait rien fait pour limiter ses pouvoirs.

Giles ne savait plus s'il devait rire ou se mettre en colère. Il se sentait pris au piège d'une situation ridicule, qu'il avait lui-même provoquée. Cependant, son intendante semblait prise dans des filets encore plus dangereux. Elle regrettait probablement d'avoir eu la langue trop bien pendue.

— Ma chère madame Montford, dit-il d'un ton mordant. Vous me semblez avoir bigrement besoin d'une tisane de sureau.

— De reine-des-prés, rectifia-t-elle dans un chuchotement, tout en posant la main sur ses yeux. Une tisane de reine-des-prés.

— De reine-des-prés ou de sureau, peu m'importe. Tenez, prenez une tasse de café, proposa-t-il en désignant le plateau d'un geste magnanime. Quelquefois, cela aide à faire passer la migraine, c'est moi qui vous le dis.

Bidwell entra sur ces entrefaites. Giles trouva une tasse et servit un autre café. Le valet avança un fauteuil à Mrs Montford et Giles lui mit la tasse dans les mains. Elle l'accepta et ses doigts effleurèrent ceux du comte. Leurs regards se croisèrent et une vague d'émotion tout à fait inattendue passa entre eux. Un sentiment curieux... à la fois primitif et métaphysique. Quelque chose d'indéfinissable qui fit cogner le cœur de Giles dans sa poitrine.

Il eut un instant d'hésitation. Seigneur, ne sentait-elle pas ce qui se passait ? Ils étaient si proches qu'il distinguait les paillettes d'or dans ses prunelles vertes. Il voyait battre son pouls sous la peau fine et transparente de sa gorge. Elle avait un parfum très doux, qui lui parut vaguement familier. Retirant vivement sa main, il déglutit.

De longues secondes s'égrenèrent avant qu'il n'ait le courage de la regarder de nouveau, mais Mrs Montford ne semblait s'être rendu compte de rien. Elle buvait son café à petites gorgées, d'un air réticent, comme si elle craignait un empoisonnement. Elle évitait volontairement de rencontrer le regard de Giles. Bidwell s'était retiré dans la pièce attenante où se trouvait la garde-robe. Ils étaient seuls, ce qui rendait la situation très étrange. Malgré tout, Giles trouvait sa présence parfaitement naturelle. En dépit de ce qu'il venait d'éprouver à l'instant, en dépit aussi du fait qu'il était toujours en robe de chambre, les joues ombrées de barbe, près d'un lit défait.

Plus étrange encore, il répugnait à la congédier au plus vite. Ils ne s'étaient pourtant rencontrés qu'hier. Mais ils n'étaient pas vraiment des étrangers, n'est-ce pas ? Ils correspondaient depuis des années. Et, d'une certaine façon, par un phénomène qu'il ne s'expliquait pas, cette correspondance lui plaisait. Du moins quand il prenait la peine de la lire...

— Écoutez, madame Montford, dit-il quand elle eut reposé sa tasse. Il est clair que je suis en faute et il est temps que je fasse amende honorable. Je crois que le mieux serait que je jette un coup d'œil aux livres de comptes. Ceux de la maison et du domaine. Je suppose que vous détenez tout cela dans votre salon. Vendredi vous conviendrait-il pour que je vienne les consulter ?

Mrs Montford eût une infime hésitation, puis déclara :

— Il n'y a pas d'irrégularités dans mes comptes, monsieur.

Il s'aperçut qu'elle était nerveuse et se demanda une fois de plus si elle lui cachait quelque chose. Au sujet de la mort de son oncle, peut-être ?

— Je n'ai jamais insinué que quelque chose n'allait pas, madame, précisa-t-il d'un ton adouci. Je désire seulement apprendre comment le domaine est dirigé. Je viendrai vendredi à… 2 heures. Cela est-il conciliable avec votre emploi du temps ?

— Je suis à votre disposition, monsieur, dit-elle en se levant pour se diriger vers la porte.

Pendant un moment, un silence total régna dans la pièce. Arrivée sur le seuil, elle se tourna pour le regarder. Giles eut l'impression qu'un changement s'était produit en elle, qu'elle avait perdu une partie de sa force.

— Monsieur, puis-je vous demander… si vous avez vraiment l'intention de me garder à votre service ?

— Vous garder ?

Elle demeura immobile, près de la porte, le visage blême.

— Oui. Je veux dire… maintenant que les circonstances ont changé.

— C'est-à-dire, maintenant que mon oncle est mort ? interrogea-t-il, légèrement sur ses gardes.

— Oui.

Que voulait-elle dire, en réalité ? Maintenant que je suis suspectée de meurtre ? Maintenant que mon protecteur a disparu ?

Non, Crenshaw lui avait dit ce qu'il pensait de cette rumeur, et il était certain qu'elle n'était pas une meurtrière. À moins… Crénom ! À moins qu'il ne soit qu'un imbécile ?

— Pour quelle raison ne vous garderais-je pas à mon service, madame Montford ?

Elle baissa les paupières et regarda fixement le sol.

— Je pensais que vous alliez peut-être... fermer la maison, tout simplement ?

À cet instant, il lut sur son visage la profondeur de son tourment. L'angoisse silencieuse. Les prières non exprimées. Cette expression de bête traquée, qui vient de voir son refuge saccagé. Oh ! elle était trop fière pour supplier... mais c'était bien ce qu'elle faisait, dans le fond. Aubrey Montford ne s'abaisserait jamais à lui adresser une vraie prière.

Eh bien, il avait souhaité voir craquer son masque d'indifférence, et il venait tout juste de se fissurer sous ses yeux. Pourquoi n'en éprouvait-il aucune satisfaction ? Il songea un bref instant au pouvoir immense qu'il détenait sur elle. Il lui permettait de vivre. Il lui fournissait une source de revenus, un abri, de la nourriture.

Seigneur... il ne pouvait se réjouir de cet état de choses. Et elle, comment vivait-elle cette totale dépendance ?

Il s'éclaircit la gorge tout en se rapprochant d'elle.

— Il n'est pas question, madame Montford, de fermer cette maison.

Il se tenait devant elle, sans doute un peu plus près que la sagesse ne le recommandait.

— Existe-t-il une raison pour laquelle vous pensez ne plus pouvoir fournir un service satisfaisant ? demanda-t-il en plantant son regard dans le sien.

L'espace d'une seconde elle parut hésiter, puis elle déclara à mi-voix :

— Non, monsieur le comte. Je ferai de mon mieux, quoi que vous me demandiez.

C'était une bonne réponse, mais aussi une réponse qui fit surgir chez lui des idées étranges. Déplacées... mais intenses.

— Dans ce cas, je n'aurais aucune raison de vous congédier, n'est-ce pas ?

Elle esquissa une révérence.

— Merci, monsieur le comte.

Il la vit battre rapidement des paupières et pour la première fois décela sur ses traits une certaine angoisse,
peut-être même de la peur.

— Je vous remercie, madame Montford. Vous pouvez
disposer.

Elle posa la main sur la poignée de la porte mais ne
sortit pas tout de suite.

— Monsieur le comte, dit-elle, vous pouvez toujours la
voir, vous savez.

— Pardon?

— La mer... Quand le brouillard se sera levé, vous la
verrez. Elle est seulement un peu plus éloignée qu'autrefois.

Puis elle ouvrit la porte, souleva imperceptiblement ses
jupes pour ne pas les accrocher au chambranle, et disparut dans le corridor.

Il sembla au comte qu'elle laissait un grand vide derrière elle.

5

Tante Harriet met les pieds dans le plat

— Je n'accepte pas vos conclusions, déclara le comte au juge de paix. Je refuse de voir un membre de mon personnel accusé de meurtre, monsieur Higgins.

Giles avait délibérément fait asseoir Higgins face à lui, de l'autre côté de sa table de travail. Il n'aurait su dire pourquoi il défendait Mrs Montford avec tant de véhémence. C'était à peine s'il connaissait cette femme.

Higgins se pencha en avant.

— Votre oncle est mort, monsieur le comte, et je n'accuse personne. Je me contente pour l'instant de poser quelques questions au sujet de l'intendante.

— Je sais que mon oncle est mort, rétorqua Giles, glacial. Et je veux que vous retrouviez son assassin et le punissiez, comme c'est votre devoir. Mais j'ai l'impression que vous soupçonnez Mrs Montford et je peux vous assurer qu'elle est innocente.

Le juge de paix écarta les mains devant lui.

— Tout le monde sait qu'ils se querellaient fréquemment. Le soir précédant sa mort, on a entendu des cris résonner dans tout le château. Votre majordome m'a même révélé qu'un plat de porcelaine chinoise avait été cassé.

Giles se renversa dans son fauteuil et observa attentivement l'homme de loi.

— Ce que vous dites ne fait qu'apporter de l'eau à mon moulin, monsieur Higgins. Mrs Montford et mon oncle se querellaient régulièrement. Elle m'écrivait pour se plaindre de ses habitudes détestables et pour me tenir au courant de l'état lamentable de sa santé. Le major buvait trop et ne se nourrissait pas correctement. Cela suscitait des problèmes, mais selon toutes les apparences, cette femme essayait de le maintenir en vie.

— Je suppose qu'on peut voir les choses comme ça, admit Higgins à regret.

— C'est comme ça que je les vois, moi. Cherchez ailleurs, monsieur. Approfondissez votre enquête.

Higgins sembla profondément frustré.

— Je vais interroger de nouveau tous les domestiques, dit-il. Et je demanderai au village si on y a vu des inconnus. Cependant, je peux déjà vous dire, monsieur le comte, que personne d'étranger au pays n'est passé ce jour-là.

— Le Dr Crenshaw a fait allusion à des bohémiens.

— Aucune troupe de gitans n'a traversé le Somerset depuis l'an dernier, monsieur, répliqua tristement Higgins. En outre, ces gens ne sont pas des assassins. Ils volent, chapardent, certes, mais leurs méfaits se bornent à cela.

Giles ne pouvait supporter l'idée qu'Elias ait pu être tué par quelqu'un qu'il connaissait. Quelle que soit cette personne.

— L'assassin cherchait peut-être simplement à dérober quelque chose, suggéra-t-il. Il a pu être surpris par oncle Elias et tirer sur lui dans l'affolement.

Higgins haussa les épaules.

— Comment serait-il entré? Et d'où serait venue l'arme?

Giles était bien conscient de s'accrocher à tous les détails possibles.

— Mon oncle avait une arme, déclara-t-il de but en blanc. Quand j'étais petit, il la cachait dans un tiroir du bureau de la bibliothèque. Il la sortait quelquefois pour la nettoyer.

Cette déclaration parut intéresser Higgins.

— La possédait-il toujours?

Giles l'ignorait.

— Nous allons bien voir, dit-il en se levant.

La bibliothèque se trouvait à l'autre bout de l'aile ouest. Il ne fallait que quelques minutes pour s'y rendre et Giles s'engouffra dans le corridor d'un pas vif, suivi par Higgins. Devant la porte, il hésita. Depuis son arrivée, il avait évité d'entrer dans cette pièce car il répugnait à voir l'endroit où son oncle avait trouvé la mort.

Naturellement, il ne découvrit aucune trace de désordre et reconnut bien là l'efficacité de Mrs Montford. À l'exception du tapis persan qui avait disparu, rien n'avait changé. Le bureau se trouvait au fond de la pièce, près de la fenêtre. Giles alla ouvrir le tiroir de droite qui glissa avec une facilité déconcertante, ce qui le surprit : ce tiroir était habituellement fermé à clé. Il sentit son cœur battre un peu plus fort.

Le tiroir ne contenait qu'une bouteille de whisky vide et quelques lettres jaunies.

— J'ai questionné l'intendante, dit Higgins tandis que Giles contemplait en silence le contenu du tiroir. Elle m'a dit qu'elle n'avait jamais vu d'arme ici.

— Oui, mais… il n'y a pas très longtemps que Mrs Montford est là.

— Quand avez-vous vu cette arme pour la dernière fois, monsieur le comte ?

Oh ! il y avait une éternité de cela…

— Il y a plusieurs années, répondit Giles doucement. Il me semble que c'était il y a très longtemps. Je me suis peut-être trompé.

*

Giles trouva le déjeuner plus pénible que le dîner. Il y avait encore plus de monde à table, car de nouveaux parents étaient arrivés. Grâce au Ciel, Cécilia était là pour s'occuper de tout ce monde. Par bonheur, l'une des filles de tante Harriet manquait à l'appel. La pauvre avait dû garder le lit à cause d'une forte migraine, causée par le chagrin d'avoir perdu son cher oncle. Un oncle, songea Giles, à qui nul n'avait rendu visite au cours des dix dernières années.

La place de Sybil fut donnée au grand-oncle Frederick, qui se montra beaucoup plus discret que sa nièce Harriet, puisqu'il avait la sagesse infinie de dormir pendant les réunions familiales. Les cousines de Bath ne pouvaient toutefois résister au plaisir de colporter des ragots et, dès le deuxième plat, la conversation devint particulièrement infâme.

Cécilia fit de son mieux pour la maintenir dans des eaux paisibles.

— J'espère que tout le monde a bien dormi la nuit dernière ? fit-elle observer pendant qu'on changeait les assiettes. J'avoue que j'étais si fatiguée par le voyage que je me suis endormie comme un bébé.

La cousine Sylvie – du moins celle que Giles supposait s'appeler Sylvie – fut secouée d'un long frémissement.

— Quelle chance ! Je n'ai pu fermer les yeux en pensant à ce pauvre oncle Elias, assassiné dans son lit !

— En fait, Sylvie, il est mort dans la bibliothèque, rectifia Cécilia en passant un plat à oncle Frederick, qui somnolait déjà. Mais je pense que le King's Arms pourra vous accueillir, si vous le désirez. J'ai entendu dire qu'ils avaient réussi à se débarrasser des rats. Leurs draps ne sont sans doute pas aussi propres qu'il serait souhaitable, mais…

Sylvie était devenue pâle comme un linge.

— Je… ce n'est pas ce que je voulais dire, Cécilia, bredouilla-t-elle. Simplement, je trouve que c'est un grand mystère, la mort d'oncle Elias. Je veux dire… qui a fait cela ?

— Oh ! Seigneur ! C'est pourtant fort simple, répondit tante Harriet en mordant dans une tranche de concombre au vinaigre. C'est la gouvernante. Un des valets, un nommé Milson, l'a dit à Addie, ma femme de chambre.

Giles reposa sa fourchette, qui heurta bruyamment le bord de son assiette.

— Ce Milson va être renvoyé sur l'heure et sans lettre de recommandation, annonça-t-il d'un ton calme et menaçant. Quant à vous, tante Harriet, vous n'avez même jamais rencontré Mrs Montford. Je vous prie donc de ne pas émettre d'opinion à son sujet.

Delacourt se renversa dans son siège et fit paresseusement tourner le vin qui se trouvait dans son verre.

— Je pensais que cette femme vous posait un problème, vieille branche, murmura-t-il. Ce Higgins pourra sans doute vous en débarrasser ?

— Je suis sûre que c'est ce qu'il fera, marmonna tante Harriet. D'après Addie, cette femme menaçait ce pauvre Elias de le tuer. On ne parle que de ça, à l'étage des domestiques. Une menace est quasiment une preuve de culpabilité, vous savez.

Cécilia éclata de rire.

— Ma chère Harriet ! Si Mrs Montford était coupable, il n'y aurait pas de preuve, justement ! Croyez-moi, je viens de passer une journée à travailler avec elle. C'est la personne la plus flegmatique et la plus compétente que j'aie jamais rencontrée.

Giles sentit la moutarde lui monter au nez.

— Tout cela est un tissu d'inepties. Je vous demande de parler d'autre chose.

— Mais maman a raison ! intervint Sonya. Cette gouvernante a vraiment menacé oncle Elias. Le jardinier en chef l'a entendue et l'a répété à Mr Higgins.

Giles lança à sa cousine un regard noir.

— Il y a moins de vingt-quatre heures que vous êtes dans cette maison, Sonya, et déjà vous savez tout ? C'est parfaitement ridicule. Pourquoi diable Mrs Montford aurait-elle menacé oncle Elias ?

Tante Harriet écarquilla les yeux d'un air innocent, ce qui mit aussitôt Giles sur ses gardes. Il savait par expérience que les femmes prenaient l'air le plus ingénu du monde pour répandre les plus viles calomnies.

— Cela me paraît évident, dit-elle, étant donné les rumeurs qui couraient à leur sujet. Dieu sait que mon cher frère n'était pas un saint !

Sonya avait aussi son mot à dire, ce qu'elle ne se priva pas de faire.

— Vous vous trompez, maman. D'après moi, tout cela a un rapport avec la tour qui s'est effondrée. Addie m'a raconté que le fils de la gouvernante s'était élancé au secours d'oncle Elias quand les pierres se sont mises à tomber. Le garçon a failli être tué et la gouvernante s'est mis en tête que tout cela était la faute de ce pauvre Elias.

L'enfant avait failli être tué ? Que diable racontait-elle là ?

Avant que Giles eût recouvré l'usage de la parole, Harriet hocha la tête avec un air de sagacité.

— Il y a aussi eu un vol. La montre en or d'Elias a disparu. Celle que lui avait offerte le lieutenant lord Kenross, après Toulouse. Je suis certaine, Giles, que c'est votre intendante qui l'a subtilisée.

Giles dut faire appel à toute sa volonté pour ne pas devenir grossier.

— Vraiment, tante Harriet ! s'exclama-t-il, hors de lui. Je vous assure que vous faites fausse route.

Tante Harriet secoua la tête avec fermeté.

— Mon cher garçon, je connais bien ce genre de femme. Trop jolie et trop fière. Rien de tout cela ne convient à une domestique. Et je vous ai plusieurs fois mis en garde : on ne peut pas abandonner une maison aux soins de domestiques qui…

Delacourt lui coupa brusquement la parole.

— Dieu du Ciel ! Vous avez vu l'heure ? s'écria-t-il en repoussant sa chaise. Ma chère cousine Sonya… vous me permettez de vous appeler « cousine », n'est-ce pas ? On m'a dit que la vue sur la mer du haut de la falaise était tout simplement fantastique. Vous y êtes-vous déjà rendue ?

Sonya battit des cils, troublée.

— En effet ! La vue est à couper le souffle.

— Et moi qui rêve d'avoir le souffle coupé !

Delacourt sourit, dévoilant une rangée de dents régulières, d'une éblouissante blancheur.

— En outre, chère cousine, vous m'aviez promis une promenade cet après-midi. Lady Harriet, Sylvie, mon bonheur ne sera vraiment total que si vous nous accompagnez.

Cécilia regarda Giles en levant les yeux au ciel. Par bonheur, l'intervention de son époux avait mis un terme à l'odieuse discussion. Pendant que les trois femmes quittaient la table en gloussant, Giles se promit d'offrir à Delacourt une pleine caisse de ces horribles cigarillos antillais qu'il appréciait tant.

Ses oncles se levèrent à leur tour et gagnèrent la salle de billard d'un pas pesant. Quel que fût son soulagement de voir le repas se terminer, Giles ne put ignorer les nuages noirs de l'angoisse qui s'amoncelaient au-dessus de sa tête. Il ne s'était pas trompé, ce matin : Mrs Montford était bel et bien dans le collimateur du juge de paix, et non sans raison. Les commérages colportés par les domestiques étaient toujours très dangereux.

Tout en se retirant dans son bureau, il se demanda comment y mettre un terme. Il s'assit dans son fauteuil et ne tarda pas à sonner le majordome.

— Dites-moi, Pevsner, demanda-t-il dès que celui-ci eut franchi le seuil. Qui est le jardinier en chef, en ce moment ?

Pevsner eut un sourire obséquieux.

— Jenks, monsieur le comte. Le second jardinier s'appelle Phelps.

— C'est ce que je pensais.

Giles saisit sa plume et la fit tourner un instant entre ses doigts.

— Demandez à Jenks de monter, Pevsner, dit-il enfin. J'ai l'intention de faire raser le verger pour établir à sa place un de ces jardins d'eau à la française. Vous voyez ce que je veux dire : des jets d'eau, des fontaines, des nymphes nues sous des cascades artificielles...

Pevsner ne put réprimer une exclamation horrifiée.

— Tout de suite, monsieur le comte !

Alors que le majordome s'éclipsait, Giles entendit les roues d'un carrosse sur l'allée pavée de galets. Il se leva pour aller regarder la voiture qui venait de pénétrer dans la cour. Deux gentilhommes âgés, portant des haut-de-forme et de longs manteaux noirs, en descendirent. Cécilia alla à leur rencontre, tandis que Mrs Montford envoyait les valets s'occuper des chevaux et des bagages.

Probablement les cousins du pays de Galles. Il lui semblait qu'ils venaient de Swansea, mais il ne les avait rencontrés qu'une fois ou deux.

Tout le monde était arrivé, à présent. L'enterrement aurait lieu le lendemain puis chacun repartirait et ce serait fini. Pas tout à fait, cependant. Rien ne serait vraiment terminé tant qu'il n'aurait pas découvert la vérité.

— Monsieur le comte?

Il se retourna et vit que Jenks se tenait sur le seuil, les doigts serrés sur son chapeau de jardinier.

— Ah, Jenks, entrez, dit-il en allant se placer derrière son bureau. Et fermez la porte derrière vous.

— Oui, monsieur.

Giles connaissait Jenks depuis toujours. C'était un honnête homme qui n'avait que faire des commérages. Il alla droit au but.

— Écoutez, Jenks, il se passe quelque chose ici, et je n'y comprends rien. Pourquoi avez-vous dit au juge de paix que Mrs Montford avait menacé mon oncle de le tuer?

Le jardinier eut un haut-le-corps.

— Je n'ai rien dit de tel, monsieur! rétorqua-t-il d'un ton ferme. C'est Phelps qui est allé parler à Pevsner, monsieur, avant que j'aie eu le temps de lui faire la leçon. Il est bien désolé à présent, mais le mal est fait.

Perplexe, Giles secoua la tête.

— Mais pourquoi donc porter une telle accusation contre elle, Jenks? C'est très grave. On dit que Mrs Montford aurait menacé mon oncle tout de suite après que la tour se soit écroulée. Elle a sûrement...

— Oh non! monsieur! Ce n'est pas du tout ce qu'elle a voulu dire! Elle était seulement bouleversée à cause du petit, monsieur. Le gosse était terriblement mal en point, faut dire. Phelps et moi, nous avons bien cru qu'il était mort, quand nous avons réussi à le dégager.

— Mon Dieu! murmura Giles. Vous... l'avez sorti des décombres? Son fils? Jenks, expliquez-vous. Et répétez-moi exactement ce que Mrs Montford a dit.

Le jardinier tira nerveusement sur les bords de son chapeau.

— Eh bien, Jenks ?

Le visage de l'homme s'empourpra.

— Écoutez, monsieur... J'ai travaillé ici du temps de votre père et même de votre grand-père. Ça fait quarante ans en tout.

— Oui, Jenks, je sais, dit doucement Giles. Et vous avez toujours accompli un travail exemplaire.

— Je vais prendre ma retraite au printemps prochain, monsieur. Mary s'est mis en tête d'acheter un cottage à Pezance.

Giles esquissa un faible sourire.

— Je suis content pour vous, mon ami. Vous avez ma parole de gentilhomme que rien de ce que vous direz ici, aujourd'hui, ne pourra me faire oublier ces quarante ans de loyaux services.

Jenks étrécit les yeux.

— Bien, monsieur. D'après moi, Phelps n'a pas compris. Ce n'était pas la mort du major, que Mrs Montford souhaitait à ce moment-là, monsieur le comte. C'était la vôtre. Mais elle a dit cela sur le moment, seulement parce qu'elle a cru que le petit allait mourir. Vous comprenez ?

Il ne comprenait que trop. Submergé par une vague de honte, Giles fit un effort pour écouter ce que disait le jardinier.

— C'est une femme honnête, à qui le travail ne fait pas peur, monsieur. Elle n'a pas compris pourquoi, après toutes les lettres qu'elle vous a envoyées, vous avez négligé la tour si longtemps. Et pour tout dire, monsieur, je ne comprends pas non plus. Et quand le mur s'est écroulé, c'est tombé sur le pauvre petit Iain.

Iain... Le garçon s'appelait Iain. Giles se laissa lourdement tomber dans son fauteuil.

— Je ne m'étais pas rendu compte... Non, je sais, ce n'est pas une excuse. Écoutez, Jenks, le juge de paix va de nouveau interroger tout le monde. Il faut que vous lui expliquiez que c'était ma mort qu'elle souhaitait, et pas celle de mon oncle. Je ne veux que la vérité, vous entendez ? Comme vous le disiez, elle ne le pensait pas vraiment, donc je n'y attache aucune importance. D'accord ?

— Oui, monsieur, acquiesça Jenks, un peu surpris.

Giles se sentit embarrassé par sa propre véhémence, mais il savait pouvoir faire confiance à Jenks.

— Merci d'être venu, mon ami, dit-il un peu gauchement. Vous pouvez disposer, à présent. Et merci de votre franchise. Je ne manquerai pas de vous rendre visite à Pezance l'année prochaine, quand vous serez installé.

L'air vaguement ahuri, Jenks hocha la tête et s'apprêta à sortir. Giles s'éclaircit la gorge et le rappela.

— Au fait, Jenks, j'aimerais avoir votre opinion. En toute franchise, dites-moi… les autres domestiques détestent-ils Mrs Montford ?

Jenks prit un temps de réflexion.

— Je pense que c'était le cas au début, monsieur, avoua-t-il. Du moins, pour les plus paresseux. Mais elle est juste et ne leur demande rien qu'elle ne ferait pas elle-même. C'est une personne réservée, voilà tout.

— Oui, je vois. Encore une chose, Jenks. J'ai dit à Pevsner que je vous convoquais pour vous demander de transformer le verger en jardin d'eau à la française.

— Mon Dieu !

Giles esquissa un sourire.

— Dites-lui que vous avez réussi à me persuader de renoncer à ce projet. C'est tout ce dont nous avons parlé aujourd'hui. Vous comprenez ?

Jenks sourit largement.

— Oui, monsieur le comte.

Il était plus de minuit quand Giles termina toutes ses lettres destinées à Whitehall et congédia Ogilvy. La journée avait été très rude. Il en avait passé la plus grande partie à fouiller dans les affaires de son oncle et n'avait rien trouvé. En fait, il n'avait aucune idée de ce qu'il cherchait. De quel genre de preuve avait-on besoin, dans une affaire de meurtre ? Il caressa une fois de plus l'idée d'envoyer chercher Max ou peut-être son associé, George Kemble. Cet homme avait un flair infaillible quand il y avait un scandale à démasquer. Il décida d'en parler à Cécilia, qui connaissait bien les deux hommes.

Ayant pris cette résolution, Giles se retira dans sa chambre, ôta sa veste et son gilet, puis se servit une généreuse rasade de cognac. Un deuxième verre suivit le premier mais, malgré cela, il sentit que le sommeil le fuyait. Toutefois, l'alcool lui donna le courage de faire une chose qu'il redoutait depuis son arrivée à Cardow et à laquelle il savait pourtant ne pouvoir échapper. Après tout, le moment n'était pas plus mal choisi qu'un autre.

Une longue distance séparait sa chambre de l'aile ouest dans laquelle se trouvaient les élégants salons d'apparat. Depuis que la tour s'était effondrée, le plus court chemin consistait à passer par l'étage des domestiques, ce qu'il faisait régulièrement, et cela ne le gênait pas. De fait, ça lui permettait de voir Mrs Montford au travail. Parfois même, d'échanger quelques mots avec elle.

Le salon doré était une vaste pièce décorée selon la mode française, en vogue au début du règne de George III. Giles ne se rappelait pas qu'on l'eût utilisée depuis la mort de son grand-père. L'enterrement de sa mère s'était déroulé très vite, sans cérémonie. Quant à son père, il était mort à Hill Street. À présent, Giles était le dernier de la lignée. Cette pensée lugubre lui arracha une grimace.

La porte à double battant s'ouvrit en silence, révélant la lueur d'une douzaine de bougies placées autour du corps de son oncle. Le cercueil, drapé d'un somptueux tissu de velours sombre, se trouvait au centre de la pièce. Giles approcha avec un mélange de respect et de réticence, mais ce qu'il vit le cloua sur place.

Le corps d'Elias était amaigri, comme ratatiné. Sa silhouette était celle d'un homme frêle et affaibli, non plus celle du robuste soldat d'autrefois. Son visage portait le masque de la mort et Giles eut l'impression que ce changement s'était produit bien avant que la mort ne s'empare vraiment de lui. Seigneur! Comment son oncle avait-il pu changer à ce point?

Quelqu'un, sans aucun doute Mrs Montford, avait

déposé un bouquet de reines-des-prés sur sa poitrine. Soudain, Giles eut conscience d'une présence dans l'ombre. Il leva la tête et toussota, attendant que la personne se manifeste. C'était une femme, entièrement vêtue de noir et la tête recouverte d'un châle. Elle ne fit pas mine de se lever ni de révéler son identité, mais Giles sut instantanément de qui il s'agissait. Il percevait sa présence au plus profond de lui.

La tradition voulait que le corps de son oncle ne soit à aucun moment laissé seul, et Giles fut heureux de constater que ses domestiques respectaient cette très ancienne coutume. Par ailleurs, il était normal qu'on respectât son chagrin et son envie de se recueillir. Il fit donc ce qu'il désirait faire depuis longtemps et inclina la tête pour prononcer intérieurement une prière devant la dépouille de son oncle.

Il dut passer ainsi plus de temps qu'il ne le croyait car, lorsqu'il releva la tête, la lueur des bougies lui parut excessivement brillante. Il y eut un bruit de talons sur le sol de marbre et il se retourna. Ida, la troisième femme de chambre, pénétra à pas rapides dans la pièce.

Elle s'arrêta brusquement en le voyant, plaqua une main sur sa bouche, puis lui fit une profonde révérence. La femme qui s'était tenue dans l'ombre jusque-là se leva et s'approcha en rejetant en arrière le châle qui lui couvrait la tête. Son visage fut entouré d'un halo de boucles rousses.

Mrs Montford fit un signe de tête à Giles, puis se tourna vers la femme de chambre.

— Betsy viendra vous remplacer à 4 heures, chuchota-t-elle. Si vous ne parvenez pas à rester éveillée, envoyez quelqu'un me chercher. C'est compris ?

Ida hocha la tête et s'empressa d'aller s'asseoir.

Aubrey observa lord Walrafen, depuis le seuil où elle se tenait ; il lui tournait le dos. Elle aurait dû partir, ne pas s'attarder en sa présence plus que nécessaire, mais elle décelait chez lui une tristesse qui ne transparaissait pas auparavant. Ces épaules voûtées, ce chagrin qui soulignait son regard... cela ne correspondait pas du tout à l'image qu'elle s'était faite du comte. Obéissant à une impulsion, elle revint sur ses pas.

Le comte ne lui lança pas un regard. Ses doigts étaient si crispés sur le cercueil que ses phalanges étaient blanches. Elle tendit instinctivement le bras et posa la main sur la sienne. C'était un geste intime, qui pourtant ne lui parut pas déplacé.

Il se tourna vers elle et leurs regards se croisèrent. Aubrey retira sa main.

— Votre oncle repose en paix, monsieur. Je le sais, dit-elle à voix basse.

Giles se redressa et se pinça l'arête du nez, comme pour réprimer ses larmes.

— J'espère que vous ne vous trompez pas, chuchota-t-il. J'espère qu'il a su trouver dans l'au-delà ce qui sur terre lui a échappé.

— Votre chagrin est légitime, monsieur. Sa mort est une immense perte, car c'était un homme bon.

Walrafen ne put réprimer un rire dur et amer qui résonna dans la vaste pièce.

— Croyez-vous que je ne le sais pas ?

— Bien sûr, répondit doucement Aubrey. Mais quelquefois il est bon d'entendre les autres dire tout haut ce qu'on pense soi-même.

Il l'observa un instant en silence avant de demander :

— Avez-vous perdu beaucoup d'êtres chers pendant votre courte vie, madame Montford ? Vous semblez savoir de quoi vous parlez. Ah ! pardonnez-moi... J'avais oublié que vous aviez perdu votre mari.

Aubrey eut une hésitation et expliqua :

— J'ai également perdu mes parents. Et une sœur que j'ai soignée pendant des années. Oui, monsieur, je sais ce que c'est que de perdre un être cher. Et je sais aussi quel genre de reproches on peut s'adresser.

Il ne la quittait pas des yeux, l'observant à travers ses paupières mi-closes.

— Votre sœur était-elle invalide ?

114

— Elle avait une maladie qui affaiblissait ses muscles, dit-elle en se demandant pourquoi elle lui parlait de Muireall. Et de l'asthme. Elle a fini par... s'éteindre.

— Je suis désolé. Il ne vous reste donc pas de famille?

— Non, chuchota-t-elle. Personne, à part Iain.

Le comte garda un long moment le silence.

— Est-ce que tout le monde éprouve les mêmes doutes, à la fin? demanda-t-il en reportant son regard sur son oncle. Nous demanderons-nous toujours si nous aurions pu agir différemment? Faire quelque chose de plus? Je crains d'avoir commis une erreur en le laissant agir selon sa volonté. Il tenait à rester ici, seul. Il est vrai qu'il avait passé son enfance dans ce château.

Hier, Aubrey l'aurait sans doute accusé d'avoir abandonné son oncle, mais ce soir, cela ne lui paraissait pas juste. Elle lui prit la main de nouveau.

— Était-ce à vous de décider où il devait vivre et comment? dit-elle doucement. Vous n'aviez pas votre mot à dire. C'était un homme entêté, monsieur le comte. Je le sais. Je me suis battue chaque jour pour qu'il accepte de se nourrir convenablement, il fallait que je l'empêche de...

Les mots moururent sur ses lèvres.

— Que vous l'empêchiez de boire? reprit le comte d'un air pensif. Je sais que vous vous querelliez fréquemment à ce sujet. Parfois, je craignais même d'ouvrir vos lettres.

— Nous avions de violentes disputes à ce sujet, admit-elle un peu sur la défensive.

Walrafen semblait maintenant aussi humble qu'il avait été arrogant quelques heures auparavant.

— J'aurais dû insister pour qu'il vienne vivre à Londres, avec moi, fit-il avec un geste vers le corps de son oncle. Je n'aurais jamais dû permettre qu'il s'affaiblisse autant.

— Oh! il n'était pas faible, monsieur! protesta doucement Aubrey. L'esprit et la chair sont deux choses entièrement différentes. Le major était l'un des hommes les plus forts que j'aie eu l'occasion de rencontrer. Cependant, je pense qu'il était fatigué de sa condition de mortel.

— Vous croyez ? chuchota le comte.

Aubrey s'aventurait en terrain glissant et elle en était consciente.

— Un soldat voit les pires aspects de l'humanité, monsieur le comte. Il doit vivre le reste de la vie avec en tête les horreurs de la guerre, une laideur que nous ne pouvons imaginer. Le courage de ces hommes nous protège, mais nos soldats paient un affreux tribut. Lorsqu'ils ne meurent pas sur le champ de bataille, ils meurent parfois chez eux lentement, à petit feu. Nous ne devons pas oublier ça. Nous avons une dette immense envers eux.

— Vos paroles sont sages et compatissantes, madame Montford. Votre mari était-il militaire ?

Aubrey secoua la tête, mais elle n'osa parler de son père et de la façon dont il était mort. Ils gardèrent tous deux le silence un long moment.

— Merci, madame Montford, dit doucement le comte.

Il se détourna du cercueil et s'éloigna. Aubrey dit encore une prière avant de quitter la chambre. Elle s'aperçut avec stupeur que le comte se trouvait toujours dans le corridor.

Sans sa veste et son gilet, il avait une allure beaucoup moins formelle, moins *civilisée*. Il ne portait qu'une chemise blanche très simple, dont les manches étaient roulées jusqu'aux coudes, révélant des avant-bras forts et musclés. Il doit faire de la boxe, songea Aubrey. Ou au moins de l'escrime. Ce n'est qu'après quelques secondes qu'elle se demanda pourquoi il s'attardait dans ce corridor.

— Désirez-vous veiller votre oncle, monsieur ? demanda-t-elle, perplexe. Je peux renvoyer Ida, si vous préférez être seul.

— Non, j'ai terminé, dit-il doucement. Je vous attendais.

Ces mots mirent aussitôt Aubrey sur ses gardes. L'instant d'intimité tranquille qu'ils venaient de partager dans le salon s'effaça.

— Vous veillez très tard, fit-il remarquer.

— Tout comme vous, monsieur.

Le bruit de leurs pas résonnait dans le long passage voûté.

— Vous avez demandé aux domestiques de veiller mon oncle, reprit-il à voix basse. Je vous en remercie.

Elle lui coula un regard de côté mais ne ralentit pas son allure.

— J'estime que c'est un signe de respect.

— C'est très important pour vous, n'est-ce pas, madame?

— Oui. J'aime que les choses soient faites dans les règles.

Le comte s'arrêta brusquement. N'ayant pas trop le choix, Aubrey l'imita. Cette partie du château était éclairée par des lanternes accrochées au mur de pierre, qui alternaient avec de hautes fenêtres en ogive. Il soutint son regard dans la lumière vacillante et dit d'une voix tranquille :

— Je ne suis pas un mauvais homme, madame Montford.

Déconcertée, Aubrey haussa les sourcils.

— Je ne pense pas que vous deviez vous justifier pour moi, monsieur le comte, murmura-t-elle.

Il eut un pâle sourire.

— C'est pourtant l'impression que j'ai quand je suis avec vous.

— Dans ce cas, je vous demande de me pardonner, monsieur, répliqua Aubrey en se raidissant.

Il ne semblait pas décidé à la laisser repartir si facilement.

— Madame Montford, pourquoi ne m'avez-vous pas dit que votre fils avait été blessé quand la tour s'est effondrée?

Aubrey fut tout à coup submergée par diverses émotions.

— La santé de mon fils est une chose qui ne concerne que moi, monsieur, répliqua-t-elle d'un ton plus vif qu'elle ne l'eût souhaité.

— C'est faux. Cet enfant vit sous mon toit. Si je ne me souciais pas de sa santé, je serais un homme sans cœur et vous auriez le droit de penser du mal de moi. Mais vous ne le faites pas. Savez-vous ce que je crois, madame Montford ?

— Ce que vous croyez, monsieur, ne me regarde pas.

Elle fit un pas de côté et un rayon de lune argenté tombant de la fenêtre lui caressa l'épaule.

— Je pense, madame Montford, que vous m'avez caché cet événement afin de ne pas être obligée d'admettre que je me soucie des gens vivant sous mon toit, chuchota-t-il. Il est sans doute plus facile pour vous de croire que je n'ai pas de cœur.

— Vraiment, monsieur. Je ne crois rien, car je ne pense jamais à vous.

— Oh ! fit-il en arquant un sourcil. Je suis désolé de l'apprendre.

Aubrey pâlit et reprit vivement :

— Je ne pense qu'à faire mon devoir et à donner toute satisfaction, monsieur. Mais en dehors de cela…

— Oui, oui, je sais, dit le comte avec douceur. Cessons là cette querelle. Je vous suis reconnaissant de ce que vous avez fait pour mon oncle ce soir et je suis désolé pour votre fils. C'est ma propre négligence qui a contribué à provoquer cet accident et je ne me le pardonnerai jamais.

Aubrey baissa les yeux.

— Iain ne se trouve ici que parce que vous avez eu la générosité d'accepter sa présence, monsieur.

— Madame Montford, cet enfant est le bienvenu chez moi. Il l'a toujours été et j'espère qu'il se remettra pleinement de cet accident.

Luttant contre l'élan inexplicable qui la poussait à fuir le comte, Aubrey murmura :

— Le Dr Crenshaw m'a assuré qu'il ne garderait aucune séquelle. À présent, je vous souhaite une bonne nuit, monsieur. Je dois me rendre dans les cuisines.

Elle fit une rapide révérence et tourna les talons. Avant qu'elle ait pu s'éloigner, Giles lui posa une main sur l'épaule.

Il la sentit trembler à son contact.

— Attendez, chuchota-t-il.

Sa fonction de domestique l'y obligeant, elle obéit.

Giles scruta son visage dans la faible lueur du corridor. Il croyait parfois voir dans ses yeux des éclairs de bonheur qui ne parvenaient pas à s'épanouir totalement. Mais qui était-il pour chercher à percer le secret de son âme?

— Aubrey, dit-il doucement. C'est votre prénom, n'est-ce pas? Je le trouve très beau.

Elle lui coula un étrange regard de côté, mais ne souffla mot.

— Je veux seulement vous regarder un moment, dit-il d'une voix rauque. Vous êtes... sans cesse en mouvement. Ou alors, vous vous cachez dans l'ombre. C'est... un peu frustrant parfois.

Elle ne répondit pas et il poursuivit, sans la quitter des yeux:

— Puis-je vous poser une question, madame Montford?

L'angoisse de la jeune femme fut presque palpable quand elle répondit avec réticence:

— Oui?

— Hier matin, dans ma chambre...

Il s'interrompit, sembla retenir son souffle, puis reprit:

— J'ai senti quelque chose... je ne sais quoi au juste. Quelque chose a passé entre nous, quand je vous ai donné votre café. L'avez-vous... ressenti également?

Aubrey secoua lentement la tête.

— Non, murmura-t-elle. Je ne m'en souviens pas.

Elle demeura là docilement, éclairée par les rayons de lune d'une blancheur laiteuse. Elle se tenait bien droite, le visage auréolé par ses boucles auburn. Une infinie lassitude se lisait dans ses yeux superbes. Il la sentait sur ses gardes, car elle savait ce qu'il pensait.

Elle savait qu'il la désirait.

Comment en était-il arrivé là si vite, avec cette gouvernante froide et hautaine? Ce matin encore, il s'était senti exaspéré à cause d'elle. Elle était sa domestique, que diable!

Cette situation était comme une arme à double tranchant. Il l'enveloppa encore une fois du regard et le pouvoir qu'il détenait le tenta. Dire qu'il tenait sa vie entre ses mains! Il n'avait jamais éprouvé de satisfaction à occuper une telle position de toute-puissance, mais il aurait fallu être un saint pour ne pas songer aux avantages qui étaient les siens. Il n'avait qu'à demander... qu'à *prendre* ce qu'il voulait. La tentation était grande, mais terrifiante aussi.

Elle avait dû pleurer pendant qu'elle veillait Elias, ce soir. Il pouvait encore déceler la trace de ses larmes sur sa peau d'albâtre. Mon Dieu! Il fallait qu'il sache. Que pensait-elle de lui? Le détestait-elle? Avait-elle été la maîtresse de son oncle?

Toutefois, cela n'avait déjà plus d'importance. La seule question, aujourd'hui, était de savoir si elle accepterait d'être sa maîtresse. De quels arguments devrait-il user pour la persuader? Avait-elle vraiment besoin de son poste de gouvernante?

Giles sentit un frisson lui parcourir la peau. Cette visite à Cardow tournait au cauchemar. Il était déchiré entre des émotions diverses et opposées. Comment pouvait-il éprouver à la fois du chagrin et du désir? De la culpabilité et des regrets?

Mystère. Tout ce qu'il savait, c'était que cette femme semblait pouvoir combler un vide profond. Tandis qu'il l'observait, dans la pâle lueur du couloir, il sentit les battements de son cœur s'accélérer et un désir fou surgir en lui. Il ne put s'empêcher de lui caresser doucement la joue du dos de la main.

— Madame Montford, murmura-t-il. Que ressentez-vous, à présent?

Elle ne bougea pas, ne prononça pas un mot, ne baissa pas les yeux. Elle semblait plutôt le défier du regard, mais il la sentit trembler sous la caresse de sa main. Il vit sa poitrine se soulever au rythme saccadé de sa respiration. Brutalement, il se rendit compte qu'il désirait Aubrey Montford plus qu'il n'avait jamais désiré une autre femme. Il la désirait tant qu'il était prêt à faire une chose qui l'avait toujours écœuré chez les autres hommes : soumettre à son désir une personne plus faible que lui. Pas physiquement, bien sûr, mais d'une façon plus subtile, par son pouvoir, son influence, ce qui était peut-être pire.

Non. Il ne ferait pas cela. Ce serait pure folie. Il ne connaissait pas cette femme, n'était même pas certain de pouvoir lui faire confiance. Son instinct lui soufflait qu'elle cachait quelque chose. Cependant, tout ce pourquoi il s'était battu jusque-là, les causes les plus nobles qu'il avait défendues avec acharnement, lui semblait bien fade en comparaison de son désir pour elle. Un désir brûlant, primitif, qui courait dans ses veines et faisait battre son cœur. Pour la première fois de sa vie, il comprit quel danger un tel désir représentait.

Il fallait mettre un terme à cette situation ; il laissa retomber sa main.

— Je vous souhaite une bonne nuit, madame Montford, dit-il doucement. Je vous remercie encore pour ce que vous avez fait ce soir et pour le dernier hommage que vous rendez à mon oncle.

— Le major était un homme infiniment digne de respect, répondit-elle.

Aubrey ne descendit pas dans les cuisines. Troublée, hors d'elle, elle attendit que le comte ait disparu dans l'ombre du couloir puis regagna son appartement privé. Quand elle en eut franchi le seuil, elle s'aperçut qu'elle tremblait de tous ses membres. Pour la première fois depuis son arrivée à Cardow, elle ne se rendit pas directement dans la petite chambre de Iain pour s'assurer qu'il dormait paisiblement. Au lieu de cela, elle mit la bouilloire sur le feu et s'assit devant son bureau, serrant ses doigts entre ses genoux pour les empêcher de trembler.

Mon Dieu ! songea-t-elle en fermant les yeux. Survivrait-elle à tout cela ? En aurait-elle la force ? L'entrevue de ce soir avait été pire que tout. Était-il possible de trouver chez un homme une telle dualité ? Le comte était capable d'agir avec une étonnante humilité... et l'instant d'après de la regarder avec une passion brûlante ! Aubrey rouvrit les yeux; elle croyait encore sentir la caresse de ses doigts sur sa joue. Les questions qu'il lui avait posées le matin même lui revinrent à l'esprit.

« Existe-t-il une raison pour laquelle vous pensez ne plus pouvoir me satisfaire ? »

Même à ce moment-là, elle s'était demandé s'il y avait derrière ces paroles un sens caché. Elle l'avait regardé, vêtu de sa robe de chambre, avec ce visage d'une rare beauté, encore ombré de barbe... et avait cru sentir le monde s'ouvrir sous ses pieds pour l'engloutir. Elle n'avait rien dit, simplement promis de faire de son mieux; elle n'avait pas le choix.

À présent, elle l'avait moins que jamais. Si le comte de Walrafen frappait à sa porte et lui ordonnait d'aller le rejoindre dans son lit, elle n'aurait d'autre solution que d'obéir. Il pouvait lui ordonner n'importe quoi. Cette pensée la fit frémir. Elle imagina leurs corps nus, enlacés dans un enchevêtrement de draps blancs. Cette image la mortifia et fit aussi naître en elle une nervosité qu'elle ne parvint pas à s'expliquer.

Pourtant, Aubrey n'était pas naïve. Elle savait que de telles choses se produisaient couramment dans les grandes maisons. Au moins le comte n'était-il pas marié. Il n'y aurait donc pas d'adultère, ce qui constituait une toute petite consolation. Et si elle refusait de se plier à ses exigences, la renverrait-il sur-le-champ ou l'abandonnerait-il aux griffes du juge de paix ? Combien de temps faudrait-il alors à Higgins pour découvrir la vérité sur la mort du major ?

Meurtrière... Elle avait déjà affronté une fois cette accusation et échappé de peu à la corde. On la lui passerait d'autant plus volontiers au cou, en cette seconde occasion. Ne ferait-elle pas mieux de s'enfuir de nouveau, avec Iain ? Elle possédait quelques économies, ainsi que les bijoux de sa mère. Il y avait aussi la montre du major, mais celle-ci appartenait à Iain, et il serait dangereux d'essayer de la vendre maintenant.

Aubrey sentit les battements désespérés de son cœur remonter jusque dans sa gorge. Elle était comme un animal traqué, incapable d'échapper au piège qui s'était refermé sur elle. Si elle cherchait à fuir, cela serait interprété comme une preuve de sa culpabilité.

Des années plus tôt, elle avait promis à Muireall, alors sur son lit de mort, de veiller sur Iain comme s'il était son propre fils. De le protéger en toutes circonstances. Elle l'avait fait, de toutes ses forces, avec tout le courage dont elle était capable. Lord Manders, ce bon vivant trop gâté par la vie, ne demandait pas mieux que de se débarrasser sur elle de ses responsabilités. Élever un enfant de constitution faible, asthmatique, et qui par-dessus le marché ressemblait comme deux gouttes d'eau à son épouse morte, n'était vraiment pas sa priorité. Aubrey avait été prompte, peut-être même trop prompte, à le condamner pour sa faiblesse.

Cependant, lord Manders lui-même n'avait pas mérité ce qui lui était arrivé. Un cauchemar, l'histoire de Caïn et Abel renouvelée. Une jalousie rampante, la rancune, les complots...

La fortune et les terres qui avaient appartenu de droit à lord Manders auraient dû revenir à son fils, mais cet héritage, Iain ne pouvait pas encore le revendiquer. On en revenait donc à la question qui taraudait Aubrey : quelle était la meilleure solution pour Iain ? Rester ici, à Cardow, bien sûr, loin des miasmes glacés d'Édimbourg. L'enfant y vivait heureux et en bonne santé depuis trois ans. En outre, le comte de Walrafen leur offrirait sa protection. Certes, il avait des soupçons à son sujet, mais pour autant il ne la pensait pas capable de commettre un meurtre, c'était évident. Elle devait pouvoir exploiter cette situation à son avantage, se servir de lui... non ? Et si elle devait lui céder, lui en coûterait-il vraiment beaucoup ? Éprouverait-elle pour lui de la répulsion ?

Mon Dieu ! Ce qu'Aubrey redoutait, c'était plutôt d'éprouver le contraire de la répulsion. Le contact de la main du comte avait fait naître des sensations loin de lui déplaire. Une douceur, une chaleur, merveilleuses et scandaleuses aussi, mais le péché ne faisait pas peur à Aubrey. Au cours des vingt-six années qu'elle avait passées sur cette terre, elle en avait déjà commis quelques-uns et elle recommencerait s'il le fallait. Ce n'était pas seulement pour elle qu'elle le ferait, et puis dans le fond... Sa vie d'autrefois, le futur qu'elle avait envisagé, tout cela n'était plus qu'un rêve, aujourd'hui. Il faudrait attendre des années encore, avant que Iain soit capable de prendre sa vie en main et de réclamer son héritage.

Elle pensa encore une fois au comte de Walrafen, au plaisir que ses caresses avaient fait surgir, et fut terrifiée. Terrifiée à l'idée de perdre Cardow, l'abri que représentait le château. Terrifiée aussi par ce qu'elle éprouvait. Elle avait tellement besoin du contact d'un autre être humain ! Besoin de tenir quelqu'un dans ses bras, de se blottir contre lui. Et parfois, quand elle se trouvait face à Walrafen, elle ressentait un autre besoin, plus fort, plus passionné. Il était beau et le savait probablement. Il était aussi beaucoup plus jeune qu'elle ne l'avait cru avant de le rencontrer ; à peine plus de trente ans, sans doute.

Aubrey s'était attendue à voir un homme âgé, pontifiant, à l'allure solennelle. Le comte avait un regard vif et perçant ; il était grand, bien bâti, mais mince. Sa chevelure était d'un noir de jais, ses traits fermes et bien ciselés, avec un front haut et dégagé, un nez droit. C'était un aristocrate dans l'âme, habitué à voir tout le monde plier devant lui. Rien ne semblait échapper à son regard gris et sévère.

De fait, elle avait bien remarqué la façon dont ce regard la suivait, lorsqu'ils se croisaient dans les couloirs du château. De plus, elle ne s'était pas trompée quand elle avait cru sentir une violente émotion entre eux, à l'instant où leurs doigts s'étaient touchés.

Il n'était pas mauvais.

C'était ce qu'il lui avait dit ce soir, mais cela, elle l'avait déjà compris. Il avait été sincèrement désolé pour Iain. Elle l'avait vu se recueillir et prier devant le corps de son oncle et elle avait vu ses yeux s'embuer de larmes.

Non, cet homme n'était pas mauvais. Il y avait même une grande bonté chez lui. De surcroît, le comte de Walrafen était l'un des hommes les plus puissants du royaume ; il ferait un formidable allié. À moins que...

C'était aussi un homme de principes, décidé à faire respecter les lois. Or, elle avait déjà transgressé un certain nombre de lois...

La bouilloire se mit à siffler. Aubrey se leva et prépara du thé. Ses mains ne tremblaient plus ; elle avait réussi à dominer sa terreur. Comme toujours. À réfléchir froidement. Elle survivrait à cette nouvelle épreuve, et ferait ce qu'il faudrait. Iain serait en sécurité. Tout s'arrangerait : il fallait qu'elle en soit persuadée.

De toute façon, Walrafen ne s'attarderait pas longtemps dans le Somerset. Il détestait Cardow pour la raison même qui la poussait, elle, à l'aimer : c'était un lieu isolé, à l'écart du monde. Elle n'aurait pas besoin de passer trop de temps dans son lit. Dès que les affaires de son oncle seraient en ordre, il retournerait au faste de la vie londonienne, avec lord et lady Delacourt. Trois ans au moins s'écouleraient avant qu'il n'éprouve l'envie de revoir la maison de ses ancêtres, et cette pensée la réconforta. Elle s'y accrocha désespérément, de peur de voir ses nerfs craquer de nouveau.

6

Où Lord Walrafen ne se conduit pas bien

Le jour de l'enterrement d'Elias passa très vite, au grand soulagement de Giles, qui redoutait cette épreuve. Ce fut chargé du poids de la culpabilité qu'il descendit la route en lacets pour accompagner le major à sa dernière demeure. Les gémissements aigus de tante Harriet les suivirent tout le long du chemin, ce qui n'arrangeait rien. Giles essaya bien de se persuader que le chagrin de sa tante était sincère, qu'elle enterrait aujourd'hui le dernier de ses frères et qu'elle était terrassée par le chagrin… mais il ne parvenait pas à y croire.

Par bonheur, il n'eut pas à subir cette comédie très longtemps. Dès le lendemain de l'enterrement, Cécilia et l'irremplaçable Mrs Montford renvoyèrent tous ces gens chez eux. Les membres de sa famille quittèrent Cardow dans des carrosses munis de chaufferettes, et chargés de paniers de victuailles pour le voyage. Giles constata avec un soupçon de tristesse qu'aucune de ces personnes n'allait lui manquer.

Debout derrière la fenêtre de son bureau, il regarda s'éloigner le dernier véhicule, qui emportait le grand-oncle Frederick. La voiture passa en bringuebalant sur le vieux pont, puis disparut au détour du chemin. Le comte éprouva soudain une bouffée de colère à l'idée que sa famille avait toujours été si dispersée. Sur le plan émotionnel, comme sur le plan géographique, ils vivaient tous à des lieues les uns des autres. Ces derniers temps, il aurait apprécié un peu d'affection et de réconfort, et même quelques bons conseils. Or, il avait dû supporter son chagrin comme il avait supporté toutes les épreuves de sa vie. Seul.

À une certaine époque, il se serait sans doute tourné vers Cécilia pour quémander son soutien, mais elle avait à présent un mari et deux jolis enfants. Quand il aurait une famille à lui, décida-t-il, ils resteraient tous ensemble. Plus de querelles, plus d'éloignement! Cardow avait logé des armées entières, autrefois. On pouvait bien y loger une famille avec des enfants, des petits-enfants, des nièces et des neveux, que diable!

Il se rendit compte tout à coup que, pour la première fois depuis vingt ans, il venait de penser à Cardow comme à une maison. L'espace d'un instant, il avait envisagé d'y rester, d'y avoir une famille. C'était la première fois aussi, depuis que son père l'avait empêché d'épouser Cécilia, qu'il songeait à son propre avenir. Jusqu'à présent, il ne s'était préoccupé que de sa carrière au Parlement. Il jouissait de la confiance du roi et de ses conseillers et avait déjà refusé plusieurs postes clés au gouvernement. Il attendait son heure, afin d'obtenir celui qu'il briguait en secret, mais pour sa vie personnelle, il n'avait strictement aucun projet.

« Trouve-toi une épouse », avait suggéré Max.

Bien qu'il eût protesté sur le moment, Giles devait admettre qu'il voulait un héritier. Il avait trente-trois ans et ignorait si ses cousins, depuis longtemps perdus de vue, étaient vivants ou morts. Ils étaient peut-être devenus des brigands de grand chemin. Des cambrioleurs de banques, des agents de change… ou même des cow-boys! Tout était possible, en Amérique, mais il n'était pas sûr de vouloir laisser Cardow tomber entre les mains de ces gens dont il ne savait rien.

Il jeta un coup d'œil par la fenêtre. Pour une fois, la vue n'était pas obscurcie par le brouillard. Il vit un bateau de pêche qui remontait lentement le Canal. Non, il ne s'imaginait vraiment pas prenant une épouse. Quel dommage! Ces jours-ci, pour la première fois de sa vie, il avait éprouvé un élan de passion pour une femme. Et c'était sa gouvernante ! Une femme qu'il n'avait même pas encore touchée. Oh ! il avait eu plus de maîtresses qu'il ne pouvait en tenir le compte, mais l'émotion qu'il avait éprouvée pour Mrs Montford… non, pour Aubrey, dépassait en intensité et en complexité tout ce qu'il avait connu jusque-là.

Depuis son arrivée au château, il « sentait » littéralement sa présence, un peu comme si elle faisait partie intégrante de la maison. Parfois, il devinait qu'elle était là, juste une seconde avant qu'elle n'entre dans une pièce. Avant même qu'il n'ait entendu le très léger cliquetis du trousseau de clés qu'elle portait à la ceinture. Alors un désir étrange, inconnu, s'emparait de lui et lui nouait la gorge. C'était une sensation primitive, aussi douloureuse que voluptueuse, qui lui coupait la respiration. Il s'efforçait toutefois de dissimuler ses sentiments, bien que ceux-ci l'accompagnent à chaque instant, même lorsque ses pensées se concentraient sur un tout autre sujet.

À cet instant précis, comme pour le rappeler justement à son devoir, la pendule de la cheminée sonna 9 heures. D'une ponctualité parfaite, Ogilvy entra dans le bureau, une immense liasse de documents dans les mains.

— Bonjour, monsieur le comte, dit-il d'un ton enjoué. Nous avons une longue journée de travail devant nous.

Maussade, Giles regarda son secrétaire étaler les dossiers sur la table de travail. Allons, il devait se résigner à rejeter ses rêveries tout au fond de son esprit. Quel dommage qu'il ne puisse pas tout simplement épouser Aubrey ! Après tout, c'était cette femme-là qu'il désirait avoir dans son lit ! Elle disposait de l'esprit et de la maîtrise de soi nécessaires à toute épouse d'homme politique. Hélas !… un pair du royaume désireux de faire carrière n'épousait pas la gouvernante du château !

— Eh bien… quel est notre emploi du temps, aujourd'hui, Ogilvy ?

Giles s'efforça de sourire aimablement au jeune homme.

— Le juge de paix souhaite vous rencontrer à l'heure qui vous conviendra, monsieur. Le Premier ministre attend votre réponse concernant la proposition de lord

Grey sur les réformes parlementaires. Ensuite, vous déjeunerez avec lady et lord Delacourt. Et, à 2 heures, vous consulterez les livres de comptes du domaine avec Mrs Montford.

Ah! Enfin, une perspective réjouissante! Un après-midi entier à passer en tête à tête avec sa proie.

Aubrey était nerveuse. Excessivement nerveuse. Elle faisait les cent pas dans son petit salon privé. De temps à autre, elle essuyait ses mains moites sur les pans de sa jupe noire. Cet homme, ce Higgins, avait passé toute la matinée au château. Il avait eu la décence de ne pas se montrer le jour de l'enterrement du major mais aujourd'hui, il avait mis un point d'honneur à interroger de nouveau toute la maisonnée. Cela avait bouleversé les habitudes d'Aubrey et perturbé les domestiques qui avaient recommencé à répandre leurs commérages. Maintenant, il était presque 2 heures.

À 2 heures, ce serait encore pire : le comte de Walrafen allait venir vérifier les livres de comptes. Pour ce qui était de sa comptabilité, Aubrey ne se faisait aucun souci : elle était exemplaire. Elle ne craignait pas non plus qu'il lui cherche querelle sur la façon dont elle gérait la maison et le domaine. Certes, il allait sans doute fulminer en constatant qu'elle avait engagé certaines dépenses ou pris certaines décisions; mais il finirait comme toujours par se rallier à ses arguments et par admettre en s'excusant qu'elle avait eu raison. Car elle avait raison. Du moins, presque toujours. Fermant les yeux, Aubrey s'exhorta à ne jamais oublier cela.

On frappa un coup léger à la porte. Elle pivota sur elle-même et vit la haute silhouette du comte s'encadrer sur le seuil.

— Bonjour, madame Montford, dit-il d'une voix basse mais impérieuse.

— Bonjour, monsieur. Les livres sont prêts.

Il entra dans le salon qui parut aussitôt rempli par sa seule présence. Le comte portait une tenue campagnarde :

de hautes bottes cavalières parfaitement cirées, un pantalon en daim et une veste marron foncé à la coupe simple mais élégante. Avec ses yeux gris et brillants, ses joues rasées de près, ses traits finement sculptés, il avait tout de l'aristocrate riche et arrogant.

Pendant un instant il laissa son regard glisser sur elle et l'envelopper. Aubrey sentit une vague de chaleur envahir ses joues. Rassemblant toute sa maîtrise d'elle-même, elle lui indiqua les deux piles de livres : verts pour les comptes du domaine, bruns pour ceux de la maison.

Mal à l'aise, elle se pencha au-dessus du petit bureau pour ouvrir les épais cahiers. Leurs épaules s'effleurèrent. Elle ne s'était jamais rendu compte qu'il avait un corps aussi bien découplé, avec de larges épaules. Il émanait de lui un parfum frais et raffiné de savon et d'eau de Cologne. Bien qu'Aubrey fût assez grande, il la dominait de toute une tête. Il avait de longs doigts fins, des gestes vifs et précis. Son esprit aussi était vif. Il comprit au premier coup d'œil de quelle façon elle tenait les comptes. Se balançant sur ses talons, il scruta le visage de la jeune femme.

Celle-ci esquissa un faible sourire.

— Comme vous le voyez, dit-elle, j'utilise une comptabilité simple pour la maison. Celle du domaine en revanche est plus complexe, car les rentrées d'argent sont diverses et les sorties plus nombreuses.

— Tout cela est clair comme du cristal, madame Montford, répondit-il d'une voix douce. Vous avez une solide connaissance des chiffres.

Aubrey s'écarta un peu.

— Merci, monsieur. Voulez-vous que j'appelle un valet pour transporter les livres dans votre bureau ? Je peux m'en passer pendant quelques jours et cela vous permettra de les examiner à loisir.

— Madame, je n'ai pas de loisir, annonça-t-il en la fixant du regard. J'ai l'intention de consulter ces livres ici et maintenant. Cela vous pose-t-il un problème ?

Son stratagème venait d'échouer. Aubrey dissimula sa déconvenue.

— Aucun problème, monsieur le comte. Vous faut-il un crayon ? Du papier ?

Il lui montra les feuillets qu'il avait calés sous son bras.

— Seulement du thé, répliqua-t-il sans la lâcher des yeux. Une bonne tasse de thé très fort et le traditionnel nuage de lait qui va avec. Et cela, est-ce que ça pose un problème ?

Les joues d'Aubrey s'empourprèrent de plus belle.

— Bien sûr que non, monsieur, dit-elle en se précipitant pour mettre de l'eau à bouillir.

— Est-ce que ma présence dans cette pièce pose un problème ? demanda-t-il encore, comme s'il essayait à tout prix de la prendre en défaut sur un point, si infime soit-il.

— Certainement pas, monsieur le comte.

Elle mit la bouilloire sur le feu avec des gestes gauches et saisit un petit pot à lait en étain sur une étagère.

— Je vais envoyer une femme de chambre chercher du lait frais à la laiterie, expliqua-t-elle.

Lord Walrafen s'installa au bureau et le petit fauteuil sembla disparaître sous son imposante silhouette. Alors qu'Aubrey s'apprêtait à sortir, on frappa un coup sec à la porte et Betsy entra. Elle demeura figée sur le seuil en découvrant le comte assis derrière le bureau.

— Ne faites pas attention à moi, dit-il en lui faisant signe d'entrer. Madame Montford, pourrez-vous vous contenter de l'autre table, pour votre travail ?

Aubrey acquiesça et fit entrer Betsy. La pièce étant assez exiguë, elle fut obligée de se pencher par-dessus le comte pour prendre son cahier et son crayon. Une fois de plus, elle respira son parfum frais et masculin. Ignorant la sensation délicieuse que cela lui faisait éprouver, elle dirigea Betsy vers la table placée au centre de la pièce.

— Avez-vous ramassé le linge dans les chambres des invités ?

— Oui, madame. Nous avons ôté les draps des dix lits. Une seule taie d'oreiller a été envoyée au raccommodage.

— Excellent, dit Aubrey en s'asseyant. Qui va poser les housses en toile de Hollande ? Je veux que tout soit recouvert avant que les rayons du soleil couchant n'atteignent l'aile ouest.

— Lettie et Ida ont presque fini, madame. Désirez-vous que les tentures soient recouvertes également ?

Aubrey prit quelques secondes de réflexion. Il n'y avait aucune raison de penser que Cardow recevrait d'autres invités dans les semaines ou les mois à venir.

— Oui, les tentures également. Et faites brosser tous les tapis, mais qu'elles ne les battent pas, à moins que ce ne soit absolument nécessaire.

— Très bien, madame. Mrs Jenks veut savoir ce qu'elle doit dire au boucher pour le reste de la semaine. Faut-il réduire les commandes ?

— Oui. De moitié, puisque presque tous les invités sont partis. Cependant, il se peut que nous ayons encore quelques visites. Et puis il y a lord et lady Delacourt.

— Ils partiront demain.

La voix grave qui venait de s'élever derrière elle fit tressaillir Aubrey.

— Je vous demande pardon ?

Le comte eut un sourire en coin.

— Ne prévoyez pas de repas pour eux à partir de demain. Je leur ai demandé de repartir sans moi.

— Vous… vous ne partez pas ? balbutia Aubrey, effarée. Vous avez l'intention de rester ? Ici ?

Lord Walrafen haussa les sourcils.

— Je préfère éviter l'auberge du village, répondit-il sèchement. J'ai entendu dire qu'ils avaient des rats.

Aubrey se leva avec tant de précipitation qu'elle fit tomber son crayon.

— Je n'ai rien suggéré de tel, monsieur le comte.

Walrafen la regarda par en dessous.

— J'ai la curieuse impression, madame Montford, que vous voulez vous débarrasser de moi ?

Elle vit ses lèvres esquisser un sourire espiègle. Tout en continuant d'aligner des chiffres sur sa feuille, il guettait sa réaction du coin de l'œil. De façon tout à fait inattendue, Betsy laissa fuser un petit rire.

— Betsy !

La femme de chambre rougit et fit un violent effort pour contenir son rire.

— Désolée, madame.

Alors, lord Walrafen se mit à rire lui aussi. Relevant la tête, il posa son crayon et laissa son regard amusé aller d'Aubrey à Betsy.

— C'est votre faute, madame Montford. Vous devriez voir votre tête! Non seulement j'ai eu le toupet de venir chambouler votre domaine, mais je n'ai même pas la politesse de repartir quand il le faudrait! C'est cela, n'est-ce pas?

— Certainement pas, monsieur!

Il ne put réprimer un nouveau rire.

— Ah! je me demande ce que vous avez derrière la tête! marmonna-t-il comme s'il se parlait à lui-même. Pevsner et vous ne vous livrez pas à la contrebande, j'espère? Mes ancêtres l'ont déjà fait, vous savez. Et ils en ont retiré des profits appréciables.

— Monsieur le comte, vous resterez au château aussi longtemps que vous le désirez, dit alors gravement Aubrey. Je n'ai rien dit pour vous en dissuader.

Walrafen se tourna vers la femme de chambre en souriant.

— Je crois qu'elle nous cache quelque chose, Betsy, fit-il avec un clin d'œil. Qu'en pensez-vous?

— Oh! je pense que je ferais mieux de retourner à mon travail! dit Betsy.

— Bonne idée. Mais avant tout, allez donc me chercher du lait pour mon thé, voulez-vous? Je crois que Mrs Montford m'a oublié.

Cependant, il s'aperçut bientôt que Mrs Montford était loin de l'avoir oublié. Elle ne l'oublia pas non plus au cours des deux heures suivantes, qu'ils passèrent dans son petit salon. Il constata qu'elle avait avec les domestiques un comportement souple mais très professionnel. Il en allait de même avec ses comptes; il ne put la prendre en défaut.

Il n'aurait su lui reprocher davantage la façon dont elle posait les yeux sur lui quand elle ne se croyait pas observée. Elle le regardait à la dérobée, et souvent. Il y avait entre eux une tension indéniable dont le courant était presque palpable. Toutefois, elle vaquait à ses occupations avec son énergie coutumière et une parfaite maîtrise d'elle-même, allant et venant dans la pièce à pas rapides et légers, tout en grâce et en féminité, faisant virevolter ses jupes noires autour de ses chevilles.

Le comte avait plaisir à la regarder. Aujourd'hui, son épaisse chevelure auburn était nouée d'une façon moins stricte et elle ne portait pas de coiffe. Son cou long et fin semblait avoir été sculpté dans le marbre le plus délicat; son port de tête altier, ses épaules fièrement rejetées en arrière, lui donnaient une élégance presque royale. De temps à autre, il levait subrepticement les yeux et l'observait tandis qu'elle traitait divers problèmes avec les domestiques sous ses ordres. Parfois, elle fronçait les sourcils, l'air consterné mais, à deux ou trois reprises, il la vit sourire et ce sourire suffisait à lui seul à réchauffer la pièce.

Il en était au dernier livre de comptes quand la deuxième femme de chambre, une certaine Lettie, vint chercher des nappes propres. Giles regarda Aubrey se diriger vers l'un des hauts placards du salon et l'ouvrir à l'aide d'une des clés accrochées à sa ceinture. Elle leva les bras très haut pour attraper le linge, et le tissu de sa jupe se plaqua contre ses hanches arrondies.

Giles imagina ses mains caressant ces courbes gracieuses. Il eut soudain la gorge sèche, malgré les cinq tasses de thé qu'il venait d'avaler. Aubrey passa une pile de linge blanc à la soubrette qui se dirigea ensuite vers la porte.

Il se leva brusquement.

— Lettie, dit-il. Veillez à ce que nous ne soyons plus dérangés pendant au moins une heure.

La jeune servante, qui avait tressailli en entendant sa voix, inclina respectueusement la tête.

— Oui, monsieur le comte.

— Avertissez les autres, je vous prie. Il faut que je reste en tête à tête avec Mrs Montford pour lui poser quelques questions au sujet de ces comptes. Dites à Betsy de la remplacer.

Mrs Montford darda sur lui un regard sombre, mais ne dit rien. Lettie fit une profonde révérence et s'éclipsa en pressant la pile de linge contre sa poitrine. Dès que la porte se fut refermée sur elle, Giles alla se camper devant la gouvernante. Aubrey se plaqua contre la porte du placard, comme si elle avait souhaité y entrer et disparaître.

— Nous devrions installer les livres sur la table, monsieur le comte, suggéra-t-elle d'une voix hésitante. Nous serons plus à notre aise.

— Je vais les chercher, dit Giles. Ils sont trop lourds pour vous.

Malgré cette manifestation de bonnes intentions, il ne fit pas mine d'aller déplacer les livres. Au lieu de cela, il se rapprocha encore d'Aubrey et glissa un doigt sous son menton.

Elle le regarda à travers une épaisse rangée de cils noirs, puis baissa vivement les yeux. Elle était belle, excessivement belle. Il brûlait du désir de goûter à ses lèvres, d'enfouir les mains dans son épaisse chevelure rousse. D'une pression de son doigt, il l'obligea à lever la tête et à le regarder.

— Madame Montford, ne devrions-nous pas cesser ce petit jeu ?

Toute couleur s'était retirée du visage d'Aubrey. Elle se sentait prise au piège.

— Que me voulez-vous ? murmura-t-elle.

Il se pressa un peu plus étroitement contre elle et perçut la chaleur de ses seins.

— En ce moment précis ? Rien qui soit en rapport avec votre fonction de gouvernante.

Elle baissa les paupières, ce qui rendit la suite inévitable. Tout en lui maintenant fermement le menton, Giles posa les lèvres sur les siennes. Elle ne fit pas mine de le repousser, mais ne lui rendit pas son baiser. Elle demeura simplement là, rigide, stoïque, tandis qu'il s'attardait sur ses lèvres, prenant le temps d'y goûter pleinement.

Il eut tout à coup conscience de se comporter comme un homme irréfléchi, indiscipliné, ce qu'il n'avait jamais été jusque-là, mais cela lui était égal. Un désir fou coulait dans ses veines, comme une lave brûlante. Il pressa son corps ardent contre celui d'Aubrey et la sentit trembler doucement. Ce n'était toutefois pas la passion qui la faisait vibrer. En fait, elle réagissait comme une vierge qui n'était pas accoutumée aux caresses d'un homme.

Giles comprit qu'il devait arrêter mais, pour la première fois de sa vie, la discipline lui fit défaut. Il voulait cette femme, tout simplement, avec une ferveur désespérée. Glissant une main sur sa nuque pour la maintenir contre lui, il continua de l'embrasser.

— Ouvrez vos lèvres, ordonna-t-il dans un murmure.

Elle obéit, sans cesser de trembler. Il prit possession de sa bouche, la caressant du bout de la langue. Elle semblait ne pas savoir embrasser, mais cela n'avait aucune importance. Sa bouche était chaude, son haleine parfumée. Il s'entendit vaguement pousser un long gémissement lorsqu'il approfondit son baiser. Il était si enivré de désir, qu'il n'aurait su dire à quel moment elle commença à lui répondre. Il prit conscience qu'elle avait posé ses doigts fins et délicats sur sa taille et sentit leur chaleur contre sa peau. Puis, doucement, avec timidité, elle toucha sa langue de la sienne.

Toujours frémissante, elle se haussa sur la pointe des pieds. Ce n'était qu'une petite réponse, mais pour Giles, ce fut suffisant. Il sentit le sang lui battre aux tempes, bouillonner dans ses veines. Lorsqu'elle tourna la tête de côté, comme pour mieux s'offrir à ses baisers, la passion se déchaîna en lui avec une sorte de sauvagerie. Il posa les yeux sur la lourde table de chêne, au centre de la pièce.

L'espace d'une seconde, il envisagea de la posséder là, dans le rayon de soleil couchant qui tombait sur le panneau de chêne. Il imagina la lumière enflammant sa chevelure tandis qu'il enlèverait les épingles qui la retenaient. Il imagina aussi le contraste que formeraient ses épaules nues, blanches comme du marbre, contre le bois sombre de la table, ses seins exposés à son regard, leurs mamelons roses et tendus. Il referma les doigts sur un globe ferme.

Mais non, ce n'était pas possible. Au moment où cette pensée lui traversa l'esprit, il se souvint que la porte n'était pas fermée à clé.

Comme pour le rappeler à l'ordre, la poignée de cuivre tourna en grinçant. Aubrey s'arracha à son étreinte et posa les mains sur ses épaules pour le repousser.

— Arrêtez ! chuchota-t-elle, haletante. Allez-vous-en !

Ils s'écartèrent l'un de l'autre à l'instant même où Jenks entrait dans le salon, les bras chargés d'un grand bouquet de fleurs à longues tiges. Le visage du jardinier s'empourpra violemment.

Bon sang ! songea Giles. Trop tard, le mal est fait.

— Je vous demande pardon, madame, marmonna Jenks. Vous aviez donné l'ordre d'apporter les glaïeuls ici pendant qu'Ida lavait les vases.

— En effet, s'exclama promptement Aubrey en avançant au milieu de la pièce. Posez-les sur la table, Jenks. J'étais juste… juste…

— J'essayais de chasser une araignée accrochée aux cheveux de Mrs Montford, déclara Giles de but en blanc. Je l'ai vue descendre du plafond et j'ai voulu la chasser.

Une araignée ? se dit Aubrey. Quel goujat ! En plus, Jenks n'en croyait visiblement pas un mot.

— Il paraît que les morsures d'araignée peuvent être très dangereuses, ajouta gauchement Walrafen.

— Oui, c'est vrai, dit le jardinier en évitant le regard de son maître. Y a-t-il autre chose pour votre service, madame ?

Giles saisit son dossier et gagna la porte à grands pas.

— Je vous quitte, madame Montford. Mes questions sur les registres attendront.

Pâle comme un linge, Aubrey répondit sans le regarder :

— Bien, monsieur.

— Je vous souhaite une bonne journée, à tous les deux.

— Posez ces fleurs, Jenks, entendit-il Aubrey dire dans son dos. Où vous pouvez. Ensuite, vous pourrez disposer.

Giles referma doucement la porte derrière lui et hésita. Par bonheur, le corridor qui traversait l'étage des domestiques était vide. Fermant les yeux, il s'adossa au mur de pierre et pressa les mains sur son front. Mon Dieu ! Quel gâchis !

Comment avait-il pu être aussi stupide ? Tous les hommes de sa connaissance couchaient régulièrement avec leurs servantes. Et lui, la première fois qu'il essayait d'en embrasser une, il se faisait prendre la main dans le sac ! Ce qui était pire encore, c'est qu'il venait de placer Aubrey dans une situation humiliante.

La porte du salon s'ouvrit et Jenks apparut dans le couloir. Giles se racla la gorge et le jardinier pivota vivement sur lui-même.

— Vous ne vous êtes pas trompé, Jenks, dit doucement le comte. Ce serait vous faire insulte que de prétendre le contraire.

— Cette affaire ne me regarde pas, monsieur le comte.

Néanmoins, le regard sombre du jardinier démentait son affirmation.

— En effet, acquiesça le comte. Mais elle regarde Mrs Montford.

— Je ne colporte jamais de cancans, monsieur, si c'est ce que vous voulez dire.

Giles fit un pas dans sa direction.

— Je sais. Et j'ai de la chance que ce soit vous qui soyez entré et pas quelqu'un d'autre. J'ai manqué de retenue, Jenks, c'est aussi simple que ça. Comme vous dites, cela ne vous regarde pas... mais je voulais que vous le sachiez.

Jenks le fixa d'un air franchement désapprobateur.

— Et moi, je vais vous dire une chose, monsieur le comte, déclara-t-il d'une voix lente. Aubrey Montford est une brave fille. Et elle a assez de problèmes comme ça.

Sur ces mots, le jardinier remit sa casquette sur sa tête et s'éloigna rapidement dans le corridor. Giles demeura cloué sur place, en proie à un indescriptible mélange d'émotions. Le désir, l'humiliation, et une absence totale de remords.

Malgré ce qui venait de se produire, il n'avait pas assez de bon sens pour s'arrêter. Dès que Jenks eut disparu, Giles revint sur ses pas et ne prit même pas la peine de frapper à la porte.

Aubrey n'en croyait pas ses yeux. Lord Walrafen venait de rentrer dans son salon! Cet homme n'avait-il donc peur de rien? N'avait-il pas déjà fait assez de dégâts comme ça? Apparemment non. Il traversa le salon avec assurance, comme si celui-ci lui appartenait. Ce qui, d'ailleurs, était le cas.

Aubrey quitta sa chaise d'un bond et le regarda approcher avec méfiance.

Il jeta son dossier sur la table, d'un geste presque dédaigneux.

— J'ai parlé à Jenks, annonça-t-il avec hauteur. Vous n'aurez pas d'ennuis de ce côté-là.

Elle eut l'impression que quelque chose en elle craquait brutalement. Son emprise sur elle-même, sans doute.

— Vous lui avez parlé? s'exclama-t-elle d'une voix sifflante en contournant la table. Oh! quelle noble attitude! Que lui avez-vous dit, au juste? Qu'il n'aurait pas dû vous déranger pendant que vous débauchiez la gouvernante?

Giles la considéra avec surprise mais se ressaisit vite. Il se rapprocha d'elle et s'arrêta si près qu'elle put voir se détacher dans ses prunelles grises de minuscules taches d'un noir d'ébène.

— Madame, si j'avais eu l'intention de vous débaucher, il y a longtemps que j'aurais troussé vos jupes. Je n'ai fait que vous embrasser. Et il m'a semblé que vous étiez consentante.

— Oh! Comment osez-vous?

Aubrey oublia complètement ses bonnes résolutions. Ne plus ouvrir la bouche. Coopérer. Accepter n'importe quoi pour ne pas être renvoyée.

— Comment osez-vous rejeter la faute sur moi !

Le comte haussa nonchalamment les épaules.

— Je suis désolé de vous avoir mise dans l'embarras. Ce n'était pas mon intention.

— Mais comme vous m'avez trouvée irrésistible, je dois tout pardonner, n'est-ce pas ? suggéra-t-elle d'un ton cynique. Je suppose que vous avez été submergé de désir en découvrant mes qualités de comptable ? Ou était-ce la façon extraordinaire dont le linge était repassé ?

— En fait, c'est votre chute de reins qui m'a fait succomber, Aubrey. Cette jupe met merveilleusement votre croupe en valeur quand vous levez les bras !

Le sang se retira du visage de la jeune femme.

— Je vois, murmura-t-elle. Et vous n'aviez plus qu'à me cueillir comme une pomme bien mûre ?

Cette comparaison provoqua chez Giles un haussement de sourcils étonné.

— Pardonnez-moi, ma chère, mais vous m'avez donné cette impression. Je me suis peut-être trompé. C'était sans doute une autre femme dont j'ai senti les lèvres et la langue se presser contre les miennes ?

Aubrey réagit par pur instinct : elle leva la main pour le gifler. Le comte, aussi rapide que l'éclair, lui saisit le poignet et l'attira contre lui.

— Vous n'y pensez pas, ma chère, dit-il d'un ton menaçant. J'ai supporté de votre part bien assez d'insolence comme cela.

— Eh bien, en voici une autre, lord Walrafen, lança-t-elle sur le même ton. C'est moi qui choisis qui est le bienvenu dans mon lit. Et personne d'autre.

Le masque de sophistication de Walrafen s'effrita. Ses yeux s'assombrirent de fureur et sa bouche forma une ligne dure.

— En parlant de votre lit, Aubrey, lui chuchota-t-il à l'oreille. Vous devriez vous rappeler à qui il appartient, non ? Quant au reste, oui, vous êtes libre de choisir. Aussi, choisissez bien.

— Et moi qui vous prenais pour un gentleman !

Il recula d'un pas et l'enveloppa d'un long regard.

— Je suis un homme politique, rectifia-t-il. Un vrai gentleman ne saurait pas quoi faire de vous.

— Oh! Mais vous le savez, vous?

Avec un regard de défi, il l'attira à lui, plaquant son corps contre le sien.

— Je crois que je commence à avoir une idée, dit-il avant de l'embrasser.

Aubrey avait trouvé le premier baiser irrésistible; celui-ci fit surgir un tourbillon d'émotions, une flamme de passion aveuglante. La pressant durement contre la table de chêne, il prit ses lèvres, fouilla la chaleur de sa bouche.

Elle se débattit, détournant le visage, abattant de toutes ses forces les poings sur ses épaules. Comme elle ne parvenait pas à le repousser, elle essaya de le mordre. Giles lui prit les poignets, les plaqua contre la table et la maintint de tout le poids de son corps, n'hésitant pas à lui faire éprouver la force de son désir viril. Leurs regards se croisèrent.

— Ne me repousse pas, Aubrey, grommela-t-il, haletant.

— Laissez-moi!

Quelque chose dans le regard du comte la choqua. Ses yeux exprimaient une violence, une férocité inimaginables, mais elle y décela aussi de la douleur. Elle l'avait blessé. Pourtant, son expression était celle d'un homme qui obtenait toujours ce qu'il voulait. Aubrey comprit en un éclair qu'elle jouait avec le feu.

— Laissez-moi, je vous en prie, chuchota-t-elle encore une fois.

Tout en relâchant son étreinte, il rapprocha ses lèvres des siennes. Elle baissa les paupières.

— Êtes-vous sûre que c'est bien ce que vous voulez? demanda-t-il d'une voix douce comme du velours. En êtes-vous sûre, Aubrey?

Elle cessa de lutter et son corps s'affaissa un peu contre le plateau de chêne. Mon Dieu! C'était cela, le problème: elle n'en était pas sûre... N'importe quel contact humain, n'importe quelle émotion, fût-ce un désir violent ou la colère, valait mieux que le vide dans lequel elle vivait depuis trois ans.

Ce moment de faiblesse la perdit. Le comte l'embrassa de nouveau. Ses lèvres douces et chaudes semblèrent se fondre contre les siennes. C'était la caresse d'un amant. Submergée par la confusion et le désir, Aubrey eut l'impression de se noyer. Lentement, il goûta à sa bouche et elle sentit son souffle tiède contre sa peau. Les doigts du comte s'insinuèrent dans sa chevelure et elle eut vaguement conscience que celle-ci se répandait sur ses épaules.

Elle finit par réaliser qu'il lui avait relâché les poignets. Il passa un bras autour de sa taille et, apparemment sans le moindre effort, la souleva. Alors, sans qu'elle pût s'expliquer pourquoi, Aubrey eut envie de laisser son corps reposer contre le sien et d'oublier enfin le poids qu'elle portait sur ses épaules.

— Aubrey, je suis désolé, chuchota-t-il contre ses lèvres. Oh! Aubrey...

Sa bouche s'aventura dans le cou de la jeune femme; elle sentit sa chaleur, son souffle. Il lui caressa lentement les reins, les hanches. Elle n'offrit aucune résistance. Encouragé, Giles saisit sa jupe à pleines mains et la fit lentement remonter le long de ses jambes. Puis, il lui agrippa les hanches et la souleva pour la plaquer contre lui. Aubrey perçut à travers leurs vêtements la chaleur de son corps et sa force virile.

Tout à coup, un bruit de sabots retentit dans la cour pavée et une charrette pénétra dans l'enceinte du château. Le vacarme fit au comte l'effet d'une douche glacée. Comme s'il sortait d'un rêve, il leva la tête et regarda Aubrey. Ses mains retombèrent et elle sentit ses jupes glisser de nouveau sur ses jambes.

Elle le dévisagea longuement, en silence.

— Que voulez-vous, monsieur le comte? chuchota-t-elle. Que voulez-vous de moi?

L'air un peu égaré, il scruta son visage.

— Je n'en sais rien, murmura-t-il comme pour lui-même. Je suis désolé, Aubrey. Je... je ferais mieux de sortir d'ici.

Il tourna les talons et gagna la porte d'un pas pesant, les épaules un peu affaissées, les poings serrés. La porte se referma sans bruit derrière lui et il disparut aux yeux d'Aubrey, comme happé par l'ombre du couloir.

Croisant frileusement les bras sur sa poitrine, elle se dirigea vers la cheminée où aucun feu ne brûlait et appuya le front contre le marbre froid. L'odeur âcre des cendres la fit tousser. Elle avait éprouvé du désir pour le comte. Oui, en dépit de sa monstrueuse arrogance, elle avait voulu lui appartenir, et il l'avait percée à jour. Désormais, une chose était claire : si jamais le comte de Walrafen lui ordonnait d'entrer dans son lit, seule sa fierté en souffrirait. Pour le reste, elle obéirait sans trop de mal.

7

Intermède dans un jardin de roses

Peu avant l'heure du dîner, Giles se retrouva en train de déambuler dans les jardins du château. Ses pas l'avaient mené dans les allées sans même qu'il s'en rendît compte. Un affreux sentiment de culpabilité auquel se mêlait une attente impatiente l'avait été rongé tout l'après-midi. Cette attente le taraudait comme une lame bien affûtée. Au nom du Ciel, qu'espérait-il donc ?

Tout. N'importe quoi. L'entendre prononcer un mot. La voir respirer. L'apercevoir, même de loin. Échanger un regard avec elle... cela lui paraissait aussi doux qu'une manne céleste. Il se sentait pathétique. Il s'arrêta, posa la main sur une colonne de pierre et ferma les yeux. Il la désirait follement, et elle le désirait aussi, du moins dans son corps. Leur dernier baiser avait été différent. Dangereux, par son intensité même.

Elle avait cependant prononcé certains mots qui l'avaient profondément blessé. Toutefois, vu l'arrogance de son comportement, il aurait mérité qu'elle soit encore plus dure envers lui. Quoi qu'il en soit, il avait séduit Aubrey... ou presque. Il n'était cependant pas assez idiot pour se bercer d'illusions. Elle avait été réticente, et il s'était conduit comme un goujat. Un vrai gentleman ne se serait pas montré si pressant, ni si agressif. Un vrai gentleman n'aurait pas laissé entendre qu'il était le maître et qu'elle devait obéir.

Pourtant, jusqu'à ce jour, Giles avait toujours cru être un parfait gentleman. Il s'était sans doute trompé, ou

144

alors il avait fini par se trouver face à la seule personne au monde capable de lui faire perdre son sang-froid. Il préféra ne pas s'attarder sur cette pensée.

Levant les yeux, il s'aperçut qu'il se trouvait à l'entrée de la roseraie. Les lauriers qui l'entouraient étaient devenus si hauts et verdoyants qu'il n'avait pas tout de suite reconnu l'endroit. Dans l'état d'esprit qui était le sien, ce jardin isolé lui parut le lieu idéal où porter ses pas.

Il souleva la poignée de la grille en fer forgé qui s'ouvrit en grinçant. Les murs ne lui parurent pas aussi hauts qu'autrefois, mais à part cela le jardin que Jenks entourait de mille soins n'avait pas changé depuis son enfance. Les murailles étaient couvertes de rosiers grimpants, alors que les parterres nettement taillés ne comportaient que des rangées de buissons courts et robustes. Le nom de chaque variété était inscrit sur des plaques de céramique, mais fleurs et feuillages avaient disparu en cette saison tardive.

Au centre du jardin se trouvait la fontaine dont il avait gardé le souvenir. Trois chérubins potelés tenant chacun une aiguière versaient de l'eau dans un bassin arrondi, sous leurs pieds. Il avança lentement le long de l'étroite allée de gravier et alla glisser sa main sous l'eau et la regarda s'écouler le long de ses doigts, puis retomber en gouttelettes dans la fontaine.

Dieu, que cette eau était froide ! Aussi froide que le corps du pauvre Elias dans sa tombe. Aussi froide que Cardow. Et aussi froide que son inaccessible intendante lui avait paru au début. Ah ! mais les apparences étaient trompeuses, n'est-ce pas ? Pensif, il retourna sa main pour regarder l'eau éclabousser sa paume.

— Il ne faut pas faire ça ! lança une petite voix sortie des buissons. Ce n'est pas bien, de gaspiller l'eau.

Par pur réflexe, Giles retira vivement sa main avant de se rappeler qu'il était le seigneur et maître du château. Contournant la fontaine, il pénétra plus avant dans le jardin autour duquel étaient disposés des bancs. Sur le plus éloigné d'entre eux un petit garçon était assis. Il ne devait pas avoir plus de huit ans, et ses pieds ne touchaient pas le sol.

L'enfant se laissa glisser à terre et vint vers lui d'une démarche incertaine. Non... en fait, il boitait. Giles lutta contre une vague de nausée. Ce devait être le fils d'Aubrey. Il s'arrêta près du banc le plus proche de Giles et, posant la batte de cricket qu'il tenait, leva vers lui deux grands yeux bleus et limpides.

— Maman dit qu'il ne faut pas jouer dans la fontaine, déclara-t-il avec un grand sérieux. Elle ne nous appartient pas.

Obéissant à une impulsion, Giles s'assit et fit signe au garçonnet de l'imiter.

— Ce n'est pas grave. Je suis lord Walrafen.

— Oh... fit l'enfant qui ne comprenait visiblement pas ce que cela signifiait.

D'ailleurs, cela n'avait peut-être aucun sens, songea Giles en souriant pour lui-même. Du moins, pas dans le grand dessein de la vie.

— Tu aimes jouer ici ?

Le garçon hocha la tête.

— Je me dis que c'est un fort et que les Peaux Rouges vont attaquer.

— Tu dois être le jeune Montford ?

Les yeux de l'enfant s'arrondirent. S'apercevant avec un peu de retard qu'il avait négligé de se présenter, il tendit timidement la main à Giles. Ce geste ne cadrait pas vraiment avec les bonnes manières, puisqu'il était le fils d'une domestique, mais Giles lui serra la main de bon cœur.

— Je m'appelle Iain, dit-il doucement.

C'était donc lui, le garçon qui avait été gravement blessé et dont l'arrivée avait tant irrité Pevsner, trois ans plus tôt. De fait, il était rarissime d'engager une gouvernante ayant un enfant à charge, mais Elias avait paru s'accommoder très bien de sa présence. Du moins, pour autant que Giles ait pu en juger.

— Dis-moi, Iain. As-tu déjà vu un vrai Peau Rouge ?

— Non, avoua le garçon d'un air abattu. Mais ils sont fiers et courageux et ils vivent en Amérique. Vous êtes déjà allé dans ce pays ?

— Hélas! non, répondit Giles en contemplant les murs gris du château qui se détachaient dans le ciel éclairé par le soleil couchant. Mais j'ai vécu dans ce château, quand j'étais petit. J'avais à peu près ton âge quand je suis parti.

— Pour aller où? s'enquit l'enfant avec curiosité.

— Pour aller...

Pour aller en enfer... Ce fut la première réponse qui traversa l'esprit de Giles, mais il se ressaisit.

— Oh! tout simplement pour aller à l'école! Mon père pensait que c'était mieux pour moi.

— Ma maman ne me laissera jamais partir. Pourtant, j'aime bien l'école.

Giles s'efforça de sourire gentiment au petit garçon.

— Ma maman non plus ne voulait pas que je m'en aille, dit-il d'une voix étranglée. Tu vas à l'école du village?

— Oui. Je suis fort en arithmétique.

— Ah! comme ta mère! fit remarquer Giles.

Les comptes d'Aubrey étaient impeccablement tenus. Si elle était malhonnête, cela ne transparaissait pas dans sa comptabilité. Elle avait un esprit d'économie certain : le domaine commençait à rapporter et Giles, déjà à la tête d'une fortune, était en passe grâce à elle d'augmenter considérablement les revenus de ses terres!

Le garçon garda le silence quelques secondes.

— Tu sais, Iain, dit Giles en balayant la roseraie d'un regard circulaire. Quand j'étais enfant, ce jardin était fermé. Mais j'y entrais quand même. Mon oncle Elias me prenait sur ses épaules pour m'aider à grimper sur le mur.

Iain écarquilla les yeux.

— C'est très haut!

— Je m'accrochais aux treillis pour redescendre, avoua Giles avec un clin d'œil. Le plus difficile, c'est de grimper sur le mur extérieur.

L'enfant l'enveloppa d'un regard admiratif.

— Tu connaissais mon oncle? s'enquit brusquement Giles.

Tout en posant la question, il se demanda pourquoi il s'engageait dans cette conversation. Il était néanmoins trop tard pour revenir en arrière.

— Le major Lorimer était mon oncle, tu vois.

Iain soutint son regard sans broncher.

— Je n'avais pas le droit de déranger le major, dit-il. Mais il est mort, maintenant. Maman l'a fait habiller avec ses vêtements de soldat.

— Nous l'avons enterré hier, tu sais.

— Oh! Maman disait qu'il était très courageux et que c'était un grand héros de guerre. C'est pour cela qu'il devait se reposer et que je ne devais pas faire de bruit.

Giles se rendit compte avec un choc que ses yeux s'embuaient de larmes.

— Oui, Iain, dit-il d'une voix sourde. C'était un vrai héros.

Iain haussa les épaules et déclara en faisant la moue :

— Ce doit être très fatigant de faire la guerre. C'était un gentil oncle?

— Je n'en ai jamais connu de meilleur.

Une vive émotion serra le cœur de Giles. C'était vrai, Elias avait été un oncle merveilleux... jusqu'à ce qu'il revienne de la guerre, brisé par ce qu'il avait vécu.

«Nos soldats paient un affreux tribut» avait dit Aubrey.

Elle avait prononcé ces mots avec une sorte de passion, et depuis, ces paroles le hantaient, comme si elles l'avaient pénétré jusqu'au cœur.

— As-tu un oncle préféré, Iain? Un oncle, c'est quelqu'un de très précieux, tu sais.

Le garçon ne répondit pas tout de suite.

— J'en avais un, dit-il au bout de plusieurs secondes. Il y a longtemps.

— Ah! c'est bien, répondit Giles en souriant. Comment s'appelait-il?

— Fergus. Fergus McLau...

Iain se figea tout à coup et se tut.

— N... non, reprit-il d'une voix tremblante. C'était un autre nom. J'ai oublié.

— Cela arrive quelquefois.

L'enfant parut soudain si mal à l'aise que Giles orienta la conversation sur un autre sujet.

— Tu as une jolie batte de cricket. Tu aimes ce jeu?

— Je connais les règles, dit Iain avec un haussement d'épaules. Mais je n'arrive pas à me servir de la batte.

Giles lui tapota gentiment le genou.

— Tu apprendras. Je ne jouais pas trop mal, il y a vingt ans. Nous pourrons nous entraîner ensemble, un jour, si tu veux bien.

Le visage du garçonnet s'éclaira.

— Oh oui !

— En attendant, amuse-toi bien dans le jardin, petit Montford, dit Giles avec plus d'enjouement qu'il n'en ressentait. Le devoir m'appelle.

Alors qu'il se levait, son genou céda comme cela arrivait parfois. Il trébucha et dut faire quelques pas avant de recouvrer sa démarche habituelle.

— Vous boitez, fit observer Iain. Moi aussi.

Giles éprouva une nouvelle vague de nausée. Il se tourna vers l'enfant.

— On m'a dit que tu avais été blessé dans l'effondrement de la tour. Je suis désolé. J'espère que tu ne boiteras pas longtemps.

— Je vais guérir, affirma Iain d'une voix égale. C'est le Dr Crenshaw qui l'a dit. Vous vous êtes blessé en tombant ?

— Non, répondit Giles en esquissant un sourire. En fait, on m'a tiré dessus.

Iain écarquilla les yeux.

— C'est vrai ? Qui a fait ça ? demanda-t-il, le souffle court. Un bandit de grand chemin ?

— Non, un contrebandier, chuchota Giles sur le ton de la confidence.

— Vrai ?

— Vrai, rétorqua Giles en décidant d'enjoliver un peu l'histoire. C'était sur un sentier du bord de mer, il faisait nuit. Un endroit sinistre.

Les grands yeux bleus de Iain s'élargirent comme des soucoupes.

— Vous avez tiré aussi ? Vous l'avez tué ?

— En fait, c'était une femme. Tu vois, mon garçon, il ne faut jamais tourner le dos à une femme en colère. Mais non, je n'ai tué personne.

— Et alors, que s'est-il passé ? Racontez-moi tout !

Giles secoua la tête en signe de refus.

— Il faut que j'aille m'habiller pour le dîner, sinon Mrs Jenks sera très fâchée contre moi. Mais je te promets de te raconter cette affreuse histoire un autre jour. À condition que ta maman m'y autorise.

— Oh... Eh bien, au revoir, monsieur.

Giles gagna d'un pas tranquille la grille du jardin.

— Oh ! encore une chose, Iain ! lança-t-il par-dessus son épaule.

— Oui, monsieur ?

— Tu peux jouer dans la fontaine autant que tu veux. Je dirai à ta maman que tu as ma permission.

Le visage de l'enfant s'illumina et il fit à Giles un grand signe de la main lorsque celui-ci franchit la grille.

Cet intermède avait été des plus intéressant, songea le comte en tirant le vieux portillon derrière lui. Bien qu'il n'ait pas trouvé la solitude qu'il espérait, il venait de passer un moment agréable avec quelqu'un qui ne cherchait pas à obtenir quelque chose de lui.

Le fils d'Aubrey Montford, quoiqu'un peu réservé, était aussi un garçon doté de charme et d'intelligence. Giles s'était retrouvé en lui, car il avait été lui aussi un enfant rêveur et silencieux. Certains, d'ailleurs, le trouvaient toujours trop lointain. Quoi qu'il en soit, sa rencontre avec Iain lui avait remonté le moral, même s'il ne pouvait détacher ses pensées d'Aubrey.

— Lord Walrafen a été attaqué par une contrebandière ! annonça Iain un peu plus tard ce soir-là, le nez dans son bol de chocolat chaud.

Aubrey interrompit son raccommodage et leva la tête.

— Je te demande pardon ?

— Lord Walrafen, répéta l'enfant en soufflant sur sa tasse. Une contrebandière lui a tiré dessus. Sur la côte.

Ils étaient tous deux assis près de la cheminée, comme toujours après le dîner. Jusque-là, Iain était resté silencieux, contrairement à son habitude, et Aubrey, dont les nerfs étaient à fleur de peau, ne l'avait pas cajolé comme elle l'aurait fait en temps ordinaire.

— Qui t'a raconté ces sottises, Iain ? demanda-t-elle en tirant sur son aiguille.

Iain leva vers elle de grands yeux innocents.

— C'est lui ! Il est entré dans la roseraie et il a même dit que je pouvais jouer dans la fontaine.

Aubrey observa l'enfant.

— Tu as dû mal comprendre, mon chéri. Les messieurs comme le comte ne se font pas attaquer par des contre-bandiers.

— Mais c'est vrai ! répliqua Iain d'une voix stridente. Il boitait, alors je lui ai demandé pourquoi.

— Iain !

— C'est là qu'il m'a parlé des contrebandiers, expliqua l'enfant. Ils étaient très méchants. Et si tu lui donnes l'autorisation, il me racontera toute l'histoire.

— Ah, vraiment ? murmura Aubrey.

Elle marqua une pause, pour couper le fil de ses dents.

— Eh bien, nous verrons. Mais n'ennuie pas le comte avec ça, mon chéri. Nous vivons sous son toit et c'est lui qui paie mon salaire.

Comme il me l'a crûment rappelé aujourd'hui, ajouta-t-elle en elle-même.

— Je ne l'ai pas ennuyé ! rétorqua Iain, sur la défensive. Sauf quand il a joué avec l'eau de la fontaine et que je lui ai dit que c'était interdit parce que…

— Ô mon Dieu ! s'exclama Aubrey.

Iain eut l'air un peu embarrassé.

— Je ne savais pas qui il était, bredouilla-t-il.

Aubrey posa son ouvrage à côté d'elle et prit le menton de l'enfant dans sa main.

— C'est bon, Iain. J'espère que tu as été poli et respec-tueux.

— Oh oui ! Et je l'ai trouvé très gentil. Betsy dit qu'il est barbant, mais c'est pas vrai ! Moi, je le trouve drôle.

Drôle ? Lord Walrafen, drôle ?

Aubrey ferma les yeux. En même temps, elle se dit qu'il faudrait réprimander Betsy.

— Il m'a dit qu'il fallait se méfier des femmes, poursuivit Iain. Il paraît qu'il ne faut jamais leur tourner le dos. C'est comme ça qu'il s'est fait tirer dessus.

Aubrey haussa les sourcils.

— Mmm… Voyons si j'ai bien compris cette horrible histoire. Lord Walrafen s'est fait tirer dessus par un contrebandier, à cause d'une femme, sur le chemin de la côte?

— Non! protesta Iain en secouant la tête. C'est une contrebandière qui a tiré.

— Tu as peut-être mal compris? suggéra doucement Aubrey. Il est tard, tu devrais aller te coucher.

Iain finit de boire son chocolat et se leva. Puis, avec un regard curieux vers Aubrey, il demanda:

— Est-ce que lord Walrafen va vivre avec nous, maintenant?

Aubrey attira l'enfant vers elle et l'embrassa sur le front.

— Non, mon chéri, il ne peut pas. Il faut qu'il retourne à Londres.

— Oh! fit Iain en baissant les yeux. Et combien de temps va-t-il rester ici?

— Quelques jours, je pense. Pourquoi?

Iain haussa les épaules et contempla pensivement le bout de ses chaussures.

— Il sait jouer au cricket.

Aubrey eut un sourire mélancolique. Il manquait un père à Iain. L'enfant n'avait aucun souvenir de ses parents, ni de son père ni de Muireall. Pauvre Muireall! Elle avait été trop malade pour être une mère attentive et son mariage l'avait brisée. Pourtant, il aurait mieux valu pour tout le monde que son mari ne meure pas. Sa mort mystérieuse avait mis un terme à l'existence confortable et privilégiée qu'Aubrey avait connue jusque-là, et Iain n'était plus désormais qu'un orphelin à la merci des autres.

Jusqu'à présent, Mr Jenks avait plus ou moins joué le rôle d'un grand-père dans la vie de Iain. Mais, au printemps, Jenks partirait. Vers qui le garçon pourrait-il se tourner, alors? Certainement pas vers le comte de Walrafen. Il n'avait pas le temps de s'intéresser au fils d'une domestique, car tel était le statut de Iain, à présent. À cause de la décision qu'elle avait prise, peut-être avec trop de hâte, il devait vivre de la charité d'autrui. Était-ce juste? N'avait-elle pas commis une terrible erreur en arrachant Iain à sa destinée?

L'espace d'une seconde, Aubrey envisagea de demander de l'aide au comte. Elle était si lasse de porter seule ce fardeau! Walrafen semblait avoir pris l'enfant en sympathie, et il avait certainement le pouvoir de le protéger de ceux qui lui voulaient du mal. Si Iain se trouvait sous la protection du puissant lord Walrafen, Fergus McLaurin n'oserait pas toucher à un cheveu de sa tête!

Fergus était loin. L'Écosse aussi...

Si loin que les Anglais étaient à peine conscients de l'existence de ce pays et de ce qu'il s'y passait. En outre, pourquoi lord Walrafen se soucierait-il du sort de Iain? L'enfant n'était pas sous sa responsabilité, mais sous celle d'Aubrey. Walrafen ne leur devait rien. Par ailleurs, pourquoi croirait-il sa version des faits, plutôt que celle de Fergus? Ce dernier dirait simplement qu'elle était une meurtrière, qu'elle avait échappé de peu à la corde, et qu'elle avait enlevé Iain.

Aubrey emmena l'enfant dans sa petite chambre, qui n'était en fait qu'un grand cellier dans lequel elle avait installé un lit et une commode. Une gouvernante n'était pas censée avoir un enfant à elle, et elle avait eu beaucoup de chance de trouver cette maison où Iain avait été accepté. Beaucoup de chance aussi que le major ait été un homme de parole. Sa position à Cardow valait qu'elle consente quelques sacrifices.

Devait-elle aller jusqu'à offrir son corps au comte de Walrafen? Elle ferma les yeux et réfléchit. Oui. S'il le fallait, elle irait jusque-là. Inutile de trop réfléchir. Elle survivrait à cette épreuve. Dieu du Ciel! Peut-être même y trouverait-elle du plaisir...

Iain fut rapidement couché sous ses couvertures.

— Dors bien, mon chéri, murmura-t-elle quand ils eurent fini de dire leurs prières.

— Oui, maman. Toi aussi, répondit l'enfant en bâillant.

Elle se pencha sur le lit, repoussant une mèche qui tombait sur le front du garçonnet.

— Iain, chuchota-t-elle sur une brusque impulsion. Si tu te réveillais pendant la nuit et que je ne sois pas là, te rappelles-tu ce que tu devrais faire ?

Il fit un signe affirmatif.

— Traverser le couloir pour aller dans la chambre de Betsy, murmura-t-il, déjà presque endormi.

Aubrey l'embrassa encore une fois, souffla sa bougie et retourna dans le salon. Quelques instants plus tard, elle entendit frapper à sa porte. Les nerfs tendus, elle se raidit. Elle n'était pas prête à affronter une crise domestique... encore moins à recevoir Walrafen.

Lorsqu'elle ouvrit la porte, elle eut la surprise de découvrir Pevsner sur le seuil. Il était rare que le major-dome s'aventurât chez elle ; c'était mauvais signe.

— Entrez, monsieur Pevsner, dit-elle aussi poliment qu'elle le put. Vous travaillez tard, ce soir.

— Je n'ai pas le choix, répondit-il d'un ton maussade. Ce Higgins a passé la journée dans la maison, à semer la panique parmi les valets. Nous venons seulement de finir de ranger la vaisselle du dîner.

Aubrey hocha la tête d'un air compréhensif. Elle ne détestait pas Pevsner, mais il était vraiment trop paresseux à son goût. En plus, il se délectait des commérages les plus sordides.

— Asseyez-vous, proposa-t-elle avec amabilité. J'allais justement prendre du chocolat. En voulez-vous une tasse ?

— Non, merci, dit-il en s'asseyant sur la chaise que Iain avait libérée. Le garçon est endormi ?

— Oui. Pourquoi ?

— Je veux vous parler. Au sujet de ce meurtre.

Aubrey emplit sa tasse de chocolat chaud et revint s'asseoir.

— Je vous écoute.

Pevsner pinça les lèvres.

— Vous savez, je suppose, que la montre du major a été dérobée ?

Aubrey tressaillit et renversa un peu de chocolat sur ses doigts.

— Aïe! Pardonnez-moi, que disiez-vous? Vous parliez d'une montre?

— La montre en or du major a été volée, répéta le majordome avec mauvaise humeur. Une montre de prix, avec des saphirs incrustés autour du cadran. Je suis sûr qu'un des valets l'a volée. Et il a peut-être même tué le major pour la lui prendre.

Aubrey sentit sa gorge se nouer.

— Personne ici ne serait capable d'un tel acte. D'ailleurs, tous les domestiques étaient partis à la fête avec vous, n'est-ce pas?

Pevsner ignora sa question et reprit:

— J'ai pris la liberté d'informer le comte de ce vol. Naturellement, il est très inquiet. Higgins va mener une enquête. Entre-temps, je suggère que nous fassions fouiller les chambres des servantes demain.

— Vraiment, monsieur Pevsner! Cela n'est pas nécessaire!

Pevsner se raidit.

— Je me suis occupé personnellement des valets. À présent, il faut voir parmi le personnel féminin.

— Vous avez fouillé leurs chambres? s'exclama Aubrey, excédée.

En réalité, elle ne se faisait aucun souci pour les valets. Bon sang! Elle aurait dû se douter que quelqu'un remarquerait la disparition de cette fichue montre! Elle n'en avait jamais voulu, de toute façon. Pendant un instant, elle envisagea d'aller la jeter dans l'étang, mais elle savait qu'elle ne pourrait jamais se résoudre à un tel geste. La remettre tout simplement dans la chambre du major? Chaque parcelle de cette pièce avait été fouillée. Au lieu de calmer les esprits, la réapparition de la montre susciterait encore plus de questions.

— Je ne les ai pas fouillées, admit Pevsner. Mais j'ai parlé avec chaque valet. J'ai été très ferme et exigé qu'ils me tiennent au courant si jamais l'un d'entre eux apprenait quelque chose au sujet de cette montre.

— Très bien, déclara Aubrey en maîtrisant du mieux qu'elle le pouvait sa peur et sa colère. Je ferai la même chose avec les servantes. Tout le monde doit être traité de la même façon.

— La montre était dans son coffret trois jours avant la mort du major, poursuivit Pevsner. Je l'ai vue de mes propres yeux. Et puis, il y a autre chose.

— Vraiment ? Quoi donc ?

— L'enquête va démarrer bientôt.

Aubrey se sentit chanceler. Une enquête, bien sûr... Elle aurait dû s'y attendre.

— Tous les domestiques voudront y assister, dit le majordome avec un reniflement méprisant. L'affaire est si mystérieuse ! Je suggère de les occuper ici et de les laisser à l'écart de tout ça.

Une sensation de nausée envahit Aubrey. Quelle horrible journée !

— Quand cette enquête doit-elle avoir lieu, monsieur Pevsner ?

— Dans deux jours. Elle se tiendra dans la grande salle du King's Arms. Naturellement, notre présence à tous deux sera indispensable.

— Pourquoi ? s'exclama-t-elle, en proie à une soudaine panique.

Pevsner la considéra d'un air étrange.

— Mais... parce que vous êtes le principal témoin, madame Montford, annonça-t-il avec un plaisir évident. Vous devrez donner votre version des événements.

8

Lady Delacourt se fixe une mission

Après avoir passé une nuit blanche, Aubrey se leva avant l'aube. Elle n'avait pas de temps à perdre en inquiétudes au sujet de l'enquête ou de lord Walrafen. Tant que le comte ne l'aurait pas renvoyée, elle était gouvernante de Cardow, et lord et lady Delacourt allaient quitter le château aujourd'hui. Dès 7 heures du matin, Betsy avait dû monter dans leur suite pour aider leur femme de chambre à préparer les malles de sa maîtresse.

Betsy n'était pas partie depuis dix minutes quand Ida trébucha dans l'escalier de l'arrière-cuisine et se foula la cheville. Aubrey se trouva donc privée d'une servante pour le petit déjeuner.

N'ayant pas le choix, elle dut monter elle-même dans le salon où serait servi le premier repas de la journée. Elle passa dans l'antichambre où elle déposa le plateau de café, puis alla tirer les tentures de la salle à manger. Son premier réflexe fut de passer un doigt sur la desserte pour vérifier qu'il n'y avait pas de poussière, après quoi elle ramassa un minuscule bout de laine sur le tapis. Les valets avaient déjà disposé l'argenterie et la vaisselle sur la table que Lettie avait garnie d'un bouquet de glaïeuls blancs. Tout semblait en ordre.

En y regardant de plus près, Aubrey trouva une des fourchettes trop terne à son goût. Comme Lettie arrivait avec un chariot garni de briques chaudes, sur lequel se trouvaient les œufs, le bacon, les rognons et les tomates, Aubrey lui tendit la fourchette.

— Ramenez ceci dans le cellier du majordome. Dites à Pevsner que je ne peux accepter ce genre de chose.

— Oh… il ne sera pas content, madame.

— Eh bien, dites-lui que la prochaine fois les valets devront frotter l'argenterie avec un peu plus d'application, répliqua Aubrey avec impatience.

Voyant la mine défaite de la servante, elle eut pitié d'elle et déclara :

— Je vais y aller moi-même. Pouvez-vous disposer les plats sur la desserte ?

Lettie hocha la tête avec un soulagement visible. Quand Aubrey revint, après un échange de mots plutôt désagréables avec Pevsner, Walrafen et lord Delacourt étaient déjà attablés. Elle s'efforça de remplacer discrètement la fourchette, mais sans parvenir à passer inaperçue.

Delacourt leva les yeux et lui sourit.

— Bonjour, madame Montford ! Que se passe-t-il ?

— Je vous demande pardon, monsieur. Une des fourchettes n'était pas impeccable.

— Oh ! Quelle importance ? répliqua-t-il d'un ton enjoué. J'ai mis de pires choses que cela dans ma bouche ! Mes critères sont moins stricts que les vôtres !

Walrafen toussa comme s'il avalait son café de travers. À cet instant, lady Delacourt entra dans un froissement de soie. Elle portait une ample robe de voyage bleue, parfaitement assortie à la couleur de ses yeux, et Aubrey, avec sa triste robe noire, eut l'impression de ressembler à une corneille. Lady Delacourt avait une silhouette épanouie et un visage ravissant, malgré la grimace de contrariété qu'elle arborait en ce moment. Elle posa d'un geste vif un journal sur la table, à côté de l'assiette de Walrafen.

Aubrey se hâta de regagner l'antichambre, dont elle laissa la porte entrouverte.

— Bonjour, Cécilia, dit aimablement le comte. Que m'apportez-vous là ?

Incapable de résister à la curiosité, Aubrey jeta un coup d'œil à lady Delacourt, alors que celle-ci s'approchait de la desserte.

— Le *Times* de mercredi dernier, mon cher Giles, répliqua-t-elle en se servant une tasse de café. L'avez-vous lu ?

— Non.

Walrafen ouvrit le journal devant lui.

— Première page, en bas, à gauche, dit-elle sèchement en s'asseyant à table. Apparemment, les conservateurs s'en donnent à cœur joie !

— Oh ! s'exclama Delacourt en allant lire par-dessus l'épaule de Walrafen. Que se passe-t-il, cette fois ?

— Encore une histoire à propos de la mort d'Elias, dit sa femme d'un ton irrité. Le fait que le grand lord Walrafen ne parvienne pas à obtenir justice chez lui, pour sa propre famille, semble les réjouir ! Ils en font des gorges chaudes. Vraiment, Giles, vous ne trouvez pas que ce Higgins tarde un peu à résoudre l'affaire ?

— Et que voudriez-vous qu'il fasse, Cécilia ? demanda doucement le comte. Qu'il choisisse quelqu'un au hasard pour le faire pendre ?

Delacourt lui prit le journal des mains pour finir l'article et siffla entre ses dents.

— Qu'y a-t-il, encore ? lança Walrafen, agacé. Lisez-nous donc ce torchon, Delacourt !

Ce dernier se racla la gorge d'un air important et lut :

— « Lord Walrafen, notre fameux Tory libéral, finira sans doute par admettre que ceux qui se sont opposés à lui dans le domaine de la justice sont les seuls détenteurs de la vérité. Les brigands et les assassins circulent comme bon leur semble dans notre pays. Walrafen a pu le constater par lui-même récemment, puisque sa propre famille vient d'être touchée et qu'un criminel reste encore impuni. La seule solution pour décourager les assassins demeure une peine de mort appliquée avec rigueur et rapidité. »

Walrafen poussa un grognement sourd.

— Et de qui émane cette opinion ?

Lady Delacourt lui lança par-dessus sa tasse un regard sévère.

— Lord Ridge. Et dire que cet homme est votre ami, Giles ! Je me demande ce que disent vos ennemis.

Delacourt alla se rasseoir.

— Les conservateurs espèrent bien vous rabattre le caquet, avec cette histoire, mon vieux, annonça-t-il d'un ton lugubre. Cela risque de diminuer votre influence et de vous empêcher de faire passer la loi de Peel sur les réformes parlementaires au printemps prochain.

Walrafen jura tout bas.

— Giles, déclara lady Delacourt, ma décision est prise. Je vais vous envoyer Max. C'est même la première chose que je ferai, dès mon retour à Londres.

— Vraiment? Vous comptez expédier le pauvre gars par la poste, Cécilia? marmonna Walrafen, pince-sans-rire.

Aubrey jeta un autre coup d'œil dans la salle. Le comte était en train de beurrer tranquillement un toast. Lady Delacourt fronça les sourcils.

— Oh! vous savez très bien ce que je veux dire! Ne discutez pas! Ce Higgins est un imbécile. Si on n'étouffe pas au plus vite ces commérages, on parlera de cette affaire pendant des mois, voire des années. Et si votre carrière s'effondre du jour au lendemain, ce ne sera bon pour personne!

Son mari éclata de rire.

— Oh! Ma chère, je pense au contraire que cela fera grand plaisir aux conservateurs! Nous devrions envoyer ce Higgins interroger lord Ridge. C'est peut-être lui qui a tué Elias, pour ruiner la carrière de Giles. En tout cas, mon cher Giles, Cécilia a raison sur un point: faites venir Max.

De qui parlaient-ils? Qui était ce Max? Le comte avait une expression qu'Aubrey ne parvint pas à définir.

— D'accord, dit-il enfin. Mais cela l'obligera à quitter sa femme et sa famille, qu'il vient de rejoindre à la campagne.

Lady Delacourt haussa les épaules.

— Il vous doit bien ça. Si votre carrière est en danger, la sienne et celle de Peel le sont aussi.

Plusieurs secondes s'écoulèrent dans un silence total. On n'entendit plus que le cliquetis des fourchettes contre la porcelaine. Cécilia toussota.

— D'accord, dit enfin Walrafen. Parlez-lui, Cécilia. S'il peut faire quelque chose, je lui en serai très reconnaissant.

Delacourt repoussa son assiette.

— Ce serait encore mieux s'il venait avec Kem.

— Pourquoi ? interrogea Walrafen avec un pâle sourire. Vous pensez que j'ai besoin des conseils de Kemble pour améliorer ma garde-robe ?

Delacourt haussa les sourcils.

— Il vous faut quelqu'un qui n'ait pas peur de se salir les mains, rétorqua-t-il sobrement. Quelqu'un qui soit un peu moins englué dans ses principes que ce cher Max.

Il se leva et alla inspecter les plats sur la desserte. Aubrey entra alors avec une assiette d'œufs et de tomates.

— Ah ! Justement, voilà ce que je cherchais. Vous êtes la perfection même, madame Montford !

— Merci, monsieur.

— Au fait, ajouta-t-il en retournant s'asseoir. Voilà quelques jours que je me pose des questions sur votre accent, madame Montford. Il m'a semblé saisir certaines intonations, parfois. De quelle région êtes-vous originaire ?

Aubrey se figea.

— Du Northumberland, monsieur.

Elle avait choisi cette partie de l'Angleterre, car elle se trouvait tout à fait au nord et donc proche de l'Écosse.

— Ah ! Et où viviez-vous, exactement, dans le Northumberland ?

Elle sentit son pouls s'accélérer.

— Près de Bedlington, monsieur.

Delacourt se mit à rire.

— Comme le monde est petit ! J'ai justement un oncle à Morpeth !

Lady Delacourt reposa sa tasse si vivement qu'il y eut un tintement de porcelaine. Sans se soucier de la réaction de son épouse, lord Delacourt fixa Aubrey de ses yeux pétillants de malice.

— Mon oncle s'appelle sir Nigel Digby, annonça-t-il en accompagnant ses paroles d'un clin d'œil. Je suis sûr que vous en avez entendu parler.

Aubrey secoua lentement la tête.

— Non, je suis désolée. Nous menions une vie très retirée.

— Voyons, sir Nigel Digby de Longworth ? dit-il comme pour lui rafraîchir la mémoire. N'essayez pas d'être polie, chère madame. Tout le monde sait qu'il est… bizarre.

— Les gens disent même qu'il est fou, lança lady Delacourt. Et il l'est !

— Je… le nom est vaguement familier, balbutia Aubrey.

— Ô mon Dieu ! s'exclama Walrafen comme s'il comprenait à peine maintenant à qui Delacourt faisait allusion. C'est votre oncle qui… qui a un penchant pour…

— Oui, oui, celui qui aime se travestir en femme, dit Delacourt en saisissant sa fourchette. Il donnerait n'importe quoi pour avoir une robe en serge grise comme la vôtre, madame Montford. Il s'imagine qu'il a été gouvernante dans sa jeunesse, vous comprenez.

Lady Delacourt poussa un soupir accablé.

— Mon cher, à quoi bon parler de tout cela ?

— Et c'est une vieille commère, continua Delacourt, imperturbable. Par bonheur, le pasteur du village est un homme compréhensif : il encourage les habitants à jouer le jeu. Cette année, notre oncle a même été admis dans la Société de botanique des dames de Bedlington. Il n'a pas son pareil pour tailler les rosiers, ce cher oncle Nigel !

— Je… je vois, bredouilla Aubrey.

Lady Delacourt repoussa brusquement sa chaise.

— Seigneur ! Vous avez vu l'heure ? David, je vais demander qu'on descende les malles. Faites approcher les voitures, je vous prie.

Ayant ainsi expédié sir Nigel aux oubliettes, lady Delacourt sortit dans un froufrou de tissus chatoyants. Lord Walrafen se tourna à demi sur sa chaise pour la suivre des yeux. L'expression d'affectueuse admiration qui passa alors dans son regard n'échappa pas à Aubrey qui eut l'impression qu'une lame lui transperçait le cœur. Delacourt avait-il lui aussi surpris le regard de Walrafen ?

Les deux messieurs s'étaient levés et lord Delacourt alla remplir sa tasse de café.

Zut! songea Aubrey, dépitée. La cafetière était presque vide. Elle allait être obligée d'en apporter une autre.

Delacourt se rassit, mais Walrafen, nouant les mains derrière son dos, se mit à faire les cent pas devant la desserte.

— S'il se met à pleuvoir, David, les routes de la côte deviendront dangereuses. Prenez plutôt à travers la lande, loin des falaises.

Son invité se renversa sur sa chaise et l'observa.

— Inquiet pour Cécilia, vieille branche?

Le visage de Walrafen s'assombrit.

— Inquiet pour vous deux, rétorqua-t-il d'un ton sec.

Puis, comme pour se donner une contenance, il alla se servir du café. Aubrey espéra qu'il en restait suffisamment.

Delacourt regarda son hôte avec un bon sourire.

— Il faut me pardonner, Giles, murmura-t-il. J'ai parfois du mal à oublier que vous auriez aimé être le mari de Cécilia. Tout le monde sait que votre père l'a épousée uniquement pour vous empêcher d'en faire votre femme. Une sale affaire, si vous voulez mon opinion.

Walrafen haussa les épaules.

— C'est pourtant exactement pour cela qu'il l'a fait. Et je ne parle pas de l'humiliation qu'il m'a ainsi infligée.

Delacourt eut un grand rire.

— Oui! Eh bien, mon ami, n'oubliez jamais que dans la longue file d'admirateurs qui assiégeait sa porte, j'étais juste derrière vous! Et elle m'a dit avec un doux sourire que je pouvais aller rôtir en enfer. Vous voyez, Giles, ça, c'était vraiment une totale humiliation!

Le comte eut un rictus qui ressemblait vaguement à un sourire.

— J'espère qu'elle n'a jamais deviné les motivations de mon père. J'aimerais qu'elle continue à croire qu'il était vraiment épris d'elle.

L'expression de Delacourt s'adoucit.

— Je l'ai protégée de tout cela, Giles. Comme je la protège toujours des laideurs du monde. Je vous promets que Cécilia ne connaîtra aucun malheur qu'il soit en mon pouvoir d'éloigner.

Lord Walrafen contempla en silence sa tasse vide. Aubrey ne pouvait retarder davantage le moment d'intervenir. Saisissant la seconde cafetière, elle entra dans la salle à manger.

Le visage de lord Delacourt s'éclaira.

— Ah! et voilà la compétente Mrs Montford qui nous apporte du café frais! lança-t-il, retombant avec naturel dans son rôle de noble indolent. Mon ange... murmurat-il en lui attrapant la main au passage. Ce Philistin de Walrafen ne mérite pas une femme ayant tant de grâce et de talent que vous. Que dois-je faire pour vous persuader de me suivre à Curzon Street?

Aubrey ne prit pas la peine de répondre.

— Puis-je remplir votre tasse, monsieur? s'enquit-elle simplement.

— Non, non, dit-il avec un geste de la main. Nous nous servirons nous-mêmes. Je pense que vous avez raison, Giles. Il va pleuvoir. Comment allez-vous occuper votre journée? Vous ne comptez pas la passer avec le juge de paix, je présume?

Walrafen eut un grognement désapprobateur.

— Higgins doit passer un peu plus tard pour me soumettre son rapport, répondit-il en regardant par la fenêtre. Une perte de temps, bien sûr. Après cela, je ferai le tour du domaine.

— Ah! L'appel du devoir! Je pense, mon cher Giles, que toutes les tâches qui vous incombent suffiraient amplement à épuiser deux hommes!

Le comte se détourna de la fenêtre et demanda de but en blanc:

— Au fait, madame Montford, savez-vous monter à cheval?

— Je vous demande pardon, monsieur?

— Je vous demande si vous savez monter à cheval, répéta Walrafen avec un peu d'irritation.

— À cheval? Vous voulez que je vous accompagne?

Lady Delacourt choisit cet instant pour revenir dans la salle à manger.

— Vous allez vous promener ensemble ? demanda-t-elle d'un ton léger. C'est merveilleux ! Mais, Giles, Mrs Montford ne possède peut-être pas de tenue de cavalière ? J'en ai une, je vais vous la laisser, déclara-t-elle en se tournant vers Aubrey.

— Merci, madame, mais j'en ai une, répondit Aubrey en évitant son regard.

Ils l'observèrent tous trois avec curiosité en se demandant sans nul doute pour quelle raison une gouvernante possédait une tenue d'équitation !

— Eh bien ! reprit lady Delacourt avec vivacité. Bonne nouvelle ! À vrai dire, je crois que ma jupe aurait été beaucoup trop courte pour vous. Êtes-vous prêt, mon cher ?

— Bon sang ! s'exclama Delacourt en se levant d'un bond. J'ai oublié de faire approcher les équipages !

Aubrey retourna dans l'antichambre et referma soigneusement la porte derrière elle. Tout en rangeant les plats, elle écouta les voix dans la pièce voisine. Les adieux furent longs, mais le silence finit par retomber. Soulagée que tout soit terminé, elle prit le plateau pour aller chercher le service à café. En ouvrant la porte, elle se rendit compte que lady Delacourt était encore là. Walrafen la tenait étroitement enlacée.

Il relâcha son étreinte et embrassa la jeune femme sur le front. Celle-ci fit aussitôt un pas en arrière.

— Eh bien, au revoir, mon vieux, dit-elle d'un air espiègle en lui rajustant sa cravate. Je vous enverrai Max et Kemble dès mon retour à Curzon Street. Kem pourra peut-être apprendre à Bidwell comment nouer une cravate correctement.

— Au revoir, Cécilia. Merci de l'aide que vous m'avez apportée dans ces circonstances difficiles.

Elle tourbillonna sur elle-même et lui envoya un baiser du bout des doigts.

— C'était avec plaisir, Giles. Vous savez que vous n'avez qu'à demander. Au revoir, madame Montford. Je suis enchantée d'avoir fait votre connaissance.

Sur ces mots elle sortit, laissant Aubrey seule avec Walrafen. Il leur sembla que toute vie et toute lumière avaient quitté la pièce en même temps qu'elle.

Cependant, sans laisser paraître la moindre tristesse, le comte se dirigea vers la porte à grands pas.

— Dans deux heures, madame Montford ? lança-t-il depuis le seuil. Aurons-nous assez de temps ?

— Assez de temps pour quoi, monsieur ?

— Je désire faire le tour du domaine. Je veux tout voir. Chaque champ, chaque étable, tout.

Aubrey saisit la première excuse qui lui passa par la tête.

— Je pense qu'il va pleuvoir, monsieur.

De façon tout à fait inattendue, le comte se mit à rire.

— Et alors ? Vous n'avez qu'à prendre un parapluie !

9

Trois petits mensonges

La pluie n'arriva pas assez tôt pour sauver Aubrey. Le comte l'attendait dans le grand hall, en faisant claquer avec impatience sa cravache sur ses hautes bottes de cavalier. Ils commencèrent leur promenade à pied et visitèrent les bâtiments les plus proches du château : le cellier où l'on conservait le gibier, le pigeonnier et la glacière. Aubrey s'efforça d'avoir une attitude froide et détachée, comme s'il ne s'était rien passé entre eux la veille. Elle avait besoin de son emploi et n'oubliait pas qu'il y avait une insulte au moins que le comte ne lui avait pas faite : à aucun moment il n'avait mis en doute ses capacités professionnelles. Pour lui, elles semblaient aller de soi.

— Pour l'amour du Ciel ! s'exclama-t-il tandis qu'ils traversaient le verger pour se rendre à l'écurie. Nous pourrions loger et nourrir une armée, ici !

Il choisit pour Aubrey une jument baie au tempérament placide et ils partirent au trot, pour parcourir les terres gagnées récemment sur la mer. Walrafen posa plusieurs questions et s'extasia sur la richesse du sol. Quand ils passèrent devant le nouveau cottage de Jack Bartle, Mrs Bartle sortit comme toujours sur le pas de sa porte pour bavarder avec Aubrey. Cependant, elle demeura coite en voyant que le comte l'accompagnait.

Il se montra d'une amabilité étonnante, parlant à la fermière comme s'il l'avait vue la semaine précédente. Il lui demanda des nouvelles de ses enfants, dont il se rappelait les prénoms, et s'enquit de la santé de Mr Bartle, depuis son accident.

— Oh ! Jack se remet tout doucement, monsieur, je vous remercie !

— Puis-je vous faire porter quelque chose du château ? s'enquit Aubrey. Nous avons des panais en abondance, cette saison.

— Merci, madame Montford. J'aimerais avoir du baume de bardane. Le Dr Crenshaw dit que cela aidera la blessure à guérir plus vite.

— Vous l'aurez dès demain, promit Aubrey avant de s'éloigner.

Le comte lui coula un regard de côté.

— Mes fermiers vous connaissent-ils tous aussi bien ?

— Il faut qu'ils aient quelqu'un à qui s'adresser, monsieur. De plus, c'est moi qui encaisse les loyers.

— Vous ? s'étonna-t-il. Il est vrai que je n'ai plus de régisseur.

Aubrey ne répondit pas. Elle avait saisi l'occasion du départ de Erstwilder pour s'attribuer cette tâche. En partie parce c'était une façon intéressante de s'occuper, mais aussi parce que le comte n'avait envoyé personne pour remplacer le régisseur. Puis, comme cela s'était passé pour la propriété de sa mère en Écosse, Aubrey s'était chargée peu à peu de ce travail sans que personne s'en aperçoive. À présent, le comte savait qui dirigeait Cardow, mais il ne semblait pas avoir d'objection à cela. Était-ce une preuve de confiance, ou une conséquence de son désintérêt pour le domaine ?

Ils s'engagèrent en silence sur le chemin de la colline. C'était la partie de la propriété où se trouvaient les fermes les plus étendues et le nouveau moulin. Aubrey était très fière des améliorations qu'elle avait apportées au domaine.

— Avez-vous eu du mal à mener ces deux activités de front ? s'enquit Walrafen un peu plus tard. Vous avez dû être terriblement surmenée ?

— Mon travail de gouvernante était loin de me prendre tout mon temps, puisque le château n'était pas occupé, expliqua-t-elle avec franchise. En outre, votre oncle n'était pas exigeant.

— Dans ce cas, je pense que vous avez dû être contente de voir repartir ma tante Harriet. Sans parler du reste de la famille !

Aubrey marqua une hésitation.

— Il n'est pas bon pour le château que la famille n'y réside pas, monsieur. Un domaine doit être vivant. L'absence de ses propriétaires n'a que des conséquences néfastes. Le personnel devient paresseux. On a l'impression que le maître…

— Que le maître ne se soucie de rien ? C'est faux. Je m'inquiète de mes fermiers et de mon personnel. Ce que je n'aime pas, c'est le château lui-même. Je trouve l'atmosphère oppressante.

— C'est aussi l'impression que j'ai eue quand je suis arrivée, admit Aubrey. Mais en y vivant, on finit par se rendre compte qu'il se dégage une certaine sérénité de ces murs… ainsi qu'une grandeur que la plupart des domaines du royaume sont loin de posséder.

Walrafen l'enveloppa d'un regard curieux.

— Connaissez-vous beaucoup de ces grands domaines ?

Aubrey prit aussitôt conscience de l'erreur qu'elle venait de commettre.

— J'en ai visité un ou deux, répondit-elle prudemment.

— Vous y avez été gouvernante ?

— Oui.

Le comte sembla plonger dans une profonde réflexion, puis demanda :

— Dites-moi, ma chère, où avez-vous appris à gérer un domaine avec tant d'efficacité ? Ce genre de tâche n'entre pas dans les attributions d'une gouvernante, n'est-ce pas ?

Aubrey garda les yeux fixés droit devant elle.

— Mr Erstwilder a laissé d'excellentes notes.

— Étonnant ! Voilà un homme qui ne m'a pas écrit six mots en quinze ans. Je n'ai jamais vu quelqu'un de moins charmant que lui.

— Il a réussi à charmer la femme de l'aubergiste, marmonna Aubrey.

Renversant la tête en arrière, le comte éclata de rire. C'était quelque chose qu'on entendait trop rarement, songea Aubrey. Elle aimait la lueur qui pétillait dans ses yeux, la vivacité qui illuminait son regard. Il la regarda tout à coup et elle se sentit fondre de tendresse.

Ils atteignaient la vieille grange. Aubrey voulait absolument éviter d'être encore interrogée sur son passé. Elle désirait aussi cesser de penser aux yeux de Walrafen et, surtout, lui montrer le nouveau toit de tuiles de la grange. Elle descendit de sa monture en prenant appui sur une souche, estimant cela plus prudent que de laisser le comte poser les mains sur sa taille pour l'aider à mettre pied à terre.

Il dut deviner sa pensée, car il haussa les sourcils et se laissa souplement glisser à bas de son cheval. Cependant, quand sa jambe gauche toucha le sol, les choses tournèrent mal : son genou céda sous son poids. Lâchant les rênes, il chancela et faillit tomber à la renverse. Aubrey se précipita et lui glissa un bras autour de la taille pour l'aider à recouvrer son équilibre.

L'air vaguement embarrassé, Walrafen posa les yeux sur elle.

— Encore mes rhumatismes, dit-il d'un ton bref.

Aubrey fronça les sourcils, l'air sceptique.

— Ah oui ! Ces fameux rhumatismes dont vous ne souffrez pas.

— Par Dieu, madame Montford, vous avez le sens de l'humour, aujourd'hui !

Il se redressa et elle laissa retomber son bras.

— Nous devrions nous reposer sous cet arbre, suggéra-t-elle.

— Excellente idée.

Il enroula les rênes de son cheval autour d'une branche et s'assit à côté d'elle. L'arbre était un vieux chêne aux rameaux à présent dénudés. Avec une petite grimace de douleur, le comte étendit sa jambe et s'adossa au tronc.

Aubrey lui décocha un regard en coin.

— Mon fils m'a dit vous avoir rencontré dans la roseraie, hier. J'espère qu'il n'a pas été impertinent.

— Pourquoi, serait-ce un trait de caractère héréditaire ? demanda-t-il en souriant. Non, il est bien élevé, vous pouvez être fière de lui.

— Je sais.

Il rit de nouveau. Ce rire léger et ses cheveux bruns soulevés par la brise lui donnèrent une allure juvénile.

— Aubrey, vos lèvres sont entrouvertes, fit-il remarquer en se penchant vers elle. Je sais que vous allez poser une autre de vos impertinentes questions.

— Iain m'a dit que vous boitiez parce qu'un contrebandier vous avait tiré dessus. Je suis sûre que vous lui avez raconté cette histoire pour l'amuser. Mais vous n'avez pas de rhumatismes, n'est-ce pas ?

L'air absent, Giles se massa le genou.

— J'ai dit cela la première fois que nous nous sommes rencontrés, car vous aviez envie de me considérer comme un vieillard sénile.

— Monsieur ! Je n'ai jamais pensé une telle chose !

Le regard de Walrafen se posa sur elle.

— Alors, que pensez-vous de moi ? demanda-t-il d'une voix douce, suggestive.

Gênée par l'insistance de son regard, Aubrey se détourna.

— Je pense que vous êtes dans la fleur de l'âge et que vous n'avez pas de rhumatismes. Mais parfois, vous boitez un peu.

Walrafen garda le silence quelques secondes.

— C'est une histoire qui ne peut intéresser que les petits garçons, dit-il enfin. J'ai voulu aider Cécilia à mener à bien l'un de ses projets farfelus. Cette fois-là, il s'agissait d'un foyer pour filles repenties, mais l'une d'elles était impliquée dans une affaire encore plus dangereuse que la prostitution.

— Mon Dieu ! Qu'est-ce que c'était ?

Le comte sourit faiblement.

— Trafic d'opium. Une nuit, Delacourt et moi nous sommes retrouvés aux prises avec des contrebandiers qui déchargeaient leur cargaison au bord de la Tamise. J'ai été atteint à la jambe par une balle perdue.

— Oh… cela a dû être très… désagréable.

Cela ressemblait surtout très peu à l'idée qu'elle se faisait de Walrafen. Serait-il à ce point différent de ce qu'elle avait imaginé ?

Il haussa les épaules avec détachement.

— Ce n'était pas une blessure très grave. Mais quelque chose a été déchiré… un tendon, un ligament, ou je ne sais quoi. Parfois, ce bout de tendon me fait défaut. En tout cas, j'ai très mal quand le temps est à la pluie.

Il venait à peine de prononcer ces mots que le vent se leva, ébouriffant les boucles d'Aubrey qui examina le ciel soudain assombri.

— Monsieur ? Votre jambe vous fait-elle souffrir, en ce moment ?

— Terriblement, avoua-t-il, alors que de grosses gouttes de pluie commençaient à tomber.

Avec une petite exclamation aiguë, Aubrey se leva et attrapa les rênes de la jument qu'elle emmena à l'abri dans la grange. Le comte la suivit, tandis que le déluge se déchaînait.

— Je vous avais bien dit de prendre un parapluie ! cria-t-il pour dominer le vacarme que faisaient les gouttes crépitant sur le toit de tuiles.

Ils emmenèrent les chevaux au fond de la grange et les attachèrent. L'odeur de la pluie vint s'ajouter à celle du foin et du blé entreposé dans de gros sacs de toile. Un chat roux sauta d'une poutre et s'enfuit le long de la cloison en leur lançant un regard méfiant.

Walrafen secoua son chapeau trempé et l'accrocha à un vieux clou rouillé. Aubrey l'imita. La pluie tombait maintenant avec violence, inondant la cour de terre battue devant le bâtiment.

— L'orage ne durera pas, dit le comte. Installons-nous plus confortablement en attendant que ça passe.

Au fond de la grange, ils trouvèrent un tas de paille propre et sèche sur lequel ils purent s'asseoir. Pendant quelque temps, ils écoutèrent la pluie qui continuait de tomber dru. L'atmosphère d'intimité qui régnait à l'intérieur de la grange mit Aubrey vaguement mal à l'aise.

Cela dut se voir, car Walrafen lui lança un regard oblique et dit :

— Vous n'avez rien à craindre de ma part, Aubrey.

Elle se mit à lisser doucement les plis de sa jupe tandis que le regard du comte se perdait dans l'obscurité.

— Êtes-vous fâchée parce que je vous ai embrassée hier ? demanda-t-il. Dois-je encore vous présenter des excuses ?

Aubrey ne sut que répondre. Était-elle fâchée ? Ce qu'il avait fait était incorrect, bien sûr, mais elle n'était pas certaine de vouloir oublier ce qu'elle avait éprouvé.

— Je ne prétendrai pas ne rien avoir ressenti d'agréable, monsieur. Mais il n'était pas très sage de se comporter comme nous l'avons fait.

Il darda sur elle ses yeux gris et brillants, fouillant son regard.

— Était-ce si déraisonnable, Aubrey ? Sous toute votre colère et toute mon arrogance, il y avait quand même une intense passion, non ?

— Je suis votre domestique, monsieur.

Le comte leva la main puis la laissa retomber dans la paille.

— Vous êtes une femme, Aubrey. Une femme belle et désirable.

Aubrey secoua la tête, l'air obstiné.

— Ce baiser était une erreur, monsieur, mais n'en parlons plus. Nous ne sommes pas destinés l'un à l'autre.

— Destinés ? répéta-t-il, éberlué. Qu'exigerez-vous de moi, Aubrey, avant d'accepter de faire l'amour ? Un anneau de mariage ?

Elle détacha son regard du sien.

Je veux que vous me regardiez comme vous regardez lady Delacourt. Je veux que vous accrochiez une fleur dans mes cheveux et que vous m'embrassiez sur le front.

Oh non ! elle ne pouvait avouer cela.

— Je suis votre domestique, monsieur le comte, répéta-t-elle.

— Aubrey, si vous m'appelez encore une seule fois « monsieur le comte » quand nous sommes seuls, je serai obligé de vous embrasser.

— Comment dois-je vous appeler, alors ?
— Giles.
— Non, c'est trop familier.

Il jura entre ses dents et, posant les coudes sur les genoux, se tourna vers la porte comme s'il voulait exclure totalement Aubrey de ses pensées. Son regard se perdit sur le rideau de pluie qui se déversait devant le battant grand ouvert.

Aubrey trouva qu'il paraissait plus jeune qu'à son arrivée au château. Certes, les cernes de chagrin qui soulignaient ses yeux n'avaient pas tout à fait disparu, mais il semblait plus détendu et son attitude était nettement moins guindée. Elle le voyait parfois, lorsqu'il traversait l'étage des domestiques, échanger des plaisanteries avec les valets. Il revêtait plus volontiers ses habits campagnards bruns, des pantalons en daim, négligeant les stricts costumes noirs que ses activités londoniennes l'obligeaient à porter. Cependant, certaines choses n'avaient pas changé. Quel que soit son habit, il était toujours aussi beau, et d'une insupportable arrogance.

Elle demeura un long moment assise, le regard fixé sur lui. Ses cheveux noirs et ses yeux gris étaient superbes ; ses mâchoires aux contours fermes lui donnaient l'air volontaire. Avec son nez droit et fin, il avait une allure parfaitement aristocratique, mais quand il riait... Oh... Quelque chose se noua d'émotion tout au fond d'elle-même.

Walrafen finit par sentir son regard peser sur lui. Il se renversa sur un coude et l'observa pensivement.

— Aubrey, dit-il de but en blanc. Étiez-vous très éprise de votre mari ?

Elle détourna précipitamment les yeux.

— Je... je pense que oui.

— Ah... vous êtes incertaine. Mais l'amour, le vrai, n'est jamais incertain, ma chère.

— Que pouvez-vous savoir d'une telle émotion ? s'enquit-elle, oubliant un instant l'existence de lady Delacourt.

Elle se reprit et murmura :

— Je suis désolée, je n'aurais pas dû dire ça. Je suis sûre que vous avez souffert, vous aussi.

Il répliqua en haussant les sourcils :

— Je n'ai jamais été marié.

C'était à croire qu'un démon caché la poussait, car elle ne put s'empêcher de déclarer :

— Certes, mais les commérages vont bon train, à l'étage des domestiques. On murmure que vous êtes toujours amoureux de lady Delacourt et que vous ne voulez pas d'autre épouse qu'elle.

— Diable ! s'exclama le comte en mordillant un brin de paille. Ils disent cela ?

— J'ai surpris une ou deux conversations.

— Cela ne paraît pas vous plaire, ma chère ?

Aubrey aurait aimé qu'il cesse de l'appeler « ma chère », de cette voix grave et séduisante.

— Le fait que cela me plaise ou non ne vous concerne pas, monsieur.

Il la regarda, de ses yeux gris et pétillants.

— Je pourrais pourtant me sentir concerné par ce qui vous fait plaisir.

Aubrey ignora l'allusion et rétorqua :

— Je me suis montrée indiscrète, monsieur. Je vous demande pardon.

— Tiens ? Alors ça, c'est nouveau !

— Qu'est-ce qui est nouveau ?

Le comte se mit à rire de bon cœur.

— Le fait que vous me demandiez pardon, Aubrey. Alors que vous vous mêlez de mes affaires depuis des années !

Il garda le silence un moment, puis ajouta :

— Pour en revenir à lady Delacourt, je l'ai courtisée quelque temps quand nous étions tous les deux très jeunes. Je trouvais qu'elle avait du charme et de la beauté, mais je ne parvenais pas à me déclarer. Et celui qui se montre trop hésitant perd la partie, vous savez.

— Je suis désolée pour vous, monsieur, dit Aubrey en s'efforçant de demeurer gracieuse.

Giles haussa les épaules avec désinvolture.

175

— Cela nous ramène à ce que je disais : l'amour vrai n'admet pas l'incertitude.

— Vous ne l'aimiez donc pas ?

Allons bon ! C'était de pire en pire, songea Aubrey. Quand apprendrait-elle à tenir sa langue ?

Loin de s'offenser, Walrafen parut peser ses mots avant de répondre.

— J'ai été très amoureux d'elle. Mais maintenant, elle fait partie de ma famille, et c'est pour moi une très grande amie.

La réponse était pour le moins ambiguë, et Aubrey prit conscience qu'elle ne voulait pas de la moindre ambiguïté. Ce qu'elle avait envie d'entendre, c'était que lord Walrafen n'avait jamais éprouvé de désir pour sa jolie belle-mère. Elle fut effarée par cette pensée. Détachant les yeux des siens, elle se remit à lisser avec application les plis de sa jupe.

Giles vit un étrange mélange d'émotions passer sur les traits de la jeune femme. Puis elle se détourna et, pour la centième fois, passa le plat de sa main sur ses vêtements. Elle était un peu plus pâle que d'ordinaire, et son visage exprimait une sorte de tristesse. À quoi pensait-elle ? Elle n'était quand même pas jalouse ? Non, impossible : elle repoussait systématiquement ses avances et ne semblait pas s'intéresser le moins du monde à lui.

En revanche, elle pouvait éprouver du désir pour lui. Il s'en était aperçu hier, en la sentant frémir entre ses bras, s'abandonner à un élan de passion. Quelle sensation étourdissante ! Avec elle, il s'était senti plus vivant et plus viril qu'à vingt ans ! Pourtant, c'est tout juste s'il avait pu la toucher.

Néanmoins, Aubrey ne lui inspirait pas uniquement une passion physique. Certes, elle possédait une beauté que ses tristes robes de gouvernante ne parvenaient pas à dissimuler ; mais il y avait aussi chez elle une beauté intérieure. Tout cela, pourtant, était souligné par une sorte de mélancolie. Une aura de tristesse, une solitude qu'elle tenait à s'imposer. Pourquoi ? C'était une femme si secrète que personne ne semblait vraiment la connaître.

« Elle est très réservée », avait dit Crenshaw. Or, il y avait chez elle plus que de la réserve. Giles se demanda encore une fois ce qu'elle pouvait bien cacher. Quelques idées se formaient dans sa tête, encore nébuleuses. Cette incertitude le rendait fou. Non qu'il redoutât la vérité. Ce qui le mettait hors de lui, c'était de constater avec quelle facilité elle parvenait à l'exclure de son monde secret. Elle ne semblait avoir besoin de personne, et surtout pas de lui.

— Aubrey, dit-il en interrompant le cours des pensées de la gouvernante. Je me suis trompé, pour la pluie.

— Pardon ?

Il s'appuya encore une fois sur son coude et la regarda de côté.

— Ce déluge n'est pas près de s'arrêter. Je m'ennuie à mourir. Aimez-vous les jeux de société ?

La question parut déconcerter Aubrey.

— Vous voulez dire… les charades, par exemple ?

— Ce genre de choses, oui. Mais je pensais plutôt aux devinettes. Simon, le fils aîné de Cécilia, les adore. Son jeu préféré, c'est « les trois petits mensonges ».

— Je n'en connais pas les règles, monsieur.

— Je vous les expliquerai au fur et à mesure, annonça-t-il avec un large sourire. En quelques mots, voici le principe du jeu : je vous pose une question et vous pouvez répondre par la vérité ou par un mensonge. Si vous dites trois mensonges sans que je m'en aperçoive, vous l'annoncez et vous gagnez la partie. Mais moi, j'ai droit à trois challenges. Si je m'en sers à bon escient et que je débusque un mensonge, vous devez payer un gage que je choisis moi-même. Toutefois, vous n'êtes pas obligée de dire la vérité.

— Oh ? fit-elle d'un air suspicieux. Et quel genre de gage aurais-je à payer ?

— Quelque chose d'idiot. Une fois, Simon m'a obligé à faire le poirier, ce qui n'était pas drôle. Une autre fois, j'ai dû chanter en me pinçant le nez. Mais la plupart du temps, je me contente de faire le tour de la pièce à cloche-pied.

Aubrey le considéra comme s'il était subitement devenu fou.

— Je ne crois pas que ce jeu me plaise.

— Aubrey... nous sommes coincés ici au moins pour une heure. J'essaie de me comporter en gentleman, et vous avez tout intérêt à m'aider.

— Très bien, dit-elle d'une voix étranglée.

Il sourit et se renversa dans la paille en croisant ses mains derrière sa tête. Aubrey noua sagement les doigts sur ses genoux.

— C'est moi qui pose les questions le premier, puisque j'ai déjà répondu aux vôtres, déclara-t-il. Et le premier qui gagne trois rounds sera le champion.

— D'accord, fit-elle avec une réticence manifeste.

Les yeux au plafond, il réfléchit un court moment. Mieux valait commencer par des questions simples pour ne pas éveiller sa méfiance.

— Qu'avez-vous mangé au petit déjeuner ce matin ?

Ses joues se colorèrent de façon ravissante.

— Rien.

Giles l'observa attentivement et décida :

— Je ne porterai pas de challenge à ce sujet. Mais pourquoi n'avez-vous pas mangé ? Vous n'aviez pas faim ?

— Cela fait deux questions, monsieur, rétorqua-t-elle d'un ton guindé.

Giles fronça les sourcils.

— D'accord. Contentez-vous de répondre à la première.

— Je me sentais trop nerveuse, avoua-t-elle. Je voulais que le dernier jour de lady et lord Delacourt au château soit parfait et qu'ils en gardent un excellent souvenir. Ensuite, je me suis querellée avec Pevsner au sujet de l'argenterie et cela m'a coupé l'appétit.

— Vous vous disputez souvent avec lui ?

La question sembla la plonger dans la perplexité.

— Cela fait-il partie du jeu, monsieur ? Si c'est le cas, il faut que je trouve un mensonge plausible.

— Cela n'a pas d'importance. Revenons à notre jeu. De qui avez-vous hérité ces magnifiques yeux verts ?

Troublée, elle battit des paupières.

— De ma mère, répondit-elle si spontanément qu'il sut sans l'ombre d'un doute que c'était vrai.

— D'accord. Comment s'appelait-elle ?

— Janet.

— Aubrey, Aubrey… Il faut essayer de me faire croire un mensonge, sinon vous ne gagnerez pas.

Elle hocha la tête, l'air plus déterminé.

— Et quelle est la meilleure chose que vous ait léguée votre père ?

— Monsieur, cela fait appel à mon opinion personnelle, vous ne croyez pas ?

— Contentez-vous de répondre, dit le comte avec impatience.

Aubrey fronça les sourcils comme dans un intense effort de réflexion et annonça lentement :

— Je crois que c'est… ma ténacité. Mais cela est une qualité, pas un trait de caractère.

— Cela ira très bien, accorda Giles. Et je ne mets pas en cause votre réponse. Dieu sait que vous êtes tenace, en effet !

Elle le fusilla du regard et dit :

— Quand pourrai-je vous poser des questions à mon tour, monsieur ?

— Quand cette manche sera terminée. Où êtes-vous née ?

Elle hésita une seconde de trop avant de répondre :

— Dans le Northumberland.

Giles secoua la tête en se rappelant sa réticence, ce matin, quand Delacourt l'avait questionnée. Il songea aussi à la remarque d'Ogilvy sur son accent.

— Non. Je conteste cette réponse.

— Pourquoi ? répliqua-t-elle d'un air offensé.

Il lui encercla le poignet de ses doigts.

— Parce que c'est ma prérogative. Allons, avouez ! Vous avez menti ?

Aubrey essaya de se dégager, mais il la maintenait solidement.

— Bon, très bien. J'ai menti, vous avez raison.

— Alors, où donc êtes-vous née ? demanda-t-il sans relâcher l'étreinte de ses doigts.

— Monsieur, vous ne pouvez pas répéter sans cesse la même question. Ce n'est pas juste : vous diminuez mes chances de gagner.

— D'accord, mais vous me devez quand même un gage, déclara-t-il en l'attirant vers lui.

Il savait qu'il allait faire quelque chose de stupide, mais ne pouvait s'en empêcher.

— J'avais presque oublié cette règle du jeu, Aubrey. Voyons… je pense que je vais vous demander de m'embrasser.

Aubrey poussa une exclamation outragée et voulut se dégager.

— Monsieur le comte, cela est beaucoup plus grave que de marcher à cloche-pied !

Ces mots le firent éclater de rire.

— Je n'ai pas dit que vous devriez marcher sur un pied, ma chère ! Mais seulement qu'il faudrait faire quelque chose d'idiot.

— Ce n'est pas idiot, de vous embrasser ! répliqua-t-elle d'une voix sifflante. C'est dangereux ! Vous croyez que je ne m'en suis pas rendu compte, hier ? Ce n'est pas ainsi que vous m'avez présenté ce jeu, monsieur, vous m'avez trompée !

— Aubrey, Aubrey… n'oubliez pas que je suis politicien. Les propos trompeurs, les mots déformés, c'est mon fonds de commerce !

— Ce n'est pas honorable.

— Oh ! Aubrey, ma chère !

Giles tira sur son poignet d'un coup sec. Aubrey perdit l'équilibre et bascula dans la paille à côté de lui.

— Vous avez dit il y a cinq minutes que ce baiser était une chose idiote. Le niez-vous ?

— Non, non, répliqua-t-elle, les yeux lançant des éclairs. Je ne vous donnerai pas cette satisfaction.

De sa main libre, il lui caressa doucement les lèvres.

— Alors, embrassez-moi sur-le-champ. Je veux sentir vos lèvres sur les miennes.

Pendant une seconde, il crut qu'elle ne le ferait pas. Puis elle s'appuya sur un coude, ferma les yeux et posa la bouche sur celle de Walrafen.

Giles s'attendait à devoir la retenir par force. Il pensait qu'elle se contenterait d'effleurer ses lèvres avant de se retirer vivement mais, apparemment, elle avait l'intention d'exécuter pleinement son gage. Ses lèvres pleines se pressèrent contre les siennes avec douceur et tendresse. Giles posa la main sur sa taille souple et elle s'abandonna contre lui en soupirant, prolongeant son baiser exquis et pourtant innocent.

Incapable de résister, il l'enlaça et pressa son corps contre le sien. Aubrey était presque entièrement couchée sur lui, à présent, et ses lèvres caressaient les siennes. Elle avait un parfum doux et féminin, qui évoquait le lilas et les herbes folles. Elle voulut écarter ses lèvres une fraction de seconde, mais il la ramena vers lui. Elle ne résista pas. Même pas lorsqu'il ouvrit la bouche sous la sienne. Alors, elle laissa le bout de sa langue courir sur ses lèvres.

Ils s'embrassèrent lentement, langoureusement, comme s'ils avaient toute la vie devant eux. Comme s'ils ne se trouvaient pas dans un lieu ouvert à tous vents. Cependant, quelque chose sembla ramener tout à coup Aubrey à la réalité. Elle s'écarta brusquement de lui et le contempla, en laissant ses mains plaquées sur sa poitrine.

— Voilà, dit-elle, pantelante. J'ai payé mon gage.

Giles essaya de la ramener vers lui.

— Aubrey... ne t'en va pas... je t'en prie.

— J'ai payé mon gage, répéta-t-elle. Ne... ne me tourmentez pas davantage, monsieur le comte.

— Il m'en reste deux, grommela-t-il.

L'air aussi effrayé qu'un animal aux abois, elle écarquilla les yeux.

— Quoi ?

— J'ai droit encore à deux challenges. Répondez donc à cette question, Aubrey. Aimiez-vous votre mari ?

Il vit son front se plisser. Elle ferma les yeux.

— Répondez-moi.

Elle secoua la tête, sans soulever les paupières.

— Non. Je suis obligée de dire non.

— Comment s'appelait-il ? demanda-t-il d'une voix sourde.

Pendant un instant, il crut qu'elle n'allait pas répondre. Puis elle chuchota :

— Charles.

À peine le nom eut-il franchi ses lèvres, qu'il sut que c'était un mensonge.

— Non. Je conteste cette réponse.

Aubrey ouvrit les yeux.

— Très bien, comme vous voulez.

— Vous mentez ? Aubrey, si vous avez menti, avouez-le.

— Oui, j'ai menti.

Cette fois, le mot « gage » ne fut même pas prononcé. Giles l'attira vers lui et l'embrassa. Si leur premier baiser avait fait jaillir des étincelles, celui-ci déclencha un incendie. Leurs corps s'embrasèrent, ils perdirent tout contrôle. Le comte la renversa sur le dos et se hissa au-dessus d'elle. Il oublia le bruit de la pluie, l'odeur entêtante de la paille humide. Il n'y avait plus qu'elle.

Il prit sa bouche encore et encore, ne se lassant jamais de son goût, de sa douceur. Haletante, Aubrey lui rendit son baiser avec ardeur, tout en laissant courir ses mains sur ses épaules puissantes. Il éprouva un désir fou, incontrôlable, de s'unir à elle, tout en sachant que cela n'entraînerait que des problèmes.

— Aubrey, Aubrey…

Il enfouit le visage au creux de son cou, inhalant son parfum.

— Pourquoi me fais-tu cela ?

— Je ne fais rien, murmura-t-elle, éperdue.

Giles posa la main sur son bras, la fit glisser sur sa taille, puis plus bas. Avec un gémissement, elle se cambra, brûlante de désir, pour aller à sa rencontre. Il ne demandait qu'à la satisfaire.

Roulant sur le côté, il défit les boutons de sa veste, en repoussa les pans et lui caressa doucement les seins. Elle était douce et chaude, parfaite. Les yeux fermés, la respiration saccadée, elle demeurait passive, lui permettant simplement de la toucher à sa guise. Or, il était certain qu'elle le désirait aussi. Du bout du pouce, il caressa à travers l'épaisse étoffe de coton un mamelon tendu et le sentit durcir sous sa caresse. Incapable de résister, il posa ses lèvres sur le mamelon et le taquina longuement de sa langue.

— Aubrey, murmura-t-il en s'écartant légèrement pour la contempler. Tu es si belle.

Il la regarda intensément, comme s'il était conscient de vivre un rêve qui pouvait s'interrompre à tout moment pour le projeter de nouveau dans la monotonie désolante de son existence ordinaire. Presque désespéré, il déboutonna le haut de sa jupe. L'autoriserait-elle à aller plus loin ? Un deuxième bouton céda. Aubrey ne dit rien mais son regard, lourd d'un désir auquel se mêlaient des foules de questions, soutint le sien avec une expression éperdue.

— Laisse-moi te toucher, ma chérie, murmura-t-il. Laisse-moi te montrer.

Tous les boutons de sa jupe étaient défaits. Il repoussa en arrière les plis de son habit. Alors, plus rien ne l'empêcha de glisser la main sur son jupon en coton blanc, pour caresser le lieu le plus secret de sa féminité. Elle frémit à son contact. Était-ce de désir ? Giles insinua les doigts entre ses cuisses et continua de la caresser. Aubrey émit un petit cri étranglé et laissa sa tête retomber en arrière, dans la paille.

Il trouva sans vraiment le vouloir l'ouverture pratiquée dans le tissu et glissa un doigt dans les plis de sa chair, tout en l'embrassant avec une passion renouvelée. Elle gémit de nouveau et soupira. Il alla plus loin, s'enfonçant dans sa chaleur. Le parfum doux et âcre de sa féminité l'enveloppa et il sentit son sang s'enflammer de désir. Son doigt rencontra alors le plus secret de son corps : il la sentit se figer entre ses bras.

— Ne bouge pas, Aubrey, chuchota-t-il contre sa bouche. Laisse-moi te caresser.

Se détendant imperceptiblement, elle retomba contre la paille et le laissa la caresser plus profondément. Le bouton caché de son désir était tendu, sa chair déjà empreinte d'une douce moiteur. Giles fit glisser son doigt, traçant des cercles autour du minuscule bouton qui détenait la clé de son plaisir, jusqu'à ce que ses gémissements s'accélèrent.

Aubrey le désirait, du moins son corps exprimait-il ce désir. Cette pensée lui embrasa les reins. La plaquant fermement sous lui, Giles prit plus profondément possession de sa bouche, lui écartant les jambes du poids de son corps afin de mieux l'exposer à ses caresses. Il sentit le désir monter en elle, de plus en plus aigu. Elle s'ouvrit davantage sous lui, soulevant les reins pour se presser contre sa main.

Il se souleva alors pour contempler son visage tout en continuant de la caresser.

Elle avait les yeux fermés. De ses lèvres entrouvertes s'échappait un gémissement sourd et continu, sa respiration était haletante.

— Arrêtez, chuchota-t-elle, pantelante. Oh! je vous en prie... je ne peux pas.

Il pressa les lèvres contre sa tempe.

— Je te veux dans mon lit, Aubrey. Ce soir. Quand les autres seront couchés. Viens me retrouver.

Elle ne dit rien et n'ouvrit pas les yeux.

— Je ne devrais pas... le vouloir... murmura-t-elle au bout de quelques secondes.

— Mais tu le veux, pourtant. Je t'en prie, Aubrey, ne me torture pas. Tu en as envie, autant que moi. Dis-le.

— Oui, souffla-t-elle avec un hochement de tête.

— Ce soir, alors. Tu viendras?

— Non. Non, pas ce soir.

— Pourquoi? Pourquoi, Aubrey?

Giles laissa sa main retomber, puis remit un peu d'ordre dans les vêtements de la jeune femme.

— Le pasteur, dit-elle d'une voix presque inaudible. Crenshaw et lui doivent dîner avec vous. Vous finirez tard. Et puis cela semblerait... si... oh! je ne sais pas!

Sacrebleu! Il avait oublié le fichu pasteur.

— Demain, alors. Tu viendras demain, Aubrey? Dis-moi?

Elle rouvrit les yeux mais se détourna en évitant son regard. Son visage était enflammé.

— Ai-je le choix, monsieur ? Mon propre corps me trahit. Et vous êtes impitoyable.

Elle ne disait que la vérité, mais les mots tempérèrent l'ardeur de Giles.

— Tu es une créature passionnée, Aubrey. Il n'y a aucun mal à cela. Et de toute évidence, tu éprouves du désir pour moi.

— Oui, admit-elle dans un souffle.

Giles lui effleura le cou de ses lèvres, ferma les yeux et respira avec délices le parfum de sa peau.

— Personne ne le saura, Aubrey. Quel mal y a-t-il à se donner mutuellement du plaisir ?

Il crut percevoir les pensées qui défilaient dans l'esprit de la jeune femme, crut entendre les questions qui s'élevaient entre eux. Il aurait dû lui laisser une possibilité de s'échapper, il le savait. Lui donner le pouvoir de refuser, comme elle était tentée de le faire, mais il savait aussi que le désir existait en elle, ne demandant qu'à s'épanouir.

Tout à coup, elle s'abandonna entre ses bras. Était-ce de la résignation ? Se rendait-elle à contrecœur ?

— Tu viendras ? demanda-t-il d'une voix rauque.

Il fut étonné de la sentir tourner la tête vers lui et poser les lèvres sur sa tempe. Son souffle chaud lui effleura l'oreille lorsqu'elle murmura :

— Oui. Demain. À minuit, monsieur le comte.

10

Où ? Mrs Montford demande une faveur

— Pourquoi Ida a-t-elle dit que le crooner était un affreux vieux fou, maman ? demanda Iain le soir suivant.

Tout en parlant, il jouait avec sa batte de cricket devant la cheminée.

— On dit le *coroner*, rectifia Aubrey en souriant à l'enfant. Ida ne s'exprime pas correctement. Et elle n'aurait pas dû dire cela. Ce vieux gentleman était très gentil.

— Et à quoi ça sert, un cor-o-ner ? s'enquit Iain en balançant sa batte.

Aubrey lui ébouriffa gentiment les cheveux.

— Le coroner est la personne qui conduit l'enquête. Il y a une enquête quand on ne comprend pas comment quelqu'un est mort.

Iain appuya sa batte contre le manteau de la cheminée.

— Il a été gentil avec toi ? Il t'a posé des questions ?

— Oui, mon cœur.

Aubrey repoussa les tentures et jeta un coup d'œil dans la cour intérieure. Il faisait nuit noire et la seule lueur provenait de deux flambeaux placés de part et d'autre du portail. Les jours avaient raccourci et le froid s'annonçait. Déjà, le vent sifflait autour des murs du château comme en décembre. Aubrey éprouva une vague impatience. D'ici à décembre, le comte de Walrafen se serait bien décidé à regagner Londres, du moins l'espérait-elle.

Elle laissa retomber le rideau et plaqua une main sur son estomac ; elle ne se sentait pas bien. L'enquête l'avait bouleversée, et elle avait perçu trop de regards dardés sur elle, aujourd'hui.

Naturellement, elle avait dit la vérité. Oh... peut-être pas toute la vérité. Le coroner n'avait pas posé ses questions avec une grande habileté, tandis qu'elle avait su y répondre avec une certaine adresse. Cette épreuve était passée, mais une autre l'attendait. Elle n'avait pas oublié sa promesse à lord Walrafen.

— On peut jouer à un jeu ? demanda Iain.

Aubrey pivota vivement sur elle-même.

— Bien sûr ! Choisis celui que tu veux, pendant que je prépare le chocolat.

Le visage de l'enfant s'illumina.

— Le Vice et la Vertu ! lança-t-il joyeusement en se précipitant dans sa chambre.

Aubrey réprima un rire nerveux. Pourquoi fallait-il qu'il choisisse ce jeu, justement ce soir ? Elle était sur le point de s'engager sur le chemin du vice, alors qu'elle avait essayé toute la journée de se persuader que c'était la vertu qui la guidait dans cette voie !

Pendant qu'elle préparait le chocolat chaud, Iain poussa leur petite table devant le feu et installa le jeu. Au moment où Aubrey déposa la tasse de chocolat devant l'enfant, quelqu'un frappa doucement à la porte. La jeune femme crut défaillir en voyant entrer le comte. Elle s'avança vers lui et murmura, le souffle court :

— Monsieur, il n'est que 7 heures et demie.

Or, Walrafen semblait presque avoir oublié leur rendez-vous.

— Oui. C'est-à-dire qu'il fait très froid dans mon bureau. J'avais oublié que le vent pouvait souffler si fort au-dessus du Canal.

Aubrey posa une main sur la poignée de la porte, un geste qui, espéra-t-elle, l'inciterait à repartir aussitôt.

— Je ferai placer des bourrelets à vos fenêtres dès la semaine prochaine, promit-elle. En attendant, je vais demander au valet de monter du charbon pour...

Le comte l'interrompit d'un geste de la main.

— Asseyez-vous, ordonna-t-il. Je voulais simplement… vous rendre visite. Je pense que cette pièce doit être la plus chaude du château.

— Oui, c'est à cause du… du mur d'enceinte qui protège cette cloison du vent.

Giles se frotta les mains et jeta dans le salon un regard circulaire.

— Je ne rêve pas… ça sent le chocolat chaud, n'est-ce pas ?

— Oui. Aimeriez-vous…

— Avec plaisir.

— Nous allions jouer à un jeu, annonça Iain. Le Vice et la Vertu. Quelle couleur voulez-vous ?

Le comte approcha de la table et examina le carton de jeu.

— « La Vertu récompensée et le Vice Puni », lut-il à haute voix. « Pour l'amusement des enfants des deux sexes ».

Il coula un regard en coin à Aubrey et déclara :

— Je me sens très jeune, ce soir, madame Montford. Assez jeune pour jouer. À condition que vous n'ayez pas d'objection ?

— Bien sûr que non, monsieur, dit Aubrey en déposant une tasse devant lui.

Lord Walrafen approcha une chaise et s'assit en tapant dans ses mains.

— Je prends le rouge ! annonça-t-il.

Sans très bien comprendre la raison de sa présence chez elle, Aubrey s'assit également. La situation n'avait rien de naturel, mais rien de désagréable non plus. Walrafen leva les yeux, accrocha son regard, et lui sourit avec chaleur. Pour la première fois, Aubrey remarqua une fossette sur sa joue gauche et, tout à coup, sans savoir pourquoi, elle éprouva une bouffée de bonheur.

Ils commencèrent à jouer en suivant docilement les directives de Iain. Le résultat, bien sûr, fut la plupart du temps comique.

— Vous avez obtenu quatre points, dit l'enfant au comte. Vous avez le droit de sortir de la Maison de Correction et de vous rendre directement dans le Château de la Folie.

188

— Est-ce que c'est bien ? s'enquit le comte.

Iain haussa les épaules.

— C'est mieux que d'atterrir dans le Domaine de l'Hypocrisie, je crois, dit-il en faisant tourner la petite roue en carton. Regardez ! Je vais tout droit dans la Vérité !

Iain fut bientôt en tête des joueurs. Lord Walrafen suivait en trébuchant çà et là, en raison de sa connaissance sommaire des règles du jeu. Aubrey, quant à elle, atterrit successivement dans les Domaines de l'Impertinence, de l'Obstination et de la Paresse.

— Par exemple ! s'exclama Giles quand elle arriva sur cette dernière case du jeu. Cela ne se peut ! Mrs Montford n'est certainement pas paresseuse.

Il prit son jeton et le fit glisser directement au centre du carton, sur la case de la Vertu.

Aubrey lui lança un regard par-dessus le bord de sa tasse.

— Comme c'est charitable de votre part, monsieur. Vous n'avez pourtant pas eu de remords à me voir m'attarder dans les Domaines de l'Impertinence et de l'Obstination !

Giles eut un grand sourire.

— Cela me semblait vous convenir à merveille.

— Elle ne peut pas rester dans la case de la Vertu ! annonça Iain sans prêter attention à leur bavardage. Elle doit retourner en arrière et rejouer !

— Iain a raison, monsieur le comte. Je n'ai pas le droit de revendiquer une place dans le Domaine de la Vertu.

Le comte saisit le jeton d'Aubrey et le fit avancer jusqu'au Luxe.

— Cela vous convient-il, madame Montford ?

— Il faut respecter les règles du jeu, lord Walrafen, fit poliment remarquer Iain.

Le comte lança un regard de côté à Aubrey et cligna de l'œil.

— Il m'arrive de l'oublier, avoua-t-il.

Aubrey fit la moue en reposant sa tasse.

— Je ne pense pas que le Luxe soit non plus un endroit pour moi.

— Mais j'aimerais beaucoup vous laisser là, madame Montford. Je veux dire, vous garder dans le Luxe. Si vous me le permettez.

Déroutée, Aubrey chercha ses mots. Heureusement, avec son innocence, Iain la tira d'affaire en reposant son jeton sur la case où il aurait dû se trouver.

— Vous êtes trop lents, marmonna-t-il, bouddeur. Je dois me coucher à 8 heures et demie.

L'air un peu contrit, lord Walrafen se remit à jouer et respecta les règles du jeu jusqu'à la fin de la partie. Iain gagna, bien sûr. Ensuite, il rangea le jeu pendant qu'Aubrey allait chercher le livre qu'ils étaient en train de lire. Quand elle revint, elle vit le comte aider l'enfant à replier la table de jeu et à la glisser à sa place.

— Nous lisons *Robinson Crusoé,* de Daniel Defoe, monsieur, dit-elle en se rasseyant. J'espère que vous ne trouverez pas cela ennuyeux?

— Pas du tout, madame. Je peux donc rester?

Iain bâilla et se renversa dans son fauteuil.

— Je vous le conseille, dit-elle. Nous en sommes à sa troisième année sur l'île et il s'inquiète pour sa récolte de maïs.

— C'est un excellent exemple pour moi. On m'a dit justement que je ne m'inquiétais pas assez pour la mienne.

— Je n'ai jamais dit cela, protesta Aubrey.

— Pas en termes clairs, en effet, admit le comte en haussant les sourcils. Nous vous écoutons, madame Montford.

Aubrey commença sa lecture. Elle avait à peine lu six pages, que Walrafen lui posa doucement la main sur le bras. Elle s'interrompit et vit que Iain s'était endormi dans son fauteuil, la tête sur l'accoudoir.

— Il risque d'avoir un torticolis, si nous le laissons ainsi, dit le comte.

Aubrey posa le livre et se leva.

— Je vais le porter dans son lit, répondit-elle.

Mais Lord Walrafen avait déjà pris l'enfant dans ses bras.

— Montrez-moi le chemin.

Aubrey ouvrit la porte de la petite chambre.

— Il lui faudrait peut-être une autre couverture? murmura Giles en bordant soigneusement l'enfant. Il fait particulièrement froid, ce soir.

La chambre était si exiguë qu'ils ne pouvaient circuler. Aubrey désigna la commode d'un geste de la main.

— La couverture est dans le dernier tiroir.

Le comte ouvrit le tiroir et sortit la couverture. Toutefois, son geste demeura en suspens lorsqu'il découvrit le plaid nettement plié qui se trouvait dessous. C'était un plaid aux couleurs des Farquharson. Il passa lentement la main sur la laine et Aubrey fut envahie par une vague de panique. Presque aussitôt, elle se raisonna; il était peu probable que le comte reconnaisse d'un coup d'œil le plaid d'un obscur clan écossais. Encore moins probable qu'il le sorte du tiroir pour l'examiner.

En effet, Walrafen se redressa en souriant et lui tendit la couverture brune. Ils l'étalèrent ensemble sur le lit de Iain et sortirent en refermant la porte derrière eux. Lord Walrafen s'arrêta dans le salon et caressa la joue d'Aubrey du bout des doigts.

— Merci, Aubrey, dit-il doucement. Iain et vous avez été très bons en acceptant de passer la soirée avec moi.

Elle le regarda sans broncher et demanda d'une voix égale :

— Voulez-vous vous asseoir au coin du feu avec moi, monsieur? J'aimerais vous dire quelque chose.

Elle eut l'impression, dans la lueur des bougies, qu'il pâlissait un peu.

— Vous m'inquiétez, Aubrey.

— Ce que j'ai à vous dire risque en effet de ne pas vous plaire, avoua-t-elle avec un sourire en coin. Puis-je vous offrir un verre de sherry? Je vais en prendre un moi-même.

Walrafen se passa une main dans les cheveux.

— Oh! cela me plaît de moins en moins! Aubrey, s'il s'agit de ce qui s'est passé dans...

— Ce n'est pas cela.

Elle ouvrit un petit placard sous la fenêtre et remplit deux verres de sherry. Elle en offrit un au comte puis s'assit face à lui. Les flammes qui dansaient dans la cheminée éclairaient le visage de Giles de reflets orangés.

Aubrey avala une gorgée de vin en espérant que cela lui donnerait un peu de courage.

— J'aimerais vous demander votre aide, commença-t-elle lentement. Mais vous allez peut-être trouver cela présomptueux de ma part.

— J'en doute, ma chère, dit-il en posant son verre.

Il ne semblait pas spécialement surpris. En fait, il paraissait plutôt soulagé. L'espace d'un instant, Aubrey envisagea de lui révéler toute la vérité. Il y avait dans la chambre une telle atmosphère d'intimité... et, surtout, le poids de sa culpabilité commençait à peser trop lourd. Cependant, le comte la croirait-il ? Comment réagirait-il ? Que penserait-il ?

Oh ! elle pouvait répondre sans trop de mal à ces questions ! Il se rendrait compte qu'il abritait chez lui une criminelle. Impossible d'énumérer tous les ennuis que cela risquait de lui attirer. Il pouvait dire adieu à sa carrière, sa famille serait déshonorée... quoi d'autre ? Aubrey ne savait même pas quelles charges pouvaient être retenues contre elle. Vol et enlèvement d'enfant, certainement.

Elle sentit la main du comte se poser sur son bras.

— Qu'y a-t-il, ma chère ? Comment puis-je vous aider ?

Aubrey s'efforça de reprendre pied dans le présent.

— J'ai une faveur à solliciter. Maintenant que le major Lorimer est mort et que Jenks va prendre sa retraite, je n'ai plus personne à qui me confier.

— Bien sûr, dit Walrafen en se penchant sur elle. Mais s'il s'agit d'argent, Aubrey, rassurez-vous, j'en ai...

— Il n'est pas question d'argent.

Cette supposition l'avait blessée et cela transparut dans sa voix.

— J'ai pris conscience, avec la mort de votre oncle, que la vie est incertaine. Je suis seule responsable de Iain, et s'il devait m'arriver malheur...

— À vous ? Que voulez-vous dire ?

Elle se renversa dans son fauteuil avec un haussement d'épaules.

— Des gens meurent tous les jours de façon inattendue, monsieur. Une mauvaise chute, un accès de pneumonie, un empoisonnement…

— D'accord. Que voulez-vous, exactement ?

— J'ai écrit une lettre pour Iain. Je veux qu'elle lui soit remise le jour de sa majorité. J'ai également rédigé un testament. Ces deux documents sont scellés et cachés dans ma Bible. J'ai aussi quelques économies et des bijoux ; des souvenirs de famille. Tout cela se trouve dans le tiroir où vous avez pris la couverture. Si je devais disparaître, j'aimerais que vous le donniez au pasteur et que vous lui demandiez de se charger de l'éducation de Iain. Acceptez-vous de faire cela pour moi ?

Giles secoua la tête.

— Aubrey, tout cela n'a pas de sens ! Je ne permettrai pas qu'il vous arrive quelque chose. Et je ne laisserai pas Iain aux mains d'un étranger.

— Votre pasteur n'est pas un étranger, répondit-elle doucement. Et Iain n'aurait nulle part où aller.

— Iain est ici chez lui, Aubrey, déclara le comte comme s'il énonçait une évidence. Pourquoi diable devrait-il aller vivre à deux kilomètres du château, dans un misérable petit presbytère, avec un homme assez vieux pour être son grand-père ?

— Parce que je vous le demande.

Walrafen se rembrunit.

— Aviez-vous demandé la même chose à mon oncle ? Elle acquiesça d'un hochement de tête.

— Je l'ai fait quelques mois après mon arrivée. Malgré ce que pensent les gens, j'avais confiance en lui. C'était un homme qui avait le sens de l'honneur.

Giles lui lança un regard sombre.

— Et pourquoi me dites-vous cela, à moi ?

— Parce que je me rends comte que vous êtes comme lui, répondit-elle en soutenant son regard. Vous lui ressemblez beaucoup. C'est un compliment, monsieur, pas une insulte.

Il se leva et alla s'agenouiller devant elle.

— Aubrey, ma chérie, dit-il en lui prenant le visage à deux mains. Il ne vous arrivera pas malheur. Ni à Iain. Ni à moi. Mais si cela devait se produire, je vous donne ma parole d'honneur que je veillerai sur lui.

Aubrey ferma les yeux.

— Ne le laissez jamais quitter le Somerset. Qu'il reste au château ou au village, c'est vous qui en déciderez, mais gardez-le ici. En sécurité. Je vous en supplie.

Lord Walrafen l'embrassa doucement, avec tendresse. Quand il s'écarta, elle se rendit compte que cette étreinte l'avait rassurée.

— Aubrey, ne parlons plus de ces choses horribles qui n'arriveront pas. Je suis venu pour une tout autre raison. Pour quelque chose de bien plus agréable à envisager.

— Vous vouliez me rappeler ma promesse ? chuchota-t-elle.

Les yeux du comte s'assombrirent.

— Je préfère appeler ça « notre arrangement ». Êtes-vous toujours d'accord ?

Incapable d'articuler un mot, elle hocha la tête.

En le voyant hésiter, elle crut pendant quelques secondes qu'il voulait annuler leur rendez-vous. Il scruta longuement son visage avant de pousser un soupir et de laisser retomber ses mains.

— Dans une heure ? murmura-t-il. La maison sera tranquille à ce moment-là.

À 10 heures du soir, Giles faisait les cent pas sur le tapis de sa chambre. Il tenait un verre de cognac à la main et sa robe de chambre en soie noire lui battait les talons. Il ne parvenait pas à se faire à l'idée qu'il allait prendre une nouvelle maîtresse et que cette femme était l'une de ses domestiques. Cela aurait dû tempérer sa passion, mais la seule pensée de la tenir dans ses bras, dans son lit, le faisait vibrer d'impatience.

Il avait demandé qu'on lui monte une bouteille de champagne dans sa chambre et congédié son valet plus tôt que d'habitude. La bouteille, posée dans un seau en argent, attendait près du lit mais Giles avait ressenti le besoin d'une boisson plus forte. Il savait par expérience que les femmes se laissaient volontiers séduire après un verre de champagne. Peut-être Aubrey se laisserait-elle persuader d'en boire un verre.

Aubrey n'était pas le genre de femme qu'il avait l'habitude de courtiser. Quand un homme invitait une demimondaine, il pouvait s'attendre à une certaine attitude. Un flirt convenu, suivi d'une liste impressionnante de demandes d'ordre financier. Oh! bien sûr, il y avait les rires, les taquineries, les flatteries! Mais chacun savait comment la soirée allait finir... et même comment la relation elle-même finirait.

C'était exactement ce qui mettait ses nerfs à vif, ce soir. Il ne savait pas comment les choses se passeraient avec Aubrey. En fait, il avait même un peu peur de l'inconnu. Quand un marin s'approchait trop des eaux dangereuses, il sentait un changement dans le courant. Il en allait ainsi avec Aubrey chaque fois qu'il l'embrassait. Au moment où leurs lèvres se touchaient, il lui semblait qu'un voile obscur, étrange et sensuel, l'enveloppait et tentait de l'attirer vers un gouffre. Pourtant, en dépit du fait qu'elle avait été mariée, Aubrey manquait d'expérience; seul un idiot ne s'en serait pas aperçu. Peut-être allait-il la trouver terriblement ennuyeuse, une fois au lit?

Avec un éclat de rire, Giles posa son verre vide et alla se camper devant la fenêtre ouverte. Il se pencha pour inspirer l'odeur de l'océan. Le vent lui parut un peu moins froid. Oh! il savait déjà comment elle serait, au lit! Pas ennuyeuse du tout, non, mais captivante. Et rien, pas même son manque d'expérience, n'y changerait quoi que ce soit. Il aurait seulement préféré qu'elle soit plus réceptive à ses avances, car il la sentait réticente. C'était pourtant une créature passionnée, sensuelle. Il allait devoir faire appel à tous ses talents pour la séduire et lui faire accepter ses propres désirs.

Il entendit frapper légèrement à sa porte. La gorge contractée, il se détourna de la fenêtre et traversa rapidement la chambre pour aller ouvrir.

Aubrey se tenait sur le seuil, vêtue de la robe en serge grise qu'elle portait un peu plus tôt. C'était un vêtement austère, garni seulement d'une rangée de boutons en jais sur le devant, mais le tissu terne ne faisait que rehausser la couleur de ses cheveux et la transparence de son teint.

— Quelle chance ! dit-il en l'attirant dans la chambre. Vous n'avez pas dénoué vos cheveux.

Comme elle le regardait sans comprendre, il expliqua avec un sourire en coin :

— J'ai pensé toute la journée au moment où j'enlèverais les épingles qui les retiennent.

Les yeux d'Aubrey s'arrondirent.

— Monsieur, dit-elle d'une voix étranglée. Je crains que... que vous ne me trouviez...

Les mots moururent sur ses lèvres.

Giles l'attira aussitôt contre lui et l'embrassa comme il l'avait fait la veille dans la grange. Il la sentit se raidir entre ses bras. Elle lui rendit son baiser, sans chaleur ; il s'aperçut qu'elle avait posé les mains sur sa taille, mais ses doigts étaient froids et durs.

— Donne-moi tes lèvres, chuchota-t-il.

Elle frissonna, mais le laissa prendre possession de sa bouche. Il s'enfonça profondément dans sa chaleur, la plaquant étroitement contre lui jusqu'à ce qu'il sente enfin sa résistance céder. Alors, ses seins s'écrasèrent contre son torse et son corps sembla s'adoucir. Il continua de l'embrasser, et elle finit par lui rendre son baiser.

En proie à une soudaine tendresse, il interrompit le baiser et refréna son impatience.

— Viens, Aubrey, dit-il en l'entraînant dans la chambre. Veux-tu un verre de champagne ?

— N... non, merci, balbutia-t-elle d'un air effaré. Je préfère continuer.

Le comte s'immobilisa.

— Continuer ?

— Voulez-vous... dois-je... m'allonger sur le lit ?

Sacrebleu ! Cela ne se passait pas du tout comme prévu ! On aurait juré qu'elle s'apprêtait à aller au martyre ! En général, les femmes rivalisaient d'enthousiasme pour obtenir ses faveurs. Giles lui lâcha le poignet et lui prit le visage à deux mains.

— Regarde-moi, Aubrey. As-tu envie de moi ?

Ses joues s'enflammèrent.

— Envie de vous ? répéta-t-elle d'un air malheureux. J'avais envie de vous il y a deux jours, vous le savez. Mais je... je n'ai pas beaucoup d'expérience. Je crains, monsieur, que vous ne soyez très déçu.

— Aubrey, c'est impossible, tu ne peux en aucun cas être décevante. N'aie pas peur. Tu as été mariée, et les hommes et les femmes font l'amour de la même façon, dans le monde entier.

— Vraiment ? murmura-t-elle dans un souffle. Je n'en étais pas sûre.

C'était une réponse très étrange, mais il n'osa pas la questionner. Sans doute redoutait-il ce qu'il aurait pu entendre, songea-t-il après coup. Plutôt que de poser des questions, il préféra s'asseoir au bord du lit et l'attirer près de lui. Il la fit pivoter un peu sur elle-même, de façon qu'elle lui tournât le dos. Ses cheveux étaient remontés au sommet de sa tête, révélant une nuque fine et gracieuse. Giles se pencha et posa les lèvres sur sa peau nue. Elle poussa un soupir, si léger qu'il le sentit plus qu'il ne l'entendit. Alors, avec des gestes très doux, il se mit à ôter les épingles qui maintenaient sa coiffure.

Ses tresses retombèrent une par une, formant un rideau chatoyant d'or et de roux. Giles se demanda si le mari d'Aubrey avait été un mauvais amant. Brutal, peut-être ? À moins qu'il ne soit mort très jeune et n'ait pas eu le temps de l'éveiller à l'amour ? Préférant ne pas savoir, il ne posa pas de questions. L'idée qu'un autre homme se soit trouvé dans le lit d'Aubrey lui était insupportable. Il l'attira donc plus étroitement contre lui, dans son propre lit, bien décidé à effacer totalement le souvenir de son prédécesseur.

S'appuyant contre la tête du lit, il plia un genou et serra Aubrey contre lui, pressant son dos contre son torse. Il lui sembla évident qu'elle se sentirait plus à l'aise si elle n'était pas obligée de soutenir son regard. Aubrey souleva spontanément ses jambes pour poser les pieds sur le lit.

Mû par une impulsion, Giles lui enleva ses mules et les fit glisser sur le sol.

Il posa le menton sur son épaule et blottit son visage contre sa gorge blanche et palpitante.

— Merci, Aubrey, lui chuchota-t-il à l'oreille.

Un bras passé autour de sa taille, il la maintint contre lui et lui taquina le cou de ses lèvres, tandis que son autre main glissait lentement sur la rangée de boutons de son corsage. Quand il atteignit le plus haut, il le défit d'un geste habile, révélant un tout petit peu de peau blanche et lisse comme l'ivoire.

— Faut-il… que… que les bougies restent allumées ?

— Oui, dit-il avec fermeté. Tu es trop belle pour rester dans l'obscurité.

Doucement, méthodiquement, il dégrafa tous les boutons, les uns après les autres. Elle ne portait pas de corset sous sa robe, mais une chemise délicate, faite dans un tissu d'une extrême finesse. Les broderies étaient aussi exquises que celles des vêtements coûteux qu'il offrait habituellement à ses maîtresses, et le col était bordé d'un minuscule ruban de soie bleue. Il eut un bref moment d'étonnement, puis dégrafa deux autres boutons et toutes ses pensées s'envolèrent.

Il distinguait sous le tissu aérien de la chemise les contours de ses mamelons sombres et tendus. Un trésor encore hors de portée. D'une main tremblante, il dénoua le ruban qui maintenait la chemise et fit glisser celle-ci. Elle avait des seins petits mais parfaits, avec des aréoles d'un délicieux rose foncé. Il caressa légèrement une pointe qui gonfla et durcit sous ses doigts.

— Ah… chuchota-t-elle.

L'impatience de Giles grandit. En un éclair, il l'imagina sous lui, criant de plaisir. Attends, s'enjoignit-il. Pas encore. Il continua de lui caresser les seins. Ceux-ci semblaient avoir gonflé entre ses mains et les deux mamelons se tendaient, comme pour solliciter son attention. Tout en la caressant encore, il défit d'une main les boutons restants, et ouvrit la robe de lainage jusqu'à la taille. Puis il reporta ses lèvres sur son cou et la mordilla doucement.

— Tu aimes ça ?

Oh oui ! elle aimait, c'était évident. Son corps répondait à la moindre caresse. Il l'embrassa encore jusqu'à ce qu'elle se presse, éperdue, contre lui. Il inhala avec délices le parfum émanant de sa peau, un délicat mélange de savon, de lilas et d'odeur purement féminine. C'était enivrant. Il fit glisser sa main droite sous la dentelle de son pantalon de coton et trouva les boucles qui se cachaient à la jointure de ses cuisses. Elle était déjà moite de désir.

Il imprima une légère poussée à ses jambes, qui s'ouvrirent sans résistance. Alors, il la caressa plus intimement, introduisant les doigts plus profond, dans les replis de sa chair. Aubrey laissa échapper un soupir quand il effleura le minuscule bouton qui contenait la clé du plaisir. Il aurait pu la posséder sur-le-champ, elle était prête. Toutefois il s'obligea à attendre encore, à prendre le temps d'exacerber sa passion.

Une de ses mains emprisonnait toujours un sein, dont il taquinait la pointe du bout des doigts, tandis que son autre main lui procurait une caresse plus secrète. Elle tremblait contre lui, la tête renversée sur son épaule. Il avait pensé la déshabiller lentement, avec précaution, mais le contact de ses hanches contre son propre sexe tendu était trop excitant.

Il ne pouvait plus attendre. Soulevant la jeune femme, il se leva et se tint au bord du lit. D'un seul geste, il ôta sa robe de chambre noire et la laissa tomber sur le sol.

Aubrey réprima une exclamation lorsqu'elle vit lord Walrafen entièrement nu. Malgré son manque d'expérience, elle se rendit compte que c'était un homme d'une exceptionnelle beauté. Il était mince et souple comme un félin et sa poitrine paraissait encore plus large que lorsqu'il était habillé. Ses jambes étaient solides et son sexe... eh bien, celui-ci était d'une taille généreuse. Impressionnante, à vrai dire. À tel point qu'Aubrey fut certaine que rien ne serait possible entre eux.

Les pensées du comte étaient manifestement différentes. Revenant sur le lit, il repoussa Aubrey contre les oreillers et l'embrassa avec fougue. Sa robe était ouverte jusqu'à la taille, sa jupe troussée et chiffonnée. Elle songea, comme dans un rêve, qu'elle aurait dû être gênée de se trouver presque nue devant lui mais que, curieusement, il n'en était rien.

À partir de ce moment-là, tout alla trop vite. Aubrey pensait qu'il allait la déshabiller, mais non. Au lieu de cela, il remonta sa jupe et tira maladroitement sur son pantalon de coton, jusqu'à ce qu'il soit défait. Puis il se souleva au-dessus d'elle et, tout en murmurant des paroles indistinctes qui ressemblaient à des excuses, il se laissa peser sur elle en lui écartant les jambes. Elle sentit son sexe dur et puissant se presser contre sa chair brûlante.

À cet instant, Aubrey eut un peu peur. Elle se rendit compte qu'il ne se maîtrisait pas complètement, mais peut-être cela valait-il mieux. C'était maintenant ou jamais. Ouvrant les jambes un peu plus largement, elle ferma les yeux. Walrafen la pénétra avec une telle force qu'elle sentit à peine son hymen se déchirer. Cependant, la douleur fut brève et violente. Aubrey se mordit la lèvre et parvint à ne pas crier.

Il parut néanmoins soupçonner quelque chose, car il demanda d'une voix enrouée :

— Ça va ?

Elle hocha la tête. En appui sur les coudes, il pénétra alors plusieurs fois en elle, et soudain, renversant la tête en arrière, il ferma les yeux. Sa bouche s'ouvrit sur un cri silencieux. Aubrey contempla son visage superbe, tandis que sa semence se répandait en elle.

Au bout d'un long moment, le comte retomba contre elle et on n'entendit plus dans la chambre que le bruit de sa respiration haletante.

— Mon Dieu ! Aubrey… finit-il par marmonner, les lèvres dans sa chevelure. Tu ne pourras jamais me pardonner ça, n'est-ce pas ?

Quelques secondes s'égrenèrent en silence. Aubrey ne savait que répondre. Qu'avait-elle à lui pardonner ? Elle voulut s'écarter de lui, mais il resserra son étreinte.

— Ne pars pas, murmura-t-il en se soulevant un peu

pour la regarder. Ce sera mieux la prochaine fois, Aubrey, je te le promets.

— Je n'allais pas partir.

Il la contempla à travers les mèches brunes qui retombaient en désordre sur son visage enflammé.

— Aubrey, je te jure que ça ne m'était jamais arrivé. Enfin... plus depuis mes dix-huit ans.

Aubrey n'avait pas la moindre idée de ce qu'il voulait dire. Elle vit son regard s'adoucir quand il chuchota :

— Je ne t'ai pas fait mal ? Si, n'est-ce pas ? Je me suis trompé, tu n'étais pas prête.

Elle voulut le rassurer et répondit d'une voix faible :

— Si, je l'étais.

Il eut un sourire en coin qui le fit ressembler à un petit garçon.

— Tu es si étroite que... Mon Dieu ! pendant un moment, j'ai cru que...

— Quoi ?

— Je ne sais pas. J'ai eu peur de te faire mal.

Aubrey eut un moment de panique. Oh ! comme elle regrettait de ne pas avoir questionné Muireall quand elle le pouvait encore !

— Et maintenant, en plus, je t'écrase ! dit-il en roulant sur le côté.

La jeune femme était à moitié dévêtue. Ses bas tombaient sur ses chevilles, ses jupes étaient remontées sous ses hanches, mais au moins elle n'avait pas taché les draps de sang et n'aurait pas besoin d'inventer une excuse.

— Monsieur, je...

— Giles, dit-il fermement en lui caressant le visage. Je t'en prie Aubrey, ne me vouvoie pas quand nous sommes au lit. Nous sommes amants, à présent, même si je n'ai pas été merveilleux.

— Vous ne m'avez pas fait mal, répéta-t-elle en se haussant sur un coude. Ce n'était pas désagréable.

Giles grimaça.

— Pas désagréable ? Je vois que j'aurai fort à faire, cette nuit, pour me rattraper.

— Cette nuit ? s'exclama Aubrey en s'asseyant.

Une expression de détresse passa sur le visage du comte.

— Oui. Tu ne vas pas partir ?

— Je resterai, mons...

Elle s'interrompit. Bien qu'il lui eût interdit de le vouvoyer, elle ne parvenait pas à obéir ni à l'appeler par son prénom.

— Je resterai aussi longtemps que vous le voudrez, finit-elle par balbutier.

Il se rembrunit.

— Aussi longtemps que je le voudrai, moi ? Et toi, Aubrey ? Que veux-tu ? Tu es si belle, ma chérie. Je n'ai nul autre souhait que de te faire l'amour toute la nuit. Mais je ne voudrais pas que tu restes uniquement par charité envers moi !

Il la regarda dans les yeux. Ses traits étaient tendus, son regard gris exprimait de la souffrance. Une fois de plus, elle lui avait fait du mal, alors qu'elle ne le souhaitait pas. Oh ! elle ne craignait pas seulement pour son emploi, mais elle commençait à éprouver toutes sortes d'émotions pour lord Walrafen. Et par-dessus tout, un élan de tendresse si puissant qu'elle en avait la gorge contractée.

Elle posa une main sur sa joue brûlante.

— Je n'agirai pas par charité. Vous êtes beau. Splendide, même. N'importe quelle autre femme que moi saurait quelle chance elle a de partager votre lit. Mais je manque d'expérience, monsieur le comte. Je crains de beaucoup vous décevoir.

Il contempla longuement les draps froissés, puis demanda à voix basse :

— Aubrey... tu n'as jamais eu d'amant depuis la mort de ton mari ?

— Non.

Il se mit à jouer du bout des doigts avec un fil qui dépassait de l'ourlet d'un oreiller. Aubrey se dit qu'elle devrait faire réparer cet accroc.

— Ton mariage n'a pas duré très longtemps, n'est-ce pas ?

202

— Non, pas du tout.

— Et c'est pour cela que tu manques d'expérience ?

— Oui, mais je vous avais prévenu.

Giles laissa échapper un rire bref.

— En effet, et je n'ai pas écouté. Je suis désolé, ma chérie. J'ai l'habitude de coucher avec des femmes expérimentées. En fait, je n'en ai même jamais connu d'autres.

Une vive déception s'empara d'Aubrey. De toute évidence, elle ne lui avait pas plu. L'amour n'était pas une chose aussi simple et banale que Muireall l'avait laissé entendre. Apparemment, on attendait d'une femme qu'elle fasse autre chose que fermer les yeux. Aubrey n'avait pas compris cela et il y avait peu de chances pour que le comte la rappelle dans son lit une autre fois.

Alors qu'elle aurait dû se réjouir, pourquoi ressentait-elle une telle impression d'accablement ? Parce que, songeait-elle en fermant les yeux, malgré la peur et l'incertitude, elle avait adoré le sentir la pénétrer. Parce que ses bras étaient forts, rassurants, et qu'elle avait eu besoin de se blottir contre un autre être humain. Et enfin, parce que ses caresses lui avaient fait fugacement entrevoir un monde inconnu, qui l'attirait et se dérobait à la fois.

Était-ce cela, le plaisir auquel il avait fait allusion ? Ce besoin inexplicable, qu'elle éprouvait au fond d'elle-même, se transformait-il en quelque chose de bien plus puissant ? Aubrey eut l'impression que la terre s'ouvrait sous ses pieds et qu'elle devait vite sauter d'un côté ou de l'autre si elle ne voulait pas être engloutie.

Elle s'éclaircit la gorge et chuchota :

— J'apprendrai. Je suis sûre que j'y arriverai, si vous me guidez.

Le comte eut alors une réaction étrange. Avec un geste très doux, il lui prit le visage à deux mains et l'embrassa. Encore et encore.

— Ah ! Aubrey... tout ce que tu dois apprendre, c'est à éprouver du plaisir.

— Vous croyez ? fit-elle d'une voix incertaine.

Il lui planta un dernier baiser sur le bout du nez et se mit à rire.

— Il te faut un amant qui ait un peu plus de maîtrise de lui-même. Je me suis montré trop impatient. Laisse-moi te faire l'amour différemment, Aubrey. Reste avec moi, je t'en prie.

Différemment ? Sans un mot, elle hocha la tête.

Le comte ramena les pans de sa robe devant elle.

— Veux-tu utiliser la salle de bains ? suggéra-t-il en ramassant sa robe de chambre. Débarrasse-toi de tous ces vêtements, mets-toi à l'aise. J'ai honte de moi ! Je n'ai même pas été capable de te déshabiller correctement. Tu n'as qu'à revêtir cette robe de chambre, tu t'y sentiras bien.

Elle prit le vêtement qu'il lui tendait et fit ce qu'il disait. Il y avait dans la salle de bains une bassine de cuivre emplie d'eau tiède et une pile de serviettes propres posées sur une table de toilette. Aubrey ôta lentement sa robe et sa chemise, tout en se demandant ce qu'elle allait faire. Si le comte l'avait laissée partir, tout aurait été fini ; elle aurait pu continuer son travail de gouvernante en paix, sans qu'il la sollicite.

Or, selon toute apparence, il la désirait encore. Si inexplicable que cela fût, elle en éprouva une vague de contentement. Les mains tremblantes, elle fit sa toilette. Par chance, elle avait très peu saigné ; c'est à peine si l'intérieur de sa jupe était taché. Puis elle enfila la robe de soie noire. Le tissu frais et léger l'enveloppa, ainsi qu'un très léger parfum masculin. Le parfum du comte.

Quand elle ressortit de la salle de bains, elle le trouva près du lit, entièrement nu, en train de rabattre les couvertures. Le fait de n'être pas couvert ne semblait pas le gêner. Des dizaines de maîtresses lui avaient sans doute dit et répété qu'il était beau. Seule une pâle cicatrice, près de son genou gauche, venait entacher la perfection de son corps.

Il se tourna vers elle et elle put admirer, à la lueur des bougies, le relief de sa musculature. Ses bras et son torse étaient puissants, une toison brune couvrait sa poitrine. Presque malgré elle, Aubrey posa les yeux sur son sexe, qui déjà durcissait de nouveau.

Giles la contempla avec douceur et la serra dans ses bras, attirant sa tête sur son épaule dans un geste plus protecteur que sensuel. Elle sentit toute la tension qui l'habitait s'évanouir en un instant. L'angoisse et la terreur qui pesaient sur elle depuis des années s'envolèrent. Elle était en sécurité, et libre. Libre d'être heureuse, au moins en ce moment.

S'enhardissant, elle noua les bras autour de son corps et posa les mains à plat sur son dos. Il se dégageait de lui une sensation de force. Parfaitement immobile, comme un pur-sang habitué à être flatté, il laissa Aubrey lui caresser le dos puis les épaules. Quand ses doigts effleurèrent ses reins et s'aventurèrent sur ses hanches, il poussa un grognement sourd et pressa son corps contre le sien.

— Aubrey...

Reculant presque imperceptiblement, il posa les mains sur les épaules de la jeune femme et fit glisser la robe de chambre sur le sol. Elle frissonna et ses mamelons se dressèrent. Le comte l'enveloppa d'un regard ardent.

L'espace d'une seconde, elle fut gênée d'être ainsi exposée, nue, à son regard. Mais ses yeux contenaient tant de promesses qu'elle repoussa ce sentiment. Elle s'était privée de beaucoup de choses jusqu'ici, elle ne se priverait pas de cela, décida-t-elle. Aubrey n'aurait su dire précisément ce que *cela* représentait, mais elle savait qu'elle le voulait. Elle voulait offrir son corps au comte de Walrafen, obtenir en échange toutes les promesses contenues dans ses baisers, ses regards, ses soupirs. Par-dessus tout, elle voulait qu'il possède encore son corps. Qu'il pénètre profondément en elle, jusqu'à ce que cette exquise sensation, éphémère et fugitive, réapparaisse et envahisse son être.

— Aubrey... Tu es si belle.

Il s'assit au bord du lit, l'attirant entre ses jambes. Ses lèvres cherchèrent ses seins, attrapèrent un mamelon. Les yeux fermés, il fit glisser sa main sur le dos de la jeune femme pour la maintenir immobile contre lui. Pendant un long moment, il taquina la pointe d'un sein, faisant naître au plus secret de son corps une sensation enivrante.

Puis ses lèvres s'aventurèrent sur le ventre d'Aubrey, traçant de petits cercles autour de son nombril. Avec des gestes doux mais fermes, il lui ouvrit les jambes et la caressa. Cette fois, ses doigts s'insinuèrent sans peine entre les replis de sa chair humide.

— Allonge-toi sur le lit, murmura-t-il, les yeux sur les boucles foncées à la jointure de ses cuisses.

Aubrey obéit et s'adossa à l'oreiller sans le quitter du regard en se demandant vaguement ce qu'il allait faire. Son visage avait une expression farouche et intimidante.

Posant les mains sur ses épaules, le comte se pencha sur elle et l'embrassa à pleine bouche, avec une ferveur renouvelée. Ses lèvres glissèrent ensuite sur son cou, sur le creux de ses épaules et plus bas encore. Elle sentit la caresse rugueuse de sa joue légèrement ombrée de barbe et frissonna, le corps vibrant d'anticipation.

Reculant pour s'asseoir sur ses talons, Giles posa les mains à l'intérieur de ses cuisses pour les écarter. Aubrey voulut détourner les yeux, mais il lui lança un regard impérieux qui la paralysa et la fascina tout à la fois. Elle se laissa sombrer dans un océan de sensations.

Lorsque le comte introduisit les doigts à l'intérieur de sa chair, elle battit des paupières et, affolée, tenta de s'asseoir. Il lui posa une main sur le ventre et la maintint allongée.

— Je veux connaître le goût de ta chair, Aubrey. Tu veux bien que je te donne du plaisir comme ça ?

— Je... je ne sais pas, balbutia-t-elle, éperdue.

Il posa un doigt sur le bouton secret de son plaisir et elle se cambra, tendant tout son corps vers lui.

— Dis-moi que tu le veux, chuchota-t-il. Dis-moi que tu veux que je te donne du plaisir.

— Je... je le veux, articula-t-elle dans un filet de voix.

Aubrey était sincère, prête à accepter tout ce qu'il lui offrait. Cependant, quand il la toucha du bout de la langue, à l'endroit précis où ses doigts s'étaient posés, elle poussa un petit cri et se renversa contre le traversin. Avec un grognement, il lui écarta plus largement les jambes, exposant à son regard le plus secret de sa féminité.

Aubrey crut mourir de honte. Et de plaisir. Avec une infinie douceur, il la caressa du bout de la langue, lui infligeant mille délicieux tourments.

Lorsqu'il plongea en elle, elle eut un sursaut et ses doigts se crispèrent sur les cheveux de Walrafen comme pour tenir à distance la sensation qui la poussait vers un gouffre obscur et dangereux. Il continua de la torturer sans merci. Dans le silence de la chambre, elle crut percevoir une respiration haletante, presque sanglotante, puis elle se rendit compte que c'était la sienne. Le comte l'entraînait sans relâche vers un point de non-retour. Un nuage sombre et sensuel l'enveloppa, l'attira vers une contrée inconnue. Elle voulait… oh! elle voulait… *quelque chose.* Elle voulait qu'il arrête, ou plutôt qu'il n'arrête jamais. Désespérée, elle chuchota des mots sans suite, tenta de le repousser.

— Non, dit-il. Laisse-toi faire.

Ses mains se pressaient durement sur ses cuisses, la maintenant offerte. Chaque caresse la faisait frissonner. Aubrey agrippa les draps, s'y cramponna comme si elle était sur le point de se noyer. Soudain, du bout de la langue, Giles toucha encore le point le plus sensible. Aubrey étouffa un cri. Une lumière l'éblouit et elle crut que tout, autour d'elle, basculait. Son corps fut parcouru d'un long frémissement et elle sombra dans un océan de volupté.

Quand elle reprit conscience de la réalité, Giles se hissa sur elle en lui susurrant à l'oreille des mots doux et apaisants. En même temps, il insinua un genou entre ses jambes.

— Aubrey, marmonna-t-il d'une voix rauque, il faut que je vienne en toi, maintenant.

Agissant par pur instinct, Aubrey s'offrit en murmurant :

— Viens. Je veux te sentir dans mon corps.

Le front en sueur, il se souleva au-dessus d'elle et pénétra très lentement dans sa chair brûlante. Elle était parfaitement prête à le recevoir. La légère douleur qu'elle avait ressentie la première fois était à présent insignifiante. Avec une audace toute nouvelle, elle posa les mains sur les reins du comte pour l'attirer plus profondément en elle.

Elle s'abandonna ensuite docilement à son rythme et peu à peu, sans qu'elle s'y attendît, une sensation étourdissante prit naissance au fond d'elle-même et monta comme une spirale dans son corps.

— Aubrey... grommela-t-il. Aubrey... je devrais...

Mais elle secoua la tête et murmura :

— Ne dis rien. Oh! ne dis rien...

La spirale enflait à l'intérieur d'elle-même. Elle ne voulait plus penser, seulement se concentrer sur ses sensations. Les mouvements du comte la projetaient de seconde en seconde vers la lumière aveuglante qu'elle avait perçue un moment auparavant. Elle s'enivrait du parfum de son corps, tandis que le rythme des mouvements s'accélérait. Enfin, elle atteignit le point ultime et s'abandonna sans réserve. Le monde qui l'entourait s'évanouit; elle s'entendit, très loin, pousser un cri. Puis elle sentit le comte retomber sur elle, haletant. Ensuite, tout s'effaça.

11

Lord Walrafen fait une proposition

Lorsque Giles s'éveilla, la chambre, seulement éclairée par la flamme vacillante des bougies, était plongée dans la pénombre. Il lui fallut quelques secondes pour rassembler ses esprits et se rappeler qu'un événement déterminant venait d'avoir lieu dans sa vie. Il se souleva sur un coude et s'aperçut que les chandelles presque complètement usées crachotaient, sur le point de s'éteindre. Combien de temps avait-il dormi ? La pendulette posée sur le chevet indiquait 4 heures.

Couchée sur le côté, une main sous sa joue, Aubrey dormait. Elle avait l'air tellement innocent... Par Dieu, elle *était* innocente. Il se renversa sur les oreillers. Une des bougies s'éteignit. Aubrey marmonna quelques mots dans son sommeil et se blottit contre lui.

Bon sang, qu'avait-il fait ? songea-t-il, les yeux fixés sur le ciel de lit. Rien qu'il n'ait prévu, voulu, naturellement. Alors, pourquoi le résultat lui semblait-il si... profond ? Une pointe d'angoisse l'envahit. Cette aventure avec sa gouvernante lui sembla soudain trop fragile.

Il fut submergé par le besoin de la réveiller, de mettre les choses au point avec elle. De toute façon, il était probablement plus sage de ne pas la laisser dormir. Aubrey était fière ; elle n'apprécierait pas d'être surprise dans la chambre du maître par une des femmes de chambre. Non, pas de ça tant que rien ne serait décidé entre eux. Il allait lui poser une main sur l'épaule quand il s'aperçut qu'elle avait ouvert les yeux et le contemplait, l'air vaguement anxieux.

— Bonjour, dit-il en l'embrassant tendrement sur le front.

— Quelle heure est-il ? demanda-t-elle en s'asseyant et en ramenant le drap sur sa poitrine. Il faut que je m'en aille.

Giles l'attira sous les draps et la pressa contre lui.

— Il est à peine 4 heures. Ne pars pas encore.

— Ida ne va pas tarder à se lever. On va me voir.

Il lui caressa le visage.

— Aubrey, ma chérie, ne t'en va pas. Pas avant que j'aie pu t'expliquer ce que cette nuit représente pour moi.

Il la vit rougir dans la pénombre.

— Je suis heureuse, monsieur. Vous êtes merveilleux. Mais il vaut mieux que je m'en aille tout de suite pour ne pas être surprise en train de quitter votre chambre.

Sa voix avait une nuance désespérée.

— Écoute, Aubrey, dit-il d'un ton brusque. Je me moque qu'on te voie sortir d'ici. Je suis si heureux !

Elle le regarda avec une expression adoucie.

— Vous me connaissez à peine, monsieur. Et vous attachez certainement de l'importance à ce que disent de vous les domestiques. Je suis très soucieuse de notre réputation, à tous deux.

Il l'embrassa avec une ferveur qui commençait de s'éveiller.

— Aubrey, ça ne va pas. Nous ne pouvons pas vivre comme ça. Tu ne resteras pas à Cardow.

Il la sentit se raidir entre ses bras.

— Pardon ? Que voulez-vous dire ?

— Écoute, j'ai l'habitude d'avoir des maîtresses et de les entretenir sur un grand pied, dit-il d'un ton pressant. Il n'est plus question que tu travailles. Et je veux que tu aies une vie agréable, tout le confort dont tu as besoin, de jolis vêtements. Je ne plaisantais pas, hier soir, quand j'ai dit que je voulais te faire vivre dans le luxe. Tu dois me prendre pour un fou, Aubrey, mais je ne le suis pas. Je veux simplement que tu sois près de moi.

— Que je sois... votre maîtresse ? balbutia-t-elle, très pâle. Vous voulez me... payer ? Comme une putain ?

Giles eut un haut-le-corps.

210

— C'est une façon un peu crue d'exprimer les choses.

— Non, chuchota-t-elle, horrifiée. Ce n'est pas cru, c'est la vérité pure.

Walrafen eut l'impression que l'air lui manquait. Ce qui lui avait paru si simple et naturel quelques minutes plus tôt était en train de lui échapper. Un vide noir et profond, le vide de la solitude, était sur le point de le happer de nouveau.

— J'ai besoin de toi, avoua-t-il avec simplicité. Tu ne peux savoir à quel point. Je veux que tu sois tout le temps avec moi, à Londres. Bon sang, Aubrey ! Il n'est pas question que tu continues à travailler pour moi !

— C'est pourtant ce qui se passera si vous me payez pour être votre maîtresse, dit-elle d'une voix sourde.

Giles n'avait nulle envie d'écouter ses arguments.

— Aubrey, je possède une maison ravissante aux abords de Regent's Park. Tu y seras très heureuse… avec Iain, bien sûr. Tu auras du personnel, un équipage et je trouverai un excellent précepteur pour ton fils. Je veillerai toujours sur vous, Aubrey. Je te désire à un tel point, tu vois…

— Vous me désirez, répéta-t-elle d'une voix creuse. C'est tout ce qui compte pour vous.

— Tout ce qui te concerne compte beaucoup pour moi, rétorqua-t-il.

Aubrey secoua la tête avec obstination.

— Je suis votre gouvernante, monsieur. Ici, à Cardow. Si vous m'ordonnez de coucher avec vous, je le ferai, mais…

— Si je te l'ordonne ? s'exclama-t-il en s'asseyant brusquement sur le lit.

Aubrey pinça les lèvres, puis se détendit

— Si je partage votre lit, quelle qu'en soit la raison, précisa-t-elle, cela me regarde. Vous êtes un amant merveilleux, mais je ne suis pas une prostituée et je n'accepterai pas d'être payée pour ce que nous faisons ensemble. Je n'irai pas à Londres, et je ne mettrai pas mon fils dans une situation que je ne pourrai pas lui expliquer avec dignité. Je suis et resterai votre gouvernante. À Cardow.

— À Cardow ? répéta-t-il, effondré.

— Oui. À moins que vous ne décidiez de me chasser.

Giles ramena ses genoux devant lui, y appuya ses coudes et posa sa tête dans ses mains.

— Ne sois pas ridicule, Aubrey, dit-il en regardant fixement les couvertures.

— Vous avez le pouvoir de me chasser, monsieur, répondit-elle calmement. Je ne fais qu'énoncer la réalité.

Seigneur ! elle semblait parler sérieusement ! Il darda sur elle un regard sombre.

— C'est ainsi que tu me vois ? Tu penses réellement que je pourrais te chasser ? Pour ça ?

Aubrey se détourna vivement.

— Beaucoup d'hommes en seraient capables.

Giles fut si blessé qu'il faillit la gifler. Puis il se rendit compte qu'elle avait raison : la plupart des hommes le feraient. Il détenait un pouvoir sur elle, et ce pouvoir il en avait usé. Oh ! avec assez de subtilité pour ne pas se sentir coupable, mais cette immense disparité dans leurs positions sociales, il l'avait toujours eue en tête. Et elle aussi, évidemment.

Quoi qu'il puisse promettre, elle ne se laisserait pas convaincre par ses arguments, il le savait. Et le vide revint se loger au creux de son cœur. Il eut l'impression que le monde s'écroulait autour de lui, en même temps que le projet qu'il avait à peine eu le temps d'esquisser. Il ressentit une envie folle, ridicule, de pleurer et serra les poings contre ses yeux.

— Je veux savoir une chose, Aubrey. As-tu aimé être avec moi, cette nuit ? En dehors du simple plaisir physique, as-tu ressenti du bien-être quand je te touchais, quand tu as dormi dans mes bras ? Ou bien as-tu fait cela par obéissance ?

— Monsieur, ne me demandez pas cela ! Si vous avez ne serait-ce qu'une once de pitié dans le cœur…

— J'exige de le savoir ! Par Dieu, j'ai bien quelques droits, non ?

— Bien sûr que j'ai aimé me serrer dans vos bras, murmura-t-elle, tremblante. Bien sûr. Je ne suis qu'une servante, monsieur, je n'ai personne au monde. Je n'ai connu aucune marque d'affection pendant des années, en dehors de celles que m'a données mon enfant. Pouvez-vous imaginer quelle sorte de vie je mène ?

Walrafen la gratifia d'un regard froid.

— Et moi ? Imagines-tu ce qu'est ma vie ? Penses-tu qu'il soit réconfortant de payer pour être aimé ? Tu crois que ça réchauffe le cœur d'un homme, d'échanger les attentions d'une courtisane contre de l'argent ?

— C'est pourtant ce que vous auriez voulu faire avec moi, monsieur, rétorqua-t-elle dans un chuchotement.

Giles tapa du poing contre le montant du lit.

— Par Dieu, non ! Ce n'est pas pareil. C'est différent... ou ça pourrait l'être, si tu le voulais bien.

— Ce n'est jamais différent. Et vous ne me connaissez pas.

— Si. Je te connais. J'en ai beaucoup appris sur toi, au fil des ans. Sur ton esprit et même sur ton cœur. J'ai appris ce que tu pensais, ce à quoi tu attachais de l'importance. Et maintenant, je te connais physiquement, je sais comment te faire vibrer sous mes caresses, je sais que tu embrases tout mon être. Bon sang, crois-tu pouvoir me dire ce que je sais et ce que j'ignore ?

— Il faut que je m'en aille, monsieur, dit-elle avec tristesse. S'il vous plaît, puis-je partir ?

Il désigna la porte d'un geste violent.

— Oui, va-t'en ! Tu n'as pas à supporter ma présence plus qu'il n'est absolument nécessaire !

— Ce n'est pas cela, murmura-t-elle. Vous savez bien que ce n'est pas ce que je pense.

Sans répondre, Giles s'assit au bord du lit et crispa les poings sur le drap. Il l'entendit s'habiller, derrière lui. Elle ne prononça pas un mot et il ne fit pas le moindre geste, jusqu'à ce qu'il eût entendu la porte s'ouvrir et se refermer doucement derrière elle. Voilà, elle était partie.

Enfer et damnation ! Il avait tout gâché. Il ne s'était même pas rendu compte qu'il la désirait à ce point, avant d'avoir fait, de but en blanc, cette proposition ridicule.

Elle prétendait qu'il ne la connaissait pas. Logiquement, c'était vrai. Pourtant, il ne pouvait s'ôter de l'idée que son désir avait pris naissance depuis très longtemps. Bien avant son arrivée à Cardow, une semaine auparavant. En fait, depuis trois ans qu'il lisait ses lettres, il avait fini par s'intéresser à elle. Il était… comment dire ? Sous son charme ? Ensorcelé ? Non, c'était autre chose. Obsédé ? Non, ce n'était pas cela non plus. Giles secoua la tête et enfouit de nouveau le visage dans ses mains.

Il prit enfin conscience que la situation n'était pas tout à fait désespérée. Si Aubrey refusait de venir à lui, il pouvait aller à elle, s'installer ici, à Cardow. Sa carrière politique serait finie, balayée, mais cela lui sembla sans grande importance. Il s'habituait tout doucement à l'idée qu'il pouvait se sentir chez lui au château.

En outre, Aubrey n'avait pas dit qu'elle ne voulait pas de lui. Simplement qu'elle refusait de devenir sa maîtresse. Il l'avait séduite une fois, rien n'était donc perdu. Si elle tenait tant que ça à son maudit poste de gouvernante, eh bien, qu'elle le garde ! Cela lui restait en travers de la gorge, bien sûr, mais quelle alternative avait-il ? Une vie sans elle ? De plus, il n'était pas sûr du tout que Cardow continuerait de tenir debout longtemps sans sa vigilance ! Or, il fallait qu'il pense à son domaine, aux gens qui dépendaient de lui pour vivre. Dans le fond, il n'était peut-être pas loin de devenir un vrai gentilhomme campagnard.

Toutes ces idées tourbillonnant dans sa tête, Giles se leva et gagna d'un pas lourd la salle de bains. Perdu dans ses pensées, il ne remarqua pas que l'eau de la bassine était froide ni que la serviette qu'il déplia était déjà humide. Il se demandait quel genre d'équipage il devrait acquérir pour effectuer plus rapidement le trajet de Londres à Cardow, s'il devait revenir souvent. Il chargerait Ogilvy de se renseigner, résolut-il en trempant le coin de la serviette dans l'eau. C'est alors qu'il remarqua la petite tache de sang sur le tissu.

Oh ! elle était très légère… Si légère qu'elle aurait pu passer inaperçue. Pendant un long moment, il contempla la trace rose pâle sur le tissu d'un blanc éclatant et essaya de comprendre. Comment avait-il pu se couper ? Il ne s'était pas encore rasé. Puis la vérité se fit jour en lui. Curieusement, ses oreilles se mirent à bourdonner. Sa vision devint floue et il eut une sorte de vertige.

— Aubrey ! hurla-t-il en jetant violemment la serviette sur le sol. Aubrey ! Crénom de D… ! Reviens ! Reviens ici immédiatement !

Seul le silence lui répondit.

Avec un peu de chance, personne ne l'aurait entendu. La réalité de la situation pénétra peu à peu son esprit. Aubrey ne reviendrait pas. En tout cas, pas si elle pouvait l'éviter. De fait, elle n'était pas venue tout à fait de son plein gré. Il l'avait poussée. Manipulée. Séduite.

Elle était vierge, il en avait la certitude à présent. D'où serait provenu ce sang, sinon ? Elle n'avait jamais eu de mari. Encore un de ses mensonges ! Il avait eu des soupçons, mais avait refusé d'y regarder de plus près, de peur sans doute de ce qu'il risquait de découvrir. Dieu seul savait ce qu'elle cachait d'autre ! Quoi qu'il en soit, une chose était certaine : elle était innocente. Pure. Du moins, sur le plan sexuel.

C'était Giles qui avait peur, à présent. Il fallait qu'il la trouve, qu'il lui demande pardon. Quant à elle, elle avait des explications à fournir. Ensuite, ils devraient prendre une décision ensemble. Au diable sa carrière, c'était le dernier de ses soucis ! Il épouserait Aubrey, tout simplement. Quelque chose lui disait toutefois que c'était plus facile à dire qu'à faire. Aubrey considérerait sa proposition avec scepticisme, il s'y attendait. Quant à ce que dirait le monde, il le savait déjà : un acte inutile, une réaction idiote. Mais quelle importance ? Il se moquait de l'opinion des autres.

Quoi qu'il en soit, ces décisions allaient devoir attendre encore un peu. Il avait une toute petite chose à faire, avant tout. Très maître de lui à présent, Giles retourna dans la salle de bains, ouvrit son rasoir et entailla légèrement la peau de son cou. Après quoi, saisissant la serviette d'Aubrey, il essuya le sang qui coulait de la plaie.

Cependant, malgré tous ses calculs, malgré sa détermination à protéger Aubrey, il oublia une chose toute simple. Il ne retourna pas vers son lit et ne pensa pas à ramasser les épingles à cheveux éparpillées sur sa table de nuit.

Aubrey passa la matinée dans une sorte de brume, isolée de la réalité. Elle finit toutefois par s'apercevoir qu'elle avait oublié quelque chose d'important. Encore une erreur. Pas aussi grave que celle qu'elle avait commise la nuit dernière en offrant sa virginité à lord Walrafen... mais tout de même. Entre l'angoisse provoquée par l'enquête et l'obsession qu'elle concevait pour son employeur, elle avait complètement omis de faire porter à Mrs Bartle le baume de bardane qu'elle lui avait promis. Le pot était prêt, mais il ne serait d'aucune utilité à Jack Bartle, s'il restait sur le manteau de la cheminée.

Manque de chance, c'était jour de lessive et la cheville de la pauvre Ida était loin d'être guérie. Elle serait donc obligée d'aller elle-même jusqu'à la ferme. Saisissant un panier d'osier dans le cellier, elle le remplit de panais auxquels elle ajouta une belle miche de pain frais. Elle déposa par-dessus le pot d'onguent et alla prévenir Mrs Jenks qu'elle sortait. En revenant vers la porte, elle aperçut Pevsner et le juge de paix dans le couloir.

Elle n'aurait pu choisir un meilleur moment pour quitter la maison ! De plus, elle avait grand besoin de se retrouver seule avec ses pensées. Elle se faufila donc discrètement dehors en passant par le cellier et gagna rapidement le portail.

Lord Walrafen avait toujours été perfectionniste et donc secrètement hanté par la peur de l'échec, ce qui entraînait des conséquences souvent bizarres. Par exemple, il était tourmenté par un rêve récurrent, dans lequel un groupe de professeurs de Cambridge faisait irruption à la Chambre des lords et le saisissait par les deux bras, comme un prisonnier. Ils proclamaient alors devant l'assistance que Walrafen avait raté ses examens universitaires et qu'il n'avait donc pas le droit de siéger. Parfois même, ils allaient plus loin et prétendaient qu'il avait usurpé son titre. Ou encore, qu'il était totalement incompétent et que sa carrière politique n'était qu'une farce.

Dans la réalité, les gens les plus stupides et les plus incompétents finissaient par se retrouver au Parlement. Sans eux, la moitié des sièges auraient été vides. Le fait qu'il soit absurde n'empêchait pas le cauchemar de revenir le hanter à intervalles réguliers et, chaque fois, il se terminait de la même manière : à l'instant où les professeurs l'entraînaient hors de la Chambre, le comte s'apercevait qu'il était entièrement nu.

Le souvenir de ce rêve lui revint en tête un peu après le déjeuner. Le début de la journée avait déjà été pénible, et il se trouvait à présent dans une disposition d'esprit fort désagréable. Comme si tout cela n'était pas suffisant, le majordome apparut à la porte juste au moment où Giles allait s'asseoir à son bureau. Le juge de paix se trouvait derrière lui, ce qu'il trouva bizarre. Plus étrange encore, l'homme tenait un objet volumineux, qui ressemblait à une couverture repliée.

— Entrez, dit le comte, bien qu'il n'eût aucune envie de voir les deux hommes.

Pevsner paraissait très content de lui, ce qui ne laissait rien augurer de bon.

— Monsieur le comte, annonça-t-il d'un air grave, je suis navré d'avoir à vous apprendre que nous avons fait une découverte excessivement choquante.

Higgins déposa la couverture sur le bureau de Walrafen, avec autant de précautions que si elle avait contenu le Saint Graal. C'était un plaid de laine, à fond bleu et vert, rayé de rouge et de jaune. L'objet parut vaguement familier à Walrafen, sans qu'il comprît pour autant la raison de cette intrusion inopinée dans son bureau.

— Oui. Et alors ? fit-il avec impatience.

Avec des gestes importants et précautionneux, le majordome déplia le plaid. À l'intérieur de celui-ci se trouvaient quelques objets de valeur. Walrafen saisit la première chose qui accrocha son regard. Un collier de perles fines, d'une très belle eau, pour autant qu'il pût en juger. Il y avait aussi un médaillon sur une lourde chaîne d'or, une broche d'argent dans laquelle était sertie une grosse pierre rouge, trois bagues en or et enfin deux miniatures si fines et si exquises qu'elles auraient pu avoir été exécutées par Oliver, le plus célèbre miniaturiste de l'époque. Il y avait là d'autres babioles, qui ne parvenaient pas à cacher la lourde montre en or d'oncle Elias.

Walrafen repoussa insensiblement son fauteuil et posa les deux mains à plat sur la table. Une vague de nausée lui souleva le cœur. Mon Dieu! Il se rappelait maintenant où il avait vu ce plaid.

— Que comptez-vous faire de tout ça ? demanda-t-il d'une voix égale. À qui avez-vous déjà montré ces objets ?

Il fut conscient, tout en articulant ces questions, que cela ne correspondait pas vraiment à ce qu'on attendait de lui. Le juge de paix effleura le plaid de la main.

— Nous avons découvert tout cela dans l'appartement de la gouvernante, monsieur le comte. Nous ne les avons encore montrés à personne, mais il est indéniable que la montre est celle de votre oncle. Dieu seul sait où elle a dérobé le reste. Quoi qu'il en soit, la conclusion que nous pouvons tirer de cette découverte est évidente, hélas !

Le comte se leva en repoussant brusquement son fauteuil.

— Hélas ! pour qui ? Ce qui est évident, c'est que vous n'avez éprouvé aucun scrupule à aller fouiller dans les affaires de Mrs Montford !

Pevsner tressaillit, comme si le comte l'avait frappé. Et de fait, Giles avait dû crisper les doigts sur le dossier du fauteuil à faire blanchir ses jointures pour ne pas écraser son poing sur le visage du majordome.

— M... mais monsieur ! bredouilla-t-il. La... la montre du major !

— Les objets que vous avez découverts appartiennent en toute légalité à Mrs Montford, s'entendit-il répondre d'un ton coupant. Ce sont des souvenirs de famille. Elle m'en a parlé récemment.

218

Higgins secoua la tête d'un air incrédule.

— Monsieur le comte, vous ne prétendez pas que cette montre lui appartient ? C'est celle du major Lorimer !

— Si elle est en sa possession, c'est qu'elle est à elle. À présent, j'aimerais savoir pourquoi vous avez fouillé la chambre de son fils.

Le majordome et le juge de paix échangèrent un regard. Giles comprit trop tard qu'il avait trop parlé.

— Monsieur le comte, reprit le majordome, vous m'avez autorisé il y a quelques jours à fouiller toute la maison.

Avait-il vraiment dit cela ? Cette décision lui semblait à présent trop rigoureuse.

Le majordome dut lire dans ses pensées, car il poursuivit :

— Toutes les chambres ont été fouillées, y compris la mienne, monsieur le comte. Selon le souhait de Mrs Montford. Elle a insisté pour que tout le monde soit traité sur un pied d'égalité.

Giles aurait pu jurer que Pevsner déformait les paroles d'Aubrey mais, pour le moment, il n'avait pas la possibilité de le prouver.

— Eh bien, rétorqua-t-il, si elle a insisté pour que toutes les chambres soient fouillées, c'est qu'elle devait être bien sûre de son innocence.

Higgins toussota discrètement.

— Êtes-vous certain, monsieur le comte, que tous ces objets appartiennent bien à votre intendante ?

La patience de Giles étant à bout, il perdit son sang-froid.

— Par Dieu ! Puisque je viens de vous le dire ! Il n'y a pas deux jours, Mrs Montford m'a confié qu'elle possédait quelques souvenirs de famille, rangés dans la commode de son fils. Elle m'a demandé, s'il devait lui arriver quoi que ce soit, de m'assurer que ces souvenirs lui reviendraient. Pour l'amour du Ciel, je l'ai vue de mes yeux, cette satanée couverture ! Elle a aussi parlé d'une Bible, contenant un testament et une lettre. Les avez-vous trouvés ?

Pevsner et Higgins échangèrent un autre regard. Un sentiment voisin du soulagement submergea Giles. Oui, ils avaient bien vu la Bible et les papiers. Il aurait parié là-dessus jusqu'à sa dernière guinée !

— Donc, ces objets seraient les souvenirs de famille auxquels elle a fait allusion ? demanda Higgins.

Giles lui jeta un regard excédé.

— Je ne lui ferai pas l'insulte de lui poser la question.

— Ce sont des possessions précieuses pour une simple gouvernante, monsieur le comte.

— Higgins, bon sang ! s'exclama Giles d'un ton cassant. Cette femme dirige le domaine ! Si elle était malhonnête, elle aurait mille moyens à sa disposition pour piller ma fortune sans que je m'en aperçoive. Pourquoi prendrait-elle la peine d'aller dérober cette misérable montre ?

La montre n'avait rien de misérable, et ils en étaient tous conscients. Higgins tendit les mains devant lui d'un air accablé.

— Je comprends votre point de vue, monsieur. Mais si vous ne la questionnez pas sur la provenance de cette montre, je serai obligé de le faire moi-même, déclara-t-il doucement. Que cela me plaise ou non, j'ai une enquête à mener. Je vous laisse donc la liberté de décider qui de nous deux l'interrogera.

Des interrogations, Giles comptait bien en formuler quelques-unes. Il allait obliger Aubrey à le regarder droit dans les yeux et exiger d'elle un peu d'honnêteté et de franchise. Il était bigrement fatigué de tous ces mensonges et de ces semi-vérités dont elle s'entourait, mais il ne voulait pas que Pevsner ou Higgins sachent quoi que ce soit. Et il allait vraiment être obligé de l'épouser, maintenant, afin d'écraser toutes les horribles rumeurs que cette enquête allait faire surgir.

— Je serai heureux de vous décharger de cet interrogatoire, dit-il avec autant d'amabilité qu'il le put. Mais je trouve, monsieur Higgins, que cette affaire concernant la mort de mon oncle s'éternise. Cela ne peut être que néfaste pour notre maison. Aussi ai-je décidé de faire venir de Londres un expert en matières criminelles.

Higgins blêmit.

— Quel genre d'expert, monsieur ?

— Un ancien inspecteur de police. Le vicomte de Vendeheim-Sélestat.

— Dieu tout-puissant ! Un Français ! s'exclama Higgins, manifestement horrifié.

— Un Alsacien, rectifia Giles. Proche collaborateur du ministre de l'Intérieur. Peel l'estime apte à enquêter sur n'importe quelle affaire criminelle. Je suis sûr qu'il saura résoudre le mystère qui nous occupe.

— Je le souhaite, monsieur, rétorqua Higgins.

L'homme semblait profondément offensé, ce qui ne serait pas un avantage pour Aubrey.

— Il aura naturellement besoin de votre aide, ajouta vivement Giles. Vous devrez le… le soutenir. Lui exposer ce que vous avez déjà découvert. Entre son expérience et le travail méthodique que vous avez déjà accompli, je ne doute pas que vous arriverez très vite à une conclusion.

Higgins parut en partie rasséréné. Pevsner n'osa pas ouvrir la bouche. Les deux hommes se retirèrent en abandonnant le plaid sur le bureau du comte. Giles se dirigea aussitôt vers la petite table de marqueterie près de la fenêtre et se servit une bonne rasade de cognac.

Puis il fit les cent pas dans la pièce, buvant une gorgée, puis pressant le verre contre son front brûlant pour se rafraîchir. Dieu du Ciel… Il venait de jouer une partie difficile. En dépit de ses affirmations, il ignorait pourquoi la montre d'Elias se trouvait parmi les affaires d'Aubrey. Il voulait tellement croire en elle, en son innocence… Bon sang, il la savait blanche comme neige ! Mais elle ne lui facilitait pas la tâche ! Oh ! mais il allait la secouer comme un prunier, jusqu'à ce que la vérité franchisse ses jolies lèvres roses, ses petites dents blanches comme des perles… Il imaginait déjà l'éclat de ses yeux verts, s'étrécissant comme ceux d'un chat.

Nom d'une pipe ! Si seulement cette montre avait pu tout simplement disparaître dans la nature ! Il se retourna pour observer l'objet. La montre n'avait pas disparu. Elle était bien là, sur son bureau, reflétant les rayons du soleil qu'elle renvoyait au plafond en dizaines de faisceaux lumineux. Giles posa son verre, saisit la montre et en souleva le couvercle. Il se rappelait encore le jour où on l'avait offerte à son oncle, pendant l'été 1814. Giles était venu à Londres, pendant la fermeture de l'école, et Elias passait une permission à Hill Street.

Un soir, son oncle était sorti dîner avec des amis. Il était rentré avec cette montre, ramenant à la maison l'un de ses officiers préférés. Le plus courageux, disait-il. Giles revoyait encore cet homme aux cheveux bruns, au langage mesuré, au sourire débonnaire. Ils avaient bu un whisky ensemble pour célébrer la paix, car les officiers avaient cru à tort que leur cauchemar sur le continent était terminé.

Giles n'avait jamais pu oublier les paroles de leur visiteur, leur apprenant qu'il allait bientôt démissionner de l'armée. Il avait hérité sur le tard d'un comté... un titre écossais, croyait se souvenir Giles. Il n'avait pas de fils. Diable... impossible de se rappeler son nom ! Tante Harriet y avait pourtant fait allusion, récemment. Était-ce Kenway ? Canwell ? Non, ces noms ne sonnaient pas écossais. Sa mémoire devait lui jouer des tours.

Quoi qu'il en soit, son oncle n'avait plus parlé du visiteur ni de la montre. Sauf une fois. Le pauvre gars n'avait pas démissionné assez tôt. Il était retourné en Belgique avec Elias, lors du dernier grand défi de Napoléon. C'est là qu'il était mort, n'ayant laissé à Elias que cette montre en souvenir de lui.

Giles rabattit le couvercle, replaça la montre sur le plaid et replia celui-ci. Malgré les souvenirs douloureux qui y étaient rattachés, c'était de loin la plus belle montre qu'il ait jamais vue. Les saphirs à eux seuls valaient une petite fortune. Mais pourquoi Aubrey l'aurait-elle prise, sinon pour la revendre ? Et pour quelle raison Elias aurait-il donné un objet auquel il tenait tant à une domestique ? Une semaine plus tôt, Giles aurait supposé qu'il s'agissait du cadeau d'un gentleman à sa maîtresse, car la montre se revendrait avec facilité.

Mais son oncle attachait un grand prix à cet objet, et Aubrey n'était pas sa maîtresse. Si Giles avait encore eu des doutes à ce sujet, la petite trace de sang sur la serviette les aurait dissipés. À présent, trop de questions demeuraient sans réponse. Pourquoi Aubrey lui avait-elle caché qu'elle était vierge ? Pourquoi avait-on trouvé la montre d'Elias dans ses affaires personnelles ? Que cachait-elle d'autre ? Cependant, la question qui le tarabustait le plus était d'un ordre différent : pourquoi diable avait-il menti pour la défendre ?

Oh ! il craignait fort de connaître la réponse ! Peu désireux d'y réfléchir davantage, il préféra avaler une bonne lampée de cognac.

Il était encore campé devant la fenêtre, lorsque Ogilvy entra.

— Bon après-midi, monsieur le comte, dit le jeune homme.

Giles répondit par un grognement indistinct, sans se retourner.

Il entendit Ogilvy déposer des papiers sur le bureau, mais il avait l'esprit ailleurs.

— Tiens ? Un plaid du clan Farquharson, murmura le secrétaire. Où l'avez-vous trouvé, monsieur le comte ?

Giles n'était pas d'humeur à expliquer quoi que ce soit.

— Quoi ? Cette satanée couverture ? dit-il en se dirigeant vers le bureau.

Il poussa le plaid sur le côté et grommela :

— Ne vous occupez pas de ça. Vous avez le courrier ?

— Oui, monsieur, répondit Ogilvy en alignant des documents devant lui. Voilà ce qui est urgent.

Giles remercia d'un bref hochement de tête et Ogilvy se tint discrètement à l'écart.

Il essaya de se concentrer sur son travail, en vain.

— Ogilvy ! dit-il au bout de quelques secondes.

Le jeune homme bondit de sa chaise.

— Oui, monsieur ?

— Trouvez Mrs Montford. Amenez-la ici au plus vite.

12

Oh ! l'on commence à entrevoir la vérité

Après sa visite à Mrs Bartle, Aubrey ne rentra pas directement au château. Contrairement à ses habitudes, elle lambina en chemin, s'arrêtant même au pied de la colline pour cueillir des roseaux au bord de l'étang. Elle les rangea soigneusement dans son panier, puis s'assit sur un rocher et laissa ses pensées dériver vers le sujet qui les occupait entièrement depuis le matin. Lord Walrafen. Giles.

Le regard posé sur la surface lisse comme un miroir de l'étang, elle sourit doucement. Même après avoir passé la nuit avec lui, elle trouvait étrange de pouvoir l'appeler simplement Giles ; mais elle pensait à lui à chaque seconde. Elle pensait à ses lèvres, à ses mains, lorsqu'elles s'étaient posées sur son corps. Au plaisir qu'il avait éprouvé, lui, dans ses bras. Puis elle se rappela aussi son regard assombri, la blessure qu'elle lui avait infligée en repoussant son offre. Elle aurait voulu pouvoir revenir en arrière ou, du moins, retenir certaines paroles.

Il avait promis de ne pas l'obliger à faire quoi que ce soit, si elle ne le souhaitait pas. Après réflexion, elle avait décidé de le croire car, en dépit de tous ses défauts, il semblait être un homme de parole. Elle savait maintenant qu'il était aussi un merveilleux amant.

Fermant les yeux, Aubrey offrit son visage aux rayons tièdes du soleil d'automne et se représenta en pensée les traits du comte. Elle avait pris l'habitude de parler avec lui, souvent même de se quereller, chaque jour. Elle guettait son rire sonore, le bruit de ses pas rapides dans les couloirs du château. Pour la première fois depuis des années, elle se sentait vivante. Heureuse. Presque en sécurité.

La demeure aussi semblait avoir repris vie. Quand il était là, le château devenait une vraie maison. Elle se demanda avec une pointe de tristesse à quel moment il comptait quitter Cardow pour regagner Londres. Combien de temps resterait-il absent, cette fois ? Un an ? Cinq ans ? La pensée qu'elle ne le verrait plus pendant tout ce temps lui serra le cœur. Comme le château allait lui sembler vide, sans lui !

Malgré cela, elle n'accepterait pas sa proposition. Oh ! c'était tentant. Elle se demanda quelle impression cela ferait de partager son lit et sa vie au quotidien. De pouvoir se blottir dans les bras d'un homme. D'avoir quelqu'un pour veiller sur elle. Quel luxe ! Mais en admettant qu'elle s'abaisse à accepter ce style de vie, elle ne devait pas oublier qu'elle était responsable de Iain, et que Londres était une ville trop dangereuse pour eux.

Quand Aubrey revint de sa promenade, la cour intérieure du château était baignée par le soleil de l'après-midi qui donnait aux pierres des reflets cuivrés. Elle entra dans la demeure par une porte adjacente aux cuisines. Lettie et Ida se tenaient dans le hall des domestiques, penchées l'une vers l'autre. En entendant la porte claquer, elles cessèrent instantanément leur bavardage et se retournèrent d'un seul mouvement vers Aubrey, les yeux écarquillés. Ida réprima un gloussement.

— Vous n'aidez pas à la lessive ? gronda gentiment Aubrey en posant son panier. Si vous avez fini, Lettie, il faut cirer le parquet du salon doré. Ida, allez allonger votre jambe pour reposer votre cheville.

Les deux servantes firent la révérence et s'éclipsèrent. Aubrey défit les rubans de son bonnet et traversa le corridor pour pénétrer dans son salon mais Betsy surgit brusquement du cellier et lui attrapa le bras au passage.

— Entrez ici ! chuchota-t-elle en entraînant Aubrey dans la petite pièce.

— Mon Dieu ! marmonna Aubrey. Qu'est-ce qui ne va pas ?

Betsy referma la porte derrière elles et pressa quelque chose dans la main d'Aubrey.

— Tenez. Cachez cela dans votre poche.

Éberluée, Aubrey baissa les yeux. Des épingles à cheveux ? Ô mon Dieu ! Des épingles à cheveux...

Le visage de Betsy s'empourpra.

— Je les ai chipées avant que Lettie ait pu les regarder de trop près, expliqua-t-elle. Mais on murmure déjà des choses, dans la maison.

— Des choses ? répéta Aubrey, encore abasourdie.

— Oui. Madame, je ne veux pas savoir si ces épingles sont à vous. Mais des épingles à cheveux, tout le monde sait ce que c'est, et il n'y a pas tellement de gens qui en utilisent dans la maison.

Aubrey ferma les yeux et serra si fort le poing que les épingles métalliques pénétrèrent dans sa chair. Elle ne savait ce qu'elle devait faire. Garder le silence ? Nier ?

— Mr Ogilvy veut vous voir, madame, continua Betsy en se mettant à ranger des pots de confiture sur une étagère. Cela fait dix bonnes minutes qu'il vous attend dans votre salon. Vous devriez aller voir ce qu'il veut.

— Oui, dit doucement Aubrey. Oui, j'y vais.

Betsy détourna les yeux de son travail et observa Aubrey.

— Je vous demande pardon, madame, ajouta-t-elle avec un peu plus de douceur. Mais vous vous sentez bien ? Vous n'avez pas l'air dans votre assiette depuis quelque temps.

Aubrey dut faire un effort pour hocher la tête et murmurer :

— Je me sens bien, Betsy. Merci.

Sans enlever complètement son bonnet, elle sortit du cellier et traversa le hall pour entrer chez elle.

Ogilvy bondit sur ses pieds à l'instant où elle franchit le seuil.

— Bonjour, madame Montford, dit-il poliment. Monsieur le comte souhaite vous voir dans son bureau. J'ai cru comprendre qu'il s'agissait d'une affaire urgente.

— Bien sûr, dit-elle d'une voix étranglée. J'y vais tout de suite.

Comme dans un rêve, Aubrey déposa les épingles à che-

226

veux sur la table et enleva son bonnet. Elle était encore sous le choc. Comment avait-elle pu être assez stupide pour oublier ces maudites épingles ? Et à présent, voilà que se produisait ce qu'elle redoutait depuis le matin : elle était convoquée dans l'antre du comte !

Celui-ci allait sans doute la tarabuster pour qu'elle devienne sa maîtresse. Dans le fond, elle ferait aussi bien d'accepter. Vu ce qui venait de se passer, sa réputation était ruinée de toute façon. Pendant des mois, après son arrivée à Cardow, les domestiques l'avaient soupçonnée d'être la maîtresse du major. Elle avait dû garder la tête haute et faire son travail malgré tout.

Absorbée par ses pensées, elle prit le chemin du bureau de Walrafen en tenant toujours sa coiffe à la main.

Dès qu'il la vit apparaître, il s'avança vers elle comme pour la saluer. Elle scruta ses traits et s'aperçut sur-le-champ que quelque chose n'allait pas. Son premier réflexe fut de s'élancer vers lui, de lui caresser la joue, de lui demander ce qui se passait. Il fit alors un pas de côté et Aubrey vit le plaid étalé sur le bureau.

Elle en eut la respiration coupée. En un instant, tout venait de basculer. Son trouble dut se lire sur son visage, car le comte lui glissa une main solide sous le bras pour la soutenir.

— Aubrey, tu te sens mal ?

En effet, elle se sentait mal. Elle se dégagea et, d'une démarche chancelante, s'approcha du bureau. Elle n'eût pas été plus pâle si, à la place du plaid, elle avait vu un serpent venimeux enroulé devant elle. Ravalant ses larmes, elle porta une main à ses lèvres et pivota sur ses talons pour faire face à Walrafen.

Celui-ci la regarda avec appréhension.

— Je crains, ma chérie, que tu ne sois obligée de t'expliquer.

— Qui a osé fouiller dans mes affaires ? chuchota-t-elle. Qui ?

Le regard du comte alla d'Aubrey au plaid, puis revint se poser sur elle.

— Pevsner et Higgins, répondit-il à voix basse.

— Sous l'autorité de qui ? Est-ce vous, monsieur le comte, qui leur avez demandé de faire ça ? Pourquoi ne vous êtes-vous pas adressé directement à moi ?

Walrafen lui posa une main sur l'épaule.

— Aubrey, il apparaît que j'avais en effet donné la permission à Pevsner de fouiller la maison, dit-il avec un grand calme. Je suis désolé, ma chérie. Mais il va falloir expliquer comment cette montre se trouve en ta possession. J'ai le plus grand mal à tenir Higgins à distance.

Aubrey prit le portrait en miniature de Muireall posé sur le plaid et caressa le cadre argenté du bout des doigts. C'est alors qu'une pensée lui traversa l'esprit.

— Ma Bible ! chuchota-t-elle en regardant partout autour d'elle. C'est vous qui l'avez ? Où est-elle ?

Walrafen approcha une chaise et obligea Aubrey à s'asseoir.

— La Bible est sans aucun doute là où tu l'as laissée, affirma-t-il doucement. Quelque chose d'aussi banal qu'une Bible ne pouvait retenir l'attention de Pevsner. Dis-moi, Aubrey, que fait la montre de mon oncle dans tes affaires ?

Le regard du comte était doux et bienveillant. Aubrey finit par se rendre compte qu'il ne lui voulait aucun mal. Il ne semblait pas en colère, seulement perplexe, comme s'il cherchait uniquement à la protéger. N'était-ce pas justement pour cette raison qu'elle avait couché avec lui ? Pour se garantir sa protection, dans le cas où elle en aurait besoin ? Eh bien, le moment était venu de se servir de ce pouvoir protecteur, même si cette perspective ne la réjouissait pas.

— C'est le major qui me l'a donnée, répondit-elle au bout de quelques secondes. Ou plutôt, il me l'a donnée pour que je la donne à Iain.

— À Iain ? Pourquoi ?

Elle haussa les épaules d'un air accablé.

— Iain a essayé de l'aider quand la tour s'est effondrée. Cela l'a… touché. Mais je ne voulais pas de cette montre. Je lui ai dit que Iain était trop jeune pour recevoir un tel présent. J'ai même voulu la lui rendre, mais il était si entêté… Et alors, j'ai… j'ai fait encore un pacte avec le diable pour obtenir ce que je voulais. C'était la seule façon de s'entendre avec lui, vous comprenez.

Walrafen s'agenouilla devant elle, lui prit la main et la frotta entre les siennes comme pour aider le sang à circuler dans ses veines.

— Quel genre de pacte, Aubrey ?

— J'ai dit que je prendrais la montre, mais seulement à condition qu'il se laisse examiner par le Dr Crenshaw. Dès le lendemain. À ma grande surprise, il a accepté. Et donc, j'ai emporté la montre. Je pensais que le jeu en valait la chandelle.

Elle leva les yeux vers Giles, comme pour le supplier de comprendre.

— Finalement, il n'a pas vu Crenshaw, balbutia-t-elle d'une voix éteinte. Il est... il est mort avant la venue du médecin.

Le comte serra sa main entre les siennes.

— Aubrey, pourquoi ne m'as-tu pas raconté cela tout de suite ? Pourquoi ne m'as-tu pas dit que tu avais cette montre ?

— Parce que personne ne m'aurait crue.

Il lui posa les mains sur les épaules et riva son regard dans le sien.

— Aubrey, si tu me dis que mon oncle t'a donné cette montre, je te crois. Je te crois, répéta-t-il d'une voix claire en détachant les mots.

— Merci. Mais Pevsner va jaser, monsieur le comte, et...

— Giles, corrigea-t-il en lui reprenant la main. Je veux que tu m'appelles Giles, tout simplement. D'accord ?

— D'accord, murmura-t-elle en luttant contre le flot de larmes qui lui nouait la gorge.

— Et si Pevsner ébruite cette affaire, ce sera à ses risques et périls.

Sa voix était si rassurante, il s'exprimait avec tant de conviction, qu'Aubrey fut tentée de tout lui raconter. Elle avait tant besoin de se décharger du fardeau qui pesait sur ses épaules, de se blottir contre lui et de pleurer tout son soûl... Seulement une telle confession placerait Giles dans une position hautement inconfortable. Il était censé faire appliquer la loi. Or, d'après la loi, Aubrey était coupable d'enlèvement d'enfant... et d'autres choses encore bien pires. En Angleterre, les mères avaient très peu de droits sur leurs enfants. Par-dessus le marché, on ne la reconnaîtrait même pas comme la mère de Iain! Les conséquences seraient épouvantables. On placerait l'enfant sous la tutelle du seul parent mâle qui lui restait, c'est-à-dire son oncle, Fergus McLaurin.

Non. Ce genre de confession ne serait à Aubrey d'aucun secours et elle risquait d'être catastrophique pour Iain.

— Oh! je voudrais n'avoir jamais vu cette montre! s'exclama-t-elle. Je voudrais ne m'être jamais engagée dans toute cette histoire! J'ai seulement voulu... bien faire. Je ne savais pas que les choses deviendraient aussi compliquées.

— Aubrey, dit très doucement le comte. De quoi parlestu?

Elle hoqueta en ravalant un sanglot et chercha ses mots. N'en avait-elle pas déjà trop dit, sans s'en rendre compte?

— C'est seulement quelques jours plus tard que j'ai appris qu'on cherchait cette montre, expliqua-t-elle en recouvrant un peu de calme. Dans la confusion qui a suivi la mort du major, je n'y ai plus pensé. Cela me paraissait si trivial, en comparaison de cet événement tragique... n'est-ce pas?

— Oui, je crois que je comprends.

— Et puis Mr Higgins est arrivé avec son regard noir et menaçant, ses questions sournoises. J'ai fini par comprendre qu'il me soupçonnait. Si j'avais parlé de la montre, cela n'aurait fait que renforcer ses soupçons. Maintenant, il doit être persuadé que je suis coupable.

Giles posa une main douce et chaude sur la joue d'Aubrey.

— Je m'occupe de Higgins, affirma-t-il.

Il la sentit se détendre. Elle avait donc au moins un peu confiance en lui, et il voulait avoir confiance en elle. Il voulait pouvoir croire chaque mot qui franchissait ses lèvres.

Était-il fou ou complètement idiot? Un imbécile amoureux? Peut-être avait-elle de bonnes raisons pour cela, mais elle mentait sur un certain nombre de choses, et il le savait. Simplement, il refusait de l'admettre.

— Aubrey, qui sont les gens sur ces portraits ?

Il avait remarqué les vêtements raffinés représentés sur les miniatures ; il ne s'agissait sûrement pas d'une fantaisie de l'artiste. Les personnes qui avaient posé occupaient un rang élevé dans la société. En outre, le visage de la femme lui était vaguement familier.

— Font-ils partie de ta famille ?

Aubrey fit un signe de tête et essuya furtivement une larme.

— Ma sœur Muireall, murmura-t-elle. L'homme est son mari.

Une fois de plus, Giles se demanda si elle disait la vérité.

— Tu ne lui ressembles pas, fit-il observer.

Elle eut un petit rire pitoyable.

— Non, vraiment pas. Elle avait les traits de papa et le caractère de maman. Chez moi, c'est exactement l'inverse.

— Vous n'étiez que deux sœurs ? Pas de frères ?

— Non, il n'y avait que nous deux.

Giles hésita un instant à reprendre la parole, espérant qu'elle allait s'étendre sur le sujet de sa famille. Mais quand il comprit qu'elle n'en dirait pas davantage, il laissa sa main glisser de son épaule et se mit à arpenter lentement le bureau. Il demeura un long moment campé devant la fenêtre, à contempler sans le voir le paysage d'automne. Comment aborder la suite ? Il y avait tant de choses à éclaircir...

— Aubrey, finit-il par dire tranquillement, pourquoi m'as-tu tellement menti ?

— Je... je ne comprends pas...

Il croisa nerveusement les doigts dans son dos.

— Tu m'as dit que tu n'avais pas été mariée longtemps. Tu t'es fait engager ici, sous mon toit, en prétendant être une jeune veuve. Tu disais avoir une expérience de gouvernante. Tu étais originaire du nord de l'Angleterre, Iain était ton fils, et... Oh ! pour l'amour du Ciel, Aubrey ! Y a-t-il une once de vérité dans tout ça ? Dis-le-moi, je t'en prie. Il n'est pas seulement question de la montre, Aubrey. Je veux t'aider. Dis-moi tout, maintenant, avant que je ne l'apprenne par quelqu'un d'autre.

Il y eut un silence assourdissant. Puis Aubrey demanda d'une toute petite voix :

— De quoi m'accusez-vous ?

En trois enjambées, il traversa la pièce.

— Je sais que tu m'as menti au moins sur un point, Aubrey. Tu étais vierge. C'est une vierge qui est venue hier soir dans mon lit, pas une jeune veuve ! Tu n'as jamais été mariée, n'est-ce pas ?

— Mon Dieu... murmura-t-elle dans un souffle.

— Pourquoi, Aubrey ? Pourquoi m'as-tu menti ? Tu ne vois donc pas la gravité de tout ça ? Tu ne te rends pas compte de ce que nous avons fait ?

Dans un geste pathétique d'impuissance, elle leva une main devant elle,.

— Qui aurait accepté de m'engager, moi, une simple jeune fille, comme gouvernante, monsieur le comte ?

Il vit une larme rouler sur sa joue tandis qu'elle poursuivait :

— L'auriez-vous fait, si je vous avais dit la vérité ? Il fallait que je prenne soin de Iain, qu'il ait un endroit où dormir, de quoi manger. Au début, oui, j'ai voulu être franche. Mais j'ai vite compris que personne ne m'emploierait dans ces conditions.

— Tu aurais pu vendre tes bijoux, suggéra-t-il. Certains sont très beaux et tu pouvais en tirer un bon prix.

— Ce sont des souvenirs de famille, dit-elle en crispant le poing sur son mouchoir. Mais ce n'est pas ce que vous vouliez dire, n'est-ce pas ? Je sais ce que vous pensez et vous...

— Non, tu ne sais pas ce que je pense, coupa-t-il d'un ton sec. J'essaie seulement de t'aider, Aubrey.

Une partie de la tension qui habitait Aubrey s'évapora à ce moment-là.

— J'essaie de garder ce qui reste pour Iain, dit-elle d'une voix plus douce. J'ai déjà vendu une grande partie des jolies choses que nous possédions. Ce qui reste constitue... une sorte de pécule dont je ne veux pas me défaire.

— Et Iain, Aubrey ? demanda-t-il alors d'une voix neutre. Qui est-il ?

Elle le fixa d'un air incertain avant de répondre :

— C'est le fils de ma sœur. Mais… je l'ai adopté. Je le considère comme mon enfant.

— Tu m'as dit que ta sœur était malade ?

— Oui… Elle n'aurait jamais dû avoir d'enfant, mais son époux désirait un héritier pour… Enfin… un fils, pour perpétuer son nom.

— La plupart des hommes ont le même désir, concéda le comte avec raideur.

— J'ai assisté ma sœur pendant son accouchement. Ce fut une épreuve trop dure pour elle, qui eut raison de sa santé fragile. Après cela elle n'eut plus jamais la force, ni l'envie, de s'occuper de son enfant.

— Et celui-ci porte ton nom ? Pourquoi ?

La gorge nouée, Aubrey déglutit.

— Cela m'a semblé plus sûr, chuchota-t-elle. Le père de Iain suivit ma sœur de près dans la tombe. Il y eut un… un scandale autour de sa mort. Comme cela arrive parfois, quand des hommes jeunes, vivant dangereusement, décèdent de façon prématurée.

Giles haussa les sourcils.

— Quel genre de scandale ?

Elle observa une légère pause.

— Une affaire de famille, monsieur. Quand Iain sera majeur, je le pousserai à reprendre le nom de son père et à restaurer son honneur. C'est tout ce que je puis vous dire pour l'instant.

Il ressortait des paroles d'Aubrey que son principal souci était la sécurité de Iain. Giles fut tenté une seconde de la secouer pour lui faire avouer le fin mot de l'histoire mais elle semblait avoir traversé de telles épreuves, avec tant de courage, qu'elle forçait son admiration. Il n'osa pas la bousculer davantage.

— Aubrey, reprit-il avec douceur, avais-tu l'expérience et les compétences nécessaires pour diriger une maison, quand tu es arrivée ici ?

Elle écarquilla les yeux.

— Oh oui ! Des années d'expérience, monsieur. Je n'aurais jamais osé mentir à ce sujet.

Sans pouvoir expliquer pourquoi, il la crut sur parole. Il ne savait comment Aubrey naviguait avec tant d'habileté entre vérité et mensonges, mêlant les deux, entrecroisant les fils compliqués de son histoire, mais il y avait bien, derrière tout cela, une solide ligne directrice. L'idée l'effleura qu'il devenait peut-être fou, tout simplement. Il était arrivé à Cardow le cœur plein de rage et de culpabilité, décidé à venger le meurtre de son oncle. Au lieu de cela, il passait le plus clair de son temps à essayer de disculper, voire de séduire, la principale suspecte. Son comportement était tout à fait irrationnel. Le pire, cependant, c'est qu'il ne comptait pas s'arrêter en si bon chemin.

— Donc, il n'y a eu ni mariage ni mari, conclut-il d'un ton plat. J'ai défloré une vierge. Iain est en réalité orphelin. Et maintenant, il y a cette affaire au sujet de la montre de mon oncle. Aubrey, ma chère, je pense qu'il ne reste qu'une seule solution au monde pour te tirer de ce mauvais pas. Tu vas être obligée de m'épouser.

Aubrey émit une toux nerveuse et posa une main à plat sur sa poitrine, comme si l'air lui manquait.

— Monsieur le comte, vous… vous plaisantez ?

— Je crains que non.

— Monsieur, je suis profondément touchée de votre bonté, mais…

— Mais quoi, Aubrey ?

— Comment pouvez-vous suggérer une chose pareille ? Je ne fais pas partie du même monde que vous. Et il y a pire : je suis soupçonnée de meurtre. Il est impossible que vous ne voyiez pas les conséquences de ces deux faits. Ce serait pour vous un suicide social et politique !

— Oh ! j'ai dans l'idée que les mondes dont nous sommes issus ne sont pas aussi différents que tu veux bien me le faire croire, ma chère ! Quant au suicide social, ça m'est égal. La société ne m'intéresse pas.

— Mais… votre carrière ? Vous n'allez tout de même pas balayer d'un revers de main tout le travail accompli pendant des années, les idées que vous vous êtes attaché à défendre, uniquement pour vous punir d'avoir défloré une domestique ?

— Tu es plus qu'une simple domestique pour moi, Aubrey. Il est vrai aussi que j'attache une grande importance à ma carrière, mais j'ai déjà vu des politiciens survivre à des scandales plus retentissants qu'un mariage désassorti. Avec un peu de chance, je passerai sans doute pour un excentrique.

— Oh non ! chuchota-t-elle. Il faut cesser d'envisager cela, monsieur. Et ne vous souciez plus de Higgins. Je saurai me défendre, s'il en est besoin. On ne peut rien prouver contre moi, car je n'ai rien fait.

— La vérité ne suffit pas toujours à sauver les innocents, ma chérie, lui rappela-t-il.

Il la vit blêmir. L'espace d'une seconde, il crut avoir réussi à lui insuffler une terreur telle qu'elle allait enfin finir par accepter sa proposition de mariage. L'espoir lui fit battre le cœur. Allait-elle dire oui ?

— Vous êtes très bon, monsieur, dit-elle d'une voix blanche. Vous me faites un grand honneur, mais je ne désire pas me marier. Ma vie telle qu'elle est à présent me convient en tous points. Quant à mon passé, c'est mon affaire. Je m'arrangerai pour que mon travail ne soit pas affecté par mes ennuis personnels.

Walrafen lui prit les deux mains et se pencha pour l'embrasser sur le front.

— Tu ne me laisses donc pas le choix. Je suis obligé d'accepter ta décision. Mais si jamais tu changes d'avis, si tu me demandes un jour de veiller sur toi, je le ferai, Aubrey. Tu n'auras qu'un mot à dire. Tu t'en souviendras ?

Elle posa sur lui un regard empreint de chagrin et de souffrance mais ne lui demanda rien. Rien du tout. Pourtant, il se rendit compte un peu plus tard que, sans parler de mariage, il aurait pu faire mille autres choses encore pour l'aider ou lui rendre la vie plus facile.

Aubrey se contenta d'aller sans un mot vers le bureau et de replier le plaid, après quoi elle sortit.

13

Tout nouveau, tout beau

Ils la surveillaient.

Elle le savait. Ils lui avaient encore attaché les poignets.

Elle essaya de rouler sur le côté, de se dégager de la paille et de se lever. La corde lui entamait la chair. Il n'y avait pas assez de jeu dans les liens. Ses efforts étaient inutiles.

Un bruit de pas. Dans la pénombre, un homme se pencha sur elle et fit courir son regard sur son corps allongé. Il approcha encore et la nargua d'un sourire narquois.

— *Bien le bonsoir, belle dame !*

Il avait de grosses dents jaunes, comme les crocs d'un chien. Dans sa main, une barre de fer qu'il fit courir le long des barreaux de la geôle. Le bruit métallique se répercuta contre les murs de pierre.

— *À ta place, je m'approcherais pas trop. Tu risques d'y laisser un œil.*

L'homme à la voix rocailleuse sortit de l'ombre. C'était l'homme qui l'avait attachée. Elle avait senti son souffle écœurant dans son cou, ses grosses mains sur ses seins...

Ils pensaient qu'elle voulait se tuer ou les tuer. Eux, ou n'importe qui d'autre qui l'approcherait de trop près.

— *J'en avais jamais vu qui ait l'air aussi sauvage, dit le premier en revenant prudemment se camper derrière la grille.*

L'autre, celui qui était resté dans l'ombre et tenait un fouet à la main, émit un gros rire.

— *Ouais ! Folle à lier, qu'elle est ! Et moins belle que dans ses atours, pas vrai ? Ses cheveux sont si sales que ça dégoûterait même un rat !*

Le gardien ricana et cracha à travers les barreaux. Le crachat atterrit dans la paille.

— Ah ça ! T'as plus l'air d'une reine, hein ?

C'en était trop. Elle roula sur le côté et cracha à son tour. Elle dut mieux viser que son tortionnaire, car celui-ci recula d'un pas et regarda ses chaussures, éberlué.

— Ah ! la chienne ! Sorcière de rouquine !

L'autre sortit de l'ombre en faisant claquer son fouet.

— On va donner une petite leçon à madame...

— Non ! hurla Aubrey. Non ! Je veux un procès ! Un vrai procès en justice !

— Ouais, je vais t'en donner, moi, de la justice. Tu vas tâter du fouet, ma belle.

Un autre claquement contre les murs de pierre. Elle hurla. Et hurla. Et hurla encore... jusqu'à ce que ses propres hurlements la réveillent.

Aubrey se dressa dans son lit, avec dans la bouche le goût âcre et métallique de la terreur. Haletante, elle tâtonna frénétiquement autour d'elle, dans l'obscurité. Ses mains rencontrèrent les couvertures. De la laine. Des draps de lin. Une odeur de linge propre. Fermant les yeux, elle se renversa en arrière et laissa échapper un long soupir silencieux.

Ce n'était qu'un rêve. Encore un de ces horribles cauchemars.

Son corps cessa peu à peu de trembler. Puis, comme elle le faisait toujours, elle alluma sa lampe pour aller jeter un coup d'œil sur Iain. L'enfant était allongé sur le côté, un poing serré sur le couvre-lit ; il dormait paisiblement. Il était en sécurité, et elle aussi. Sa terreur s'évanouit tout à fait, les battements de son cœur reprirent un rythme normal et elle se détendit.

Aubrey regagna son lit sur la pointe des pieds et se glissa entre les draps doux et propres. Elle entendit l'orage tonner au loin. La pluie s'abattait comme un rideau contre les vitres de sa fenêtre. La haute pendule de l'étage des domestiques sonna 3 heures. Elle éteignit la lampe et se recroquevilla sous les couvertures, tout en sachant qu'elle ne se rendormirait pas.

Lorsque le mystérieux lord de Vendenheim arriva à Cardow, dans l'après-midi, l'amoncellement de lourds nuages gris dans le ciel ne laissait rien présager de bon. Bien qu'on n'attendît plus de visiteurs au château, Aubrey était dans le grand hall, en train d'examiner les tapis, quand un équipage entrant dans la cour avec grand fracas attira son attention. Elle se précipita à la porte et vit une superbe voiture d'un noir étincelant, tirée par quatre chevaux de la même couleur, franchir la porte cochère. À en juger par la vitesse à laquelle ils trottaient sur les pavés luisants de pluie, ils avaient été changés au dernier relais. Par chance, la herse était relevée et le cocher, vêtu d'une ample cape noire, parvint à diriger l'équipage d'une main experte dans le passage étroit entre les hautes murailles.

À l'instant où les chevaux s'immobilisaient dans un grand cliquetis de harnais et de sabots, un éclair déchira le ciel sombre. La porte du carrosse s'ouvrit sous une brusque poussée de l'intérieur. Un homme, vêtu de noir des pieds à la tête, sauta sur le sol sans attendre que le cocher déplie les marches, dont il n'avait d'ailleurs pas besoin en raison de sa haute taille. Son compagnon attendit, demanda d'un geste irrité qu'un valet vienne essuyer une marche maculée de boue, et consentit enfin à descendre.

Aubrey maintint la grande porte ouverte. Le premier gentleman entra et la salua, de façon un peu désuète, d'une profonde inclinaison de tête.

— Je suis Vendenheim, dit-il en guise de présentations. Monsieur le comte m'attend.

Le cocher avait déjà commencé à décharger les malles.

— Bienvenue à Castle Cardow, dit Aubrey après s'être elle-même présentée. Resterez-vous au château quelques jours ?

Elle se sentit gênée par le regard perçant du visiteur et sa voix s'étrangla.

— Je pense que oui, répliqua Vendenheim avec un léger accent continental.

Ses cheveux noirs plaqués en arrière accentuaient son type méditerranéen. Il n'était pas beau à proprement parler, mais son allure et son élégance étaient saisissantes.

Son compagnon, d'une stature nettement moins impressionnante, s'agitait en tous sens autour de l'équipage, claquant des doigts et lançant des ordres au cocher, aux valets et à tous ceux qui étaient disposés à l'écouter. Il fut successivement question d'une malle, puis d'une valise, d'une boîte à chapeaux et enfin, d'une chaufferette. Rien ne semblait aller comme il voulait. Vendenheim regardait son manège avec placidité. Tout dut rentrer dans l'ordre, car l'homme finit par le rejoindre dans le hall, où il ôta son chapeau qu'il secoua pour en faire tomber les gouttes de pluie. C'était un homme d'âge moyen, au regard aiguisé. Ses vêtements, qui contrastaient avec le costume austère de son compagnon de voyage, étaient les plus élégants qu'Aubrey ait jamais eu l'occasion de contempler.

— Voici mon associé, Mr Kemble, annonça Vendenheim. Mon cher, je vous présente Mrs Montford, la gouvernante du château.

— Enchanté, déclara Kemble d'une voix coupante qui était loin de traduire ce sentiment. Dites-moi, madame, s'arrête-t-il parfois de pleuvoir dans ce pays ?

Aubrey réprima un sourire et murmura poliment :

— Oui, monsieur, mais cela ne dure jamais très longtemps.

À cet instant, la voix sonore du comte retentit du haut de la galerie.

— Max ! Tu es arrivé ! Je ne t'attendais pas si tôt.

Walrafen s'élança dans l'escalier. Il était si beau, son visage était si lumineux, qu'Aubrey en eut le souffle coupé. Tout signe de tension avait déserté ses traits.

— Je t'avais dit que je viendrais, grommela Vendenheim.

Le comte lui serra chaleureusement la main et se tourna vers l'élégant gentleman qui l'accompagnait.

— Kemble! Bienvenue à Cardow, mon cher.

— Satanée pluie, répliqua l'autre en enlevant ses gants. Fichu temps, Walrafen. Votre oncle n'aurait-il pu se faire assassiner dans un lieu plus hospitalier? Le sud de la France, par exemple?

Tout en parlant, l'homme balaya le grand hall du regard. Sans s'offenser de sa remarque, le comte déclara:

— Je suis étonné que vous ayez accepté de venir. Qu'est-ce qui vous a décidé?

— Le chantage.

— C'est faux! intervint Vendenheim d'une voix grave. Kem était entré en possession tout à fait par hasard d'un chandelier Verzelini. Une pièce superbe sur laquelle il était tombé disons... par accident. Il a accepté de se racheter en m'accompagnant dans le Somerset.

Mais Kemble n'écoutait plus. Il avait déjà repéré une massue et un bouclier accrochés dans la galerie.

— Danois... XVe siècle, marmonna-t-il d'un air approbateur. Très intéressant, mon vieux. Accepteriez-vous de vous en défaire?

— Non, dit Walrafen d'un ton sans réplique. J'espère que vous n'avez pas fait un trop mauvais voyage?

Vendenheim lança à Kemble un regard d'avertissement.

— La route était très agréable. Nous devrions nous mettre au travail le plus tôt possible, Giles. Kem a le dossier. Il nous faudra une grande table pour étaler les documents. Et, bien sûr, il faut que votre juge de paix se joigne à nous.

— Absolument, approuva le comte. Madame Montford, je vous prie, faites préparer les chambres de ces messieurs et monter leurs bagages.

— Oui, monsieur.

Debout au milieu du grand hall, Aubrey les regarda monter en bavardant tranquillement. Elle commençait à comprendre la raison de la présence de ces hommes. Un frémissement glacé la parcourut. Pourquoi le comte ne l'avait-il pas prévenue de leur arrivée, puisqu'il les attendait?

240

Parvenu sur le palier, Walrafen se retourna.

— Madame Montford, dit-il avec un visage impassible. Trouvez Ogilvy. Et envoyez une voiture chercher Higgins. Nous les attendons tous deux dans la bibliothèque.

En une heure, Mr Kemble avait sorti tous les documents que contenait sa sacoche et les avait étalés nettement sur une des longues tables de lecture de la bibliothèque. Assis à l'extrémité de la table, Giles les contemplait d'un air pensif. Kem et Max agissaient comme deux hommes ayant une importante mission à accomplir.

— À gauche, nous avons la liste de tous les domestiques et métayers de Cardow, expliqua Max. Au centre, les notes de lady Delacourt. Celle-ci a tenté de mettre par écrit les allées et venues de chacun au moment de la mort de ton oncle. Elle a noté également ce que ces gens avaient vu, croyaient savoir, ou soupçonnaient.

— En d'autres termes, les ragots, précisa Kemble d'un ton de conspirateur. C'est généralement le plus intéressant.

Max fronça les sourcils et lui lança un regard franchement désapprobateur.

— Enfin, enchaîna-t-il, nous avons là un plan de la bibliothèque et de la façon dont elle est située par rapport aux autres pièces de cette aile du château.

— Seigneur ! s'exclama Walrafen, stupéfait. Vous n'avez rien laissé de côté.

— Lady Delacourt a le souci du détail, déclara Max en se renversant dans son fauteuil. Elle nous a donné des renseignements très précis. Mais il y a une chose, Giles, qui m'intrigue.

— Vraiment ? Et quoi donc ?

Max posa les coudes sur la table et joignit légèrement l'extrémité de ses doigts.

— Il y a un nom qui surgit sans arrêt dans ces notes, annonça-t-il avec calme. C'est celui de ta gouvernante, Mrs Montford.

— Et alors ? Cette remarque est ridicule, dit Giles.

Kem eut un sourire en coin.

— C'est exactement l'opinion de lady Delacourt. Pourtant, le nom est là ; il revient sans cesse, dans ses propres notes.

— Que sais-tu de cette femme ? interrogea Max. D'où vient-elle ?

— D'après ce que j'ai compris, elle est originaire du Nord, répondit Giles d'un ton vague.

Remarquant le regard éloquent qu'Ogilvy lançait dans sa direction, il ajouta :

— Mais je pense qu'Ogilvy a une opinion différente à émettre.

— Réellement ? s'exclama Max en haussant les sourcils.

Le visage du secrétaire s'empourpra.

— Eh bien, je suis moi-même de Kirkcudbright, expliqua-t-il.

— Et... alors ?

Ogilvy haussa les épaules et poursuivit :

— Parfois, quand elle se met en colère, il me semble déceler chez Mrs Montford des intonations écossaises. Mais quelle différence cela ferait-il, qu'elle soit écossaise ?

— En effet... quelle différence, hein ? marmonna Max en reportant son regard sur les documents étalés devant eux.

Kemble tapota la table du bout des doigts.

— Bien. Récapitulons. Il faut revoir toutes les dépositions recueillies par la police locale et étudier les résultats de l'enquête du coroner.

Giles s'assombrit.

— Et ensuite ?

— Ensuite, nous reprenons tout depuis le début, répondit Kemble avec un haussement d'épaules. Je vais aller fureter à l'étage des domestiques, pendant que Max ira rendre visite aux métayers et aux villageois. Tous les témoignages doivent être réexaminés.

Higgins arriva sur ces entrefaites, avec quelques documents supplémentaires. Giles fit les présentations puis, pendant qu'Ogilvy aidait les autres à mettre de l'ordre dans leurs papiers, il se mit à l'écart avec une tasse de thé.

Il ne pouvait rien faire de plus. Debout près du bureau de son oncle, il sirota son thé tout en regardant par la fenêtre et en écoutant d'une oreille distraite ce qui se disait derrière lui. La conversation commençait déjà à s'animer. De toute évidence, Kemble essayait de se concilier Higgins.

Très vite, Giles cessa d'écouter. L'enquête était entre de bonnes mains. Max avait des années d'expérience dans la police. Kemble avait aussi une expérience considérable. De quelle sorte ? À vrai dire, Giles préférait ne pas le savoir. En apparence, Kem achetait et revendait des antiquités, des objets rares, des bijoux. Il avait des connaissances dans toutes les couches de la société et se tenait au courant de tout. Oui, l'affaire était entre les mains d'experts.

Giles se concentra sur le paysage. Était-ce là ce que son oncle avait vu avant de mourir ? Avait-il contemplé, assis derrière son bureau, la pluie qui tombait en lourds rideaux gris le long des murs de pierre du château ? Non, probablement pas. C'était le jour de la Fête de la Moisson, il devait y avoir du soleil et la température était douce. À moins qu'il n'ait plu à verse ce jour-là ? Il n'avait jamais pensé à poser la question. Aubrey saurait le renseigner.

Aubrey. Aubrey, celle qui savait tout et qui ne disait rien, ou pas grand-chose. Elle n'était jamais très éloignée de ses pensées. Un changement profond s'était produit en eux, mais ni l'un ni l'autre ne savaient exprimer cela en paroles. Peut-être parce qu'ils n'étaient pas d'accord sur la nature de ce changement ? Giles avait le sentiment qu'ils venaient de s'engager dans une grande histoire d'amour. Aubrey, elle, croyait... elle croyait quoi, au fait ? Qu'elle était au service de son maître ? Cette pensée lui donna la nausée.

Elle n'avait pas confiance en lui, alors que lui s'efforçait de croire en elle. Cela ne rendait pas les choses faciles entre eux et, pendant toute la semaine, ils avaient plus ou moins essayé de s'éviter. Au point qu'il avait même oublié de l'informer que des invités étaient attendus ! Il espérait que tout allait bien pour elle, que Pevsner avait tenu sa langue au sujet de la montre. Pourtant, il sentait qu'un malaise s'était répandu parmi les domestiques. Il s'en rendait compte chaque fois qu'il traversait leur étage, ce qu'il était obligé de faire au moins deux ou trois fois par jour. Il y avait des échanges de regards, des chuchotements qui s'interrompaient brusquement. À son approche, les conversations cessaient, les portes se fermaient.

Un éclat de rire retentit derrière lui. Il se retourna et s'aperçut que les quatre hommes, parfaitement détendus, semblaient collaborer à merveille. Oubliant aussitôt leur existence, il se remit à penser à Aubrey et à ce qu'il pouvait tenter pour sortir de cette impasse. Que voulait-elle de lui, en fait ? Rien ? Tout ? Et lui, qu'attendait-il de cette relation ?

Ce qu'il voulait, c'était ne pas vivre sans elle. Voilà, c'était la seule chose claire pour lui.

Tout à coup, il prit conscience du profond silence qui régnait dans la pièce. Il posa sa tasse vide sur l'appui de la fenêtre et pivota très lentement sur lui-même. Tous les regards étaient fixés sur lui.

— Giles, dit doucement Max. Tu as un moment à nous consacrer ?

— Naturellement, répondit-il en se dirigeant vers la table.

Avec ses sourcils froncés au-dessus de son nez aquilin, Max ressemblait à un oiseau de proie. Il désigna du doigt une des grandes feuilles étalées sur la table.

— Ce rapport sur la montre disparue, dit-il. Dois-je comprendre que l'objet a été retrouvé ? Dans les affaires de ton intendante ?

Giles se rendit compte qu'il avait commis une erreur en ne prévenant pas lui-même son ami.

— C'est elle qui l'a, en effet, répondit-il avec tout le calme dont il était capable. Elle m'a dit qu'Elias la lui avait donnée et je la crois.

— Tu la crois ? répéta Max, éberlué.

— Ses explications sont parfaitement plausibles.

Il entreprit de leur rapporter ce que lui avait dit

Aubrey. Les yeux de Kemble s'animèrent d'une lueur malicieuse.

— Je ne suis pas sûr de pouvoir avaler une histoire pareille, Walrafen.

— Moi si, répondit-il simplement.

Max recula d'un pas en observant le comte.

— Pourquoi ?

La vérité apparut à Giles en un éclair.

Parce que je suis éperdument amoureux d'elle. Parce qu'il faut que j'aie confiance en elle. Sinon… je deviendrai fou.

Giles parvint à réprimer les mots qui lui vinrent à l'esprit et qui l'auraient définitivement ridiculisé aux yeux de ses compagnons. Bien lui en prit. Car une inspiration divine lui ramena en esprit l'existence de la lettre adressée à Crenshaw.

— Mrs Montford a écrit à Crenshaw pour lui demander de venir examiner Elias, dit-il. Dans la confusion qui suivit la mort de mon oncle, la missive fut oubliée sur la table du grand hall et ne parvint jamais à son destinataire. Or, pourquoi Mrs Montford aurait-elle fait appeler le médecin, si elle avait su qu'Elias serait déjà mort au moment de son arrivée ?

Cette explication sembla rasséréner Max.

— Je ne vois que deux solutions, murmura-t-il. Soit elle est excessivement intelligente… soit elle est totalement innocente. Cela reste à découvrir. Maintenant, messieurs, où est la déposition de Milson, le valet ?

Giles retourna se poster près de la fenêtre et les voix des quatre hommes ne formèrent plus qu'un bruit de fond. Le crépuscule s'installait. Il faudrait qu'il voie Aubrey dès que possible. Il avait besoin d'entendre sa voix et, surtout, de la serrer dans ses bras…

La porte de la bibliothèque s'ouvrit. L'objet de ses pensées entra, accompagnée d'une femme de chambre. Elles apportaient des plateaux, avec du thé et des biscuits. Giles se rendit compte qu'il n'avait rien mangé depuis le petit déjeuner. Ses invités devaient être aussi affamés que lui. Aubrey y avait pensé et s'était chargée d'y remédier avec sa discrétion et son efficacité habituelles.

Mr Kemble dégagea une petite table pour faire de la place et les deux femmes y disposèrent les assiettes, les plats et les théières. Giles s'aperçut que Max se tenait près de lui.

— Méfie-toi, mon vieux, marmonna-t-il à l'oreille de Walrafen. Si ça continue, les yeux vont te sortir de la tête.

Giles le foudroya du regard.

— Que diable veux-tu insinuer ?

Max haussa les épaules.

— Tu aurais dû renvoyer cette gouvernante impertinente depuis longtemps. Je n'aime pas beaucoup ce qui se passe ici.

Giles fut sur le point de lui dire de se mêler de ses affaires, mais Kemble s'approcha et ne lui en laissa pas le temps. Il tendit à Vendenheim un mètre à ruban.

— Puisque vous n'avez rien de mieux à faire, Max, tenez ceci, je vous prie. Je veux connaître la distance exacte entre la porte et les fenêtres.

Éberlué, Giles les regarda mesurer la bibliothèque de long en large et même en hauteur. Rien ne fut laissé de côté. Après quoi, ils revinrent au bureau d'Elias.

— Monsieur Higgins, dit Max, c'est bien à cet endroit précis que le major Lorimer a été trouvé mort ?

— Absolument. Mais la chaise avait été repoussée à quelque distance du bureau.

— Il était tourné vers la fenêtre ? s'enquit Max.

— Oui. Cependant, son épaule était légèrement orientée vers la porte.

— Je vois.

Max tendit la main par-dessus la table pour ouvrir une des vitres. Il passa la tête par la fenêtre et scruta l'obscurité.

— Kem ! lança-t-il en se retournant vers son compagnon. Mesurez la distance qui sépare la chaise de la fenêtre.

Kemble obéit.

— Monsieur Higgins, reprit Max. Qu'y a-t-il au-delà du jardin ? Derrière ces arbres ?

Higgins secoua la tête.

— Rien. C'est le sommet de la colline. De toute façon, monsieur, le coup de feu qui a tué le major Lorimer a été tiré de très près. Toute une partie du bureau, ainsi que le tapis, étaient éclaboussés de sang. Les taches ont été nettoyées.

Max se pencha par-dessus le bureau pour examiner le sol.

— Cette affaire me rappelle la mort de lord Collup. Celui-ci s'était tué par accident en nettoyant ses pistolets.

— Absolument, monsieur, approuva Higgins. Le problème c'est que dans le cas qui nous occupe aujourd'hui, l'arme n'a pas été retrouvée.

— Les fenêtres étaient-elles ouvertes ou fermées ?

— Les trois étaient ouvertes, répondit le juge, que la question sembla intriguer. La journée était chaude. Mais personne n'aurait pu escalader ce mur. Qu'avez-vous en tête, au juste ?

— Je n'en sais rien, avoua Max en secouant la tête.

Giles en avait par-dessus la tête. Il eut l'impression que s'il restait plus longtemps enfermé dans cette pièce, il deviendrait fou. Les pensées concernant Aubrey tourbillonnaient dans sa tête sans lui laisser un moment de répit. Et ces conversations tournant autour des armes et du sang retrouvé ne faisaient que lui rappeler douloureusement que son oncle avait disparu à jamais.

Il s'inclina devant ses invités.

— Messieurs, je vous laisse à vos réflexions. Le dîner sera servi à 7 heures. J'espère, Higgins, que nous aurons le plaisir de votre compagnie.

Sur ces mots, Giles quitta la bibliothèque et tous les secrets lugubres qu'elle contenait, pour aller retrouver le sanctuaire de paix que représentait son bureau. Alors qu'il était à mi-chemin dans le long corridor obscur, il croisa Aubrey qui sortait d'une chambre inoccupée.

Une sorte de folie s'empara de lui, comme si l'instant et la rencontre étaient si providentiels qu'il ne pouvait refuser l'occasion qui se présentait. Sans même avoir conscience de ce qu'il faisait, il la prit dans ses bras, l'entraîna dans la chambre et referma la porte derrière eux.

— Aubrey, marmonna-t-il en la serrant contre lui.

Il ne lui laissa pas le temps de répondre et l'embrassa, emprisonnant son visage entre ses mains. Ses lèvres coururent sur ses yeux, ses joues, sa bouche.

— Aubrey, tu ne cesses de m'éviter. Quand t'arrêteras-tu ?

— Je… non, ce n'est pas vrai…,

— Ne mens pas ! chuchota-t-il.

Il prit fiévreusement sa bouche. Un mélange de joie et de soulagement se répandit en lui quand il sentit les lèvres de la jeune femme s'entrouvrir pour lui et répondre à son baiser. Sans hésiter, elle noua les bras autour de son cou. Giles pressa les mains sur ses hanches et sentit ses courbes harmonieuses se plaquer contre lui.

Oh ! il avait besoin d'elle ! Besoin de noyer dans ses bras sa solitude et son chagrin, besoin de sentir ses bras autour de lui, ses mains sur lui. Il la renversa en arrière, lui embrassant le cou, s'aventurant plus bas, sur sa gorge.

— Monsieur, chuchota-t-elle. Non… pas ici.

Il posa les mains sur ses épaules et la secoua un peu en protestant.

— Pourquoi ? Pourquoi pas maintenant ? Pourquoi devons-nous vivre ainsi, Aubrey ? En nous cachant ? Pourquoi ne sommes-nous pas libres de nous aimer ?

Elle le regarda, les yeux élargis d'étonnement, comme effarée.

— Oh ! ne recommencez pas, Giles… je vous en prie.

Ah ! elle avait enfin prononcé son nom. Fermant les yeux, il la pressa étroitement contre lui. La gratitude et la peur se mêlèrent dans son cœur. La peur de perdre ce dont il ignorait l'existence à peine quelques jours plus tôt. Il regretta presque d'avoir invité Max à Cardow. Il avait désespérément besoin d'oublier tous ses ennuis et de vivre pleinement cette nouvelle vie qui s'offrait à lui.

— Viens me retrouver ce soir, dans ma chambre, chuchota-t-il, les lèvres contre la tempe de la jeune femme. Je t'en prie, Aubrey. Je te le demande humblement. Ce n'est pas un ordre. J'ai besoin de toi.

L'espace d'une seconde, il la sentit se figer entre ses bras.

— Oui, je viendrai. J'ai besoin de vous, moi aussi. Je ne peux pas le nier, finit-elle par dire.

Alors seulement, Giles relâcha son étreinte pour la regarder. Il vit des larmes se former dans ses yeux ; il vit le chagrin et les regrets réapparaître, avec le désespoir.

— Oh ! Aubrey, non ! marmonna-t-il d'une voix rauque. Non, mon amour. Tout s'arrangera. Fais-moi confiance.

Aubrey battit des paupières, comme pour chasser ses larmes. Ses lèvres tremblantes esquissèrent un sourire et elle l'embrassa sur la joue.

— Giles, je ne peux exprimer avec des mots ce que vous représentez pour moi, chuchota-t-elle. Vous m'êtes plus précieux que tout. N'oubliez jamais cela. Jamais.

D'un mouvement souple, elle se dégagea et s'enfuit dans le corridor. Giles demeura cloué sur place. Incapable d'esquisser un geste, il écouta son pas léger s'éloigner et disparaître dans le dédale de couloirs. Il resta un très long moment seul dans la pénombre sans bouger, de peur de dissiper le léger nuage de parfum qu'elle avait laissé dans son sillage ou de faire s'évanouir l'image de ses yeux tristes qui subsistait dans son esprit.

Il dut rester là très longtemps. Puis, l'obscurité s'épaississant, il s'aperçut qu'on avait posé près du lit une lampe, dont la mèche réduite au minimum brûlait si doucement que la flamme était à peine visible. Il se trouvait donc dans la chambre de quelqu'un ? Regardant autour de lui, il vit une valise posée sur une chaise devant la fenêtre. Tout à coup, la porte s'ouvrit. Giles tressaillit et se tourna. Ses yeux rencontrèrent les prunelles dorées de George Kemble.

Kem lui adressa un sourire plein de malice.

— Walrafen ! Espèce de sournois ! s'exclama-t-il en ôtant souplement sa veste. Je n'aurais jamais cru que j'étais votre type d'homme !

Giles parvint à sourire à son tour.

— Pas du tout. Vous n'avez rien à craindre, Kemble, je n'attenterai pas à votre vertu.

Kem renversa la tête en arrière et partit d'un grand rire.

— Oh! ma vertu et moi avons décidé de suivre des chemins différents, il y a déjà trente ans de cela! s'exclamat-il en allant fouiller dans sa valise.

Il en sortit une flasque d'argent qu'il lança à Giles.

— Mon cher ami, vous avez l'air de quelqu'un qu'on vient de faire tomber de son lit en plein sommeil.

— C'est un peu ça, avoua Giles en attrapant la flasque au vol. Qu'y a-t-il là-dedans?

— Du vieux cognac. Vingt ans d'âge, dit Kemble en arrangeant soigneusement sa veste sur la chaise. Je vous garantis que ça guérira tous vos maux, quels qu'ils soient. Je ne chercherai pas à en savoir davantage sur ce qui vous a mis dans cet état! Buvez, mon vieux. Quant à moi, je vais prendre un bon bain chaud avant le dîner.

Pendant trois jours, Max et Kem restèrent enfermés dans la bibliothèque de Cardow, n'en sortant que pour dîner ou pour mener un interrogatoire, traînant en tous lieux Higgins dans leur sillage. Giles répondait de son mieux à leurs questions, essayait de les distraire de leur travail pendant le dîner et, le reste du temps, demeurait à l'écart.

Du reste, il avait déjà plus de soucis que n'en pouvait supporter un seul homme. La situation entre Aubrey et lui évoluait à une telle vitesse qu'une explosion semblait devenir inévitable. Pourtant, rien n'avait changé. Lorsqu'elle le retrouvait dans son lit, elle frémissait entre ses bras comme si de la lave en fusion coulait dans ses veines. Plus passionnée et plus généreuse que toutes les courtisanes qu'il avait connues, elle semblait pourtant sans cesse lui échapper. Quand il la croisait dans la maison, elle était aussi discrète et silencieuse qu'à son habitude. Ils ne partageaient rien d'autre que cette brûlante passion physique.

Giles avait pris l'habitude de retrouver Iain dans les jardins en fin d'après-midi, lorsque le garçonnet rentrait de l'école. Alors, armés d'une balle et d'une batte de cricket, ils jouaient jusqu'à la tombée de la nuit. Parfois, ils parvenaient même à persuader Jenks de venir jouer avec eux. Les domestiques les observaient bouche bée, mais Giles ne se souciait plus de leurs commérages. Iain était un gentil garçon et il ferait un jour un fameux joueur de cricket.

Quand Giles descendit dans la salle à manger, le matin du quatrième jour, Max était déjà à table. Son expression était encore plus sombre que d'habitude, ce que Giles n'aurait jamais cru possible.

— Pouvons-nous avoir une petite discussion en privé, Giles ? demanda-t-il une fois que celui-ci l'eût salué et se fût servi une tasse de café.

— Bien sûr, répondit le comte en faisant signe aux domestiques de sortir.

Max reposa sa tasse.

— Je pense que nous sommes dans une impasse, mon cher. Higgins a beau faire un travail d'amateur, pour autant que je puisse en juger il n'a négligé aucun détail.

Giles eut l'impression que quelque chose en lui s'effondrait.

— C'est bien ce que je craignais.

Max leva une main pour annoncer :

— Je sais que tu n'as pas envie d'entendre ce que je vais dire, mon ami… mais la seule personne suspecte, c'est la gouvernante.

— Non.

L'appétit soudain coupé, Giles repoussa son assiette.

— Elle était seule dans la maison au moment de la mort d'Elias. C'est elle qui avait voulu rester. Ses jupes portaient des traces de sang. Il était notoire qu'elle avait avec ton oncle de terribles querelles. L'une d'elles avait eu lieu le soir précédent. Et moins d'une quinzaine de jours avant sa mort, on l'a entendue le menacer de le tuer.

Giles ferma les yeux et secoua doucement la tête.

— Max, c'est un malentendu.

— On a retrouvé chez elle cette montre, qui vaut une petite fortune, mon vieux, ajouta Max avec insistance. Elle n'avait jamais avoué que l'objet était en sa possession, bien que la montre ait été recherchée dans toute la maison ?

— Mon oncle la lui avait donnée, affirma Giles avec fermeté. Je n'ai aucune raison de ne pas la croire.

Max n'était toutefois pas prêt à baisser les bras.

— Oui. Mais il y a un mois, tu croyais aussi qu'elle était sa maîtresse, dit-il en ignorant le regard noir de son ami. Et à moins que je ne me trompe, ajouta-t-il, impassible, elle t'a depuis attiré dans son lit.

Le poing de Walrafen s'abattit sur la table, faisant trembler et s'entrechoquer les assiettes de porcelaine.

— Bon sang, Max ! Tu n'as pas entendu un seul mot de ma bouche ! s'écria-t-il. Si tu ajoutes encore quoi que ce soit, je me ferai un plaisir de t'attendre demain matin à l'aube dans le pré !

Max fronça les sourcils.

— *Va'al diavolo !* dit-il d'une voix rageuse.

— Attention, mon ami. Mes notions d'italien sont encore très correctes.

Max s'écarta de la table avec un mouvement d'humeur.

— Mais que diable t'est-il arrivé, Giles ? Toi, toujours si rationnel ! Toujours si froid, toujours au-dessus de tout ça !

Giles fixa sur lui un regard perçant.

— Et tu trouves ça bien, Max ? Tu trouves normal de traverser la vie sans ressentir… quoi que ce soit ? Une vie vide de toute joie, de tout risque ?

— Ce n'est pas ce que j'ai voulu dire.

— Je n'en suis pas persuadé.

Max se détourna et laissa son regard errer dans le vide.

— Tu n'es plus l'homme que j'ai connu. Il y a encore un mois, tu n'aurais pas parlé comme ça.

— Je me suis sans doute lassé d'être ce que j'étais, répondit doucement Giles.

Max hocha la tête et adopta une expression plus conciliante.

— Écoute… cela ne nous ressemble pas, de nous quereller ainsi. Je ne suis pas là en mission officielle. Je peux faire mes bagages sur-le-champ et rentrer chez moi si tu me le demandes. Mais je pense que ce ne serait pas raisonnable.

— Max, tu ne comprends pas.

— J'ai lu ce fichu dossier, en détail, au moins six fois depuis mon arrivée. Je commence à me faire une idée de cette affaire.

— Non, rétorqua Giles en le regardant d'un air accablé. Je l'aime.

— *Dannazione!* s'exclama Max à mi-voix en crispant le poing sur la table. C'est ce que je craignais!

— Je l'aime, répéta Giles. Et je pense bien la connaître.

— Giles, c'est justement là que je veux en venir, fit remarquer Max d'un ton radouci. Tu ne la connais pas. Tu ne sais rien d'elle. Reconnais-le.

— Je sais ce qu'il y a dans mon cœur.

— Dans ton cœur, Giles, fit Max en posant une main sur le bras de son ami. Mais sais-tu ce qu'il y a dans son cœur à elle?

— Elle n'est pas malhonnête, affirma-t-il, troublé malgré lui par les paroles de Vendenheim.

Max eut un sourire triste.

— Personne ne sait d'où elle vient, ni quelles sont ses origines. Et tu ne m'autoriseras pas à l'interroger sur ce point, n'est-ce pas?

— Non, admit Giles. Elle a traversé suffisamment d'épreuves comme ça. Je suis désolé, Max. Il faudra que tu t'y prennes autrement.

— Écoute, mon vieux, ton oncle devait bien savoir quelque chose à son sujet? demanda Max d'un ton pressant. Après tout, c'est lui qui l'a engagée, n'est-ce pas? Elle a dû fournir des documents? Des références?

— Je t'ai déjà donné tout ça, répondit Giles avec lassitude. Tout se trouvait dans le bureau.

Alors même qu'il prononçait ces mots, il se rendit compte que c'était faux et il se rappela les vieilles lettres éparpillées dans le tiroir du bureau de la bibliothèque. À l'endroit même où aurait dû se trouver le vieux pistolet d'Elias. Ces lettres étaient vraisemblablement sans importance, et pourtant...

— J'ai vu de vieux papiers traîner dans la bibliothèque, dit-il. Rien d'important, probablement. Mais sur le moment, j'ai trouvé cela étrange...

Max repoussa sa chaise.

— Allons-y.

La bibliothèque était vide. Giles alla droit vers le bureau qui faisait face à la rangée de fenêtres.

— Elias gardait un vieux pistolet enfermé là, dit-il en ouvrant le tiroir et en soulevant la vieille bouteille de whisky. C'était cela que je cherchais, quand je suis tombé par hasard sur ces lettres.

— Le tiroir n'était pas fermé à clé ?

— Non.

Personne n'avait touché aux deux douzaines de lettres qui jonchaient le fond du tiroir. Pendant les dernières années de sa vie, Elias avait dû prendre l'habitude d'entasser là son courrier sans y répondre. Il vivait en reclus, hors du monde. Et maintenant, était-ce là tout ce qui restait de sa vie ? Une pile de lettres oubliées, à l'encre presque effacée ?

Giles se demanda s'il finirait de la même façon que son oncle. Peut-être bien... Jusqu'à sa rencontre avec Aubrey, il avait eu la même attitude qu'Elias, bien que sa réclusion ait revêtu une forme toute différente. En fait, au lieu de se retirer dans un château isolé, il s'était servi du pouvoir et de la politique pour bâtir autour de lui un rempart infranchissable. Sur le plan émotionnel, il était aussi solitaire que le major.

Il alla s'asseoir près de la cheminée avec Max et se mit à feuilleter rapidement la pile de missives.

— Ah ! s'exclama-t-il en lançant la moitié d'entre elles sur la table basse qui se trouvait entre eux. Cécilia se plaignait qu'Elias ne répondait jamais à ses lettres, mais de toute évidence, il les lisait.

— C'est tout ce qu'il y a ? s'enquit Max, déçu.

— Non... en voici d'autres, qui ont été envoyées par un vieil ami de l'armée. Il lui demande des nouvelles de sa santé, ce genre de choses. Je ne crois pas qu'il lui ait jamais répondu. Mais attends... il y a là quelque chose de bizarre.

Max se pencha en avant.

— Bizarre ? Comment cela ?

Giles examina la lettre un moment et expliqua d'une voix lente :

— Cette lettre-ci n'a pas été envoyée à oncle Elias. C'est *lui* qui l'a écrite. Elle est adressée à une certaine lady Kenross, à Dundee. Et elle a été postée de… de Belgique ?

Max fit glisser son fauteuil afin de pouvoir lire en même temps que son ami.

— Mon Dieu, regarde la date ! dit-il. C'était juste six jours après Waterloo, Giles. Lis le premier paragraphe. Il lui écrit pour lui dire que son mari est mort.

Giles leva les yeux, pensif.

— Je me souviens de cet homme, ce lord Kenross… Il était passé à Hill Street avec mon oncle, un jour. Ils étaient de très grands amis.

— Ton oncle semble avoir été attristé par sa mort, fit remarquer Max en poursuivant sa lecture. Il semble aussi être très inquiet pour lady Kenross et ses filles. Je me demande comment cette lettre est revenue entre ses mains.

— Nous ne le saurons jamais, déclara Giles en soulevant le feuillet suivant. Celle-ci devrait t'intéresser davantage, Max. C'est la lettre que Mrs Montford lui a adressée pour demander un poste de gouvernante à Cardow.

Max lui arracha presque la feuille des mains.

— Elle a été postée à Birmingham, marmonna-t-il en l'examinant. En réponse à une petite annonce qu'il avait fait passer.

— Oui. Continue ?

— Elle dit qu'elle réside temporairement dans sa famille, à la suite du décès de son mari, lut Max à mi-voix comme pour lui-même. Un employé de la mine ? Je me demande comment il est mort, le pauvre garçon. Elle dit être originaire du Northumberland. Son dernier employeur était un certain Mr Harnett de Bedlington, décédé brusquement, et donc qu'elle est à la recherche d'un emploi similaire… Seigneur… on meurt beaucoup dans l'entourage de Mrs Montford, tu ne trouves pas ?

Giles ne réagit pas au sarcasme. Ses pensées étaient ailleurs. Qu'était-ce donc que cette histoire de famille, à

Birmingham? Quelques jours auparavant, Aubrey avait prétendu ne pas avoir de famille du tout. Qui plus est, il n'avait pas oublié sa réticence quand Delacourt lui avait posé quelques questions sur Bedlington. Quant à son mari décédé, l'employé de la mine… eh bien, il connaissait déjà la vérité sur ce point.

Max ne parut pas remarquer son silence, car il continua de commenter la lettre :

— Mrs Montford dit qu'elle présentera une lettre de références à son arrivée au château. Bien…

Il replia le feuillet et demanda :

— Qu'y a-t-il d'autre dans ce courrier ?

Giles redescendit sur terre.

— Une seule lettre, dit-il en baissant les yeux sur la dernière feuille qu'il tenait. Mon Dieu ! C'est cela, sa référence ?

— Quoi ?

Max lui prit la lettre des mains et la parcourut rapidement.

— Écrite par une certaine Mrs Preston, à Morpeth. Mrs Montford a été employée chez elle pendant deux ans. Domestique très consciencieuse… elle a quitté son emploi pour se marier et aller s'installer à Bedlington.

Max se tassa dans son fauteuil.

— En apparence, c'est tout ce qu'il y a de plus simple, comme histoire.

Mais non ! En réalité, il n'y avait rien de clair dans tout cela, songea Giles, abasourdi. L'oncle de Delacourt, Nigel, vivait à Morpeth. Or, Aubrey prétendait ne pas le connaître. C'était ridicule. Comment pouvait-on vivre dans un village aussi petit que Morpeth sans avoir jamais entendu parler des excentriques du coin ? Un vieux baronnet complètement toqué, qui sortait habillé en femme, cela ne passait pas inaperçu !

À moins qu'Aubrey n'ait nié le connaître par délicatesse, pour ne pas mettre Delacourt dans l'embarras ? Cependant, Delacourt n'était pas du tout gêné par l'existence de cet oncle, c'était même lui qui avait mis le sujet sur le tapis. Non, il semblait que toute la vie d'Aubrey ne soit qu'une suite d'inventions.

— Quelque chose ne colle pas, annonça-t-il.

— Comment ça ? dit Max, aussitôt sur le qui-vive.

— Je… je ne peux pas le dire.

— Tu ne peux pas ? Ou tu ne veux pas ?

Giles ne se sentait pas d'humeur à provoquer une nouvelle querelle. Il se leva, remit les lettres dans le tiroir et ferma celui-ci.

— Ce n'est rien, n'y pensons plus.

Max le suivit et lui posa une main sur le bras.

— Mon vieux, je crois qu'il vaut mieux que j'aille faire un tour à Bedlington. Tu ne m'en voudras pas, si je le fais ?

— C'est un long voyage, répliqua Giles, le visage fermé. Et pourquoi, Max ? Rien de ce que tu pourras dire ne changera quoi que ce soit à ce que j'éprouve pour elle. C'est ce qu'il y a de plus terrible, dans cette histoire. On ne me fera jamais croire qu'elle a fait le moindre mal à Elias. Jamais.

Max demeura silencieux un moment avant de demander :

— Mais tu penses tout de même qu'elle a quelque chose à cacher, n'est-ce pas ? Tu ne la crois pas tout à fait franche ?

Giles regarda fixement par la fenêtre et hocha la tête. Eût-il voulu prononcer un mot, qu'il en eût été incapable.

— Il vaudrait mieux que tu me dises tout ce que tu sais, mon vieux, déclara Max avec une douceur inhabituelle.

— Ce que je sais ? Pas grand-chose. Toutefois, je pense que tu perdras ton temps en faisant ce long voyage jusque dans le Northumberland, ou même jusqu'à Birmingham. Tu ne trouveras jamais quelqu'un qui ait connu Aubrey Montford. Car j'ai bien peur qu'elle n'existe pas.

Max réfléchit quelques secondes.

— Eh bien… murmura-t-il au bout d'un moment. À ta place, je ne me laisserais pas guider par la peur. Ta Mrs Montford me plaît bien, Giles. Je ne demanderais pas mieux que de l'innocenter complètement. Donc, tout bien considéré, je crois que je ferais bien de partir au plus tôt dans le Nord, avec Kem. Tu es d'accord ?

— C'est à toi de prendre cette décision, répondit Giles d'une voix éteinte. Mais si tu dois partir, Max, pars vite. Avant que je ne change d'avis.

Max soupira.

— Il ne me reste plus qu'à annoncer la mauvaise nouvelle à ce pauvre Kem.

Il marqua une légère pause et ajouta :

— Tu vas lui en parler ?

Giles fit un signe de tête négatif.

— Je ne dirai rien. Plus rien tant que cet affreux cauchemar ne sera pas terminé.

Max tendit la main.

— Alors, donne-moi ces lettres. Toutes. Il me faut les adresses.

14

Dormir, rêver peut-être

Cinq jours après leur arrivée, Mr Kemble et lord Vendenheim quittèrent Cardow avec autant de hâte qu'ils étaient arrivés. Le regard distant, la mine lugubre, ils embarquèrent dans leur élégante voiture noire par un clair et froid matin d'hiver. Aubrey ne fut pas fâchée de les voir partir : le but de leur visite n'était que trop évident, et un silence pesant s'était abattu sur le château pendant tout le temps qu'avait duré leur séjour.

Juste avant de retourner à l'intérieur, elle leva les yeux et aperçut la silhouette du comte sur les remparts. Ses longues jambes chaussées de bottes cavalières étaient solidement campées sur le chemin de ronde et il tenait ses mains nouées dans son dos. Son pardessus ouvert malgré le vent, il contemplait la route sinueuse qui descendait de Cardow jusqu'au village. Il demeura là, observant le carrosse noir, jusqu'à ce que celui-ci ait disparu au détour du chemin.

Ce jour-là marqua un net changement dans son attitude. Il gardait ses distances et évitait de demander quoi que ce soit à Aubrey. Son visage était tendu, des cernes soulignaient ses yeux, et ses lèvres formaient une ligne mince et dure. Bien qu'elle sentît encore souvent son regard brûlant de passion peser sur elle, il ne fit plus aucune tentative pour l'attirer dans son lit. Chaque fois qu'ils s'adressaient la parole pour une raison quelconque, une tension presque palpable refaisait surface entre eux, comme si trop de questions demeuraient en suspens, ou comme si une querelle n'était jamais parvenue à son terme.

Au lieu de se sentir soulagée du détachement qu'il lui témoignait, Aubrey sentit poindre en elle un sentiment de panique qui ne fit qu'enfler au fil des jours. Elle avait la sensation terrible d'avoir commis une erreur irréparable. Quelque chose d'extrêmement précieux était en train de lui filer entre les doigts et elle ne pouvait rien faire pour le retenir.

Peu à peu, ses journées commencèrent à évoquer pour elle les moments les plus noirs qu'elle avait vécus en Écosse, lorsque les murs glacés et hostiles de la prison l'avaient séparée de Iain et de tout ce qu'elle aimait. Cependant, les murailles érigées autour d'elle aujourd'hui étaient d'une nature différente. Elle les avait construites elle-même, mais elles n'étaient pas assez solides. La pierre s'était transformée en argile et tout s'était écroulé. Sans défense, elle était tombée éperdument amoureuse du comte de Walrafen.

Aubrey était aux prises avec cette terrible certitude, lorsqu'un nouvel avertissement lui parvint, environ quinze jours après le départ de lord Vendenheim. Par le plus grand des hasards, elle traversait le grand hall au moment où l'on apportait le courrier. Une lettre épaisse, posée au sommet de la pile, portait une écriture noire et penchée, reconnaissable entre mille pour la jeune femme qui avait dû mettre chaque jour la bibliothèque en ordre, pendant le séjour de Vendenheim. L'homme prenait sans arrêt des centaines de notes, de cette écriture large et désordonnée, apparemment dans trois ou quatre langues différentes.

Tout d'abord, Aubrey n'accorda pas d'importance particulière à cette lettre. Puis, quelque chose dans l'apparence de l'enveloppe l'intrigua et elle la regarda de plus près.

Birmingham. La missive avait été postée à Birmingham.

Son sang se glaça d'effroi, mais elle parvint à réprimer l'élan de panique qui la traversa. Birmingham était une grande ville, raisonna-t-elle. Le vicomte avait peut-être des affaires, là-bas ? Ou de la famille ? Des milliers de raisons pouvaient expliquer sa présence dans cette ville.

Ce soir-là, assise devant la cheminée avec Iain, elle fit fondre pour lui du fromage sur des tranches de pain. Pendant ce temps, l'enfant lui racontait en détail l'après-midi qu'il venait de passer à s'entraîner au cricket avec le comte. Grâce au Ciel, Giles n'avait pas changé ses habitudes avec Iain.

— Et alors, la balle a traversé tout le parterre ! Lord Walrafen m'a dit que j'aurais marqué six points, si nous avions disputé une vraie partie.

Aubrey essuya du bout des doigts une tache de suie sur la joue du garçonnet.

— Tu aimes bien lord Walrafen, n'est-ce pas ? murmura-t-elle, comme pour elle-même.

Elle eut la surprise de voir le visage rond et rieur de l'enfant s'allonger tout à coup.

— Oui, je l'aime bien. Maman... quand est-ce que le Parlement se réunit ?

— Juste Ciel, quelle question ! Tu apprends cela à l'école ?

Iain secoua la tête, faisant voleter ses longs cheveux noirs et soyeux autour de son visage.

— Non. Mr Ogilvy a dit qu'il fallait qu'ils soient de retour à Londres avant que ça arrive.

Aubrey lui tendit une tranche de pain et de fromage grillé.

— Eh bien, sois tranquille. Cela ne devrait pas se produire avant plusieurs semaines.

— Oh.

Le regard de l'enfant se perdit dans les flammes. Aubrey le contempla avec une pointe de tristesse. Comme elle, Iain redoutait le départ de Giles qui ne prolongerait sûrement pas très longtemps son séjour à Cardow. Autrefois, elle avait espéré ce départ. Maintenant, son imminence l'emplissait de déception. Toutefois, si elle se sentait le courage de surmonter ses propres sentiments, il en allait autrement pour ceux de Iain. Avait-elle commis une erreur en autorisant cette amitié entre le comte et lui à se développer ? Cela dit, aurait-elle pu l'empêcher ? Giles était d'une volonté implacable, quand il voulait quelque chose.

Iain bâilla. Aubrey lui passa un bras sur les épaules et l'attira contre elle.

— Il est temps d'aller dormir, mon chéri, dit-elle en lui plaquant un baiser sur le front.

Quelques minutes plus tard, l'enfant était confortablement installé dans son petit lit. Avant même qu'elle n'ait fini d'arranger les couvertures, Aubrey entendit son souffle régulier ; il était déjà endormi. Lorsqu'elle se redressa, une douleur sourde se répandit dans son dos. Elle posa les doigts au creux de ses reins pour se masser légèrement. Betsy et elle avaient passé l'après-midi à trier des pommes dans le cellier pour remplir des cageots qu'elles avaient soulevés à grand-peine tant ils étaient lourds.

Sur une impulsion, elle décida de s'accorder le luxe d'un bon bain chaud. Il ne lui fallut que quelques minutes pour allumer un feu qui réchauffa rapidement la chambre minuscule, et pour traîner devant la cheminée la baignoire de cuivre. Toutefois, les six voyages qu'elle dut faire jusqu'à la cuisine pour aller chercher l'eau chaude lui firent presque regretter cette décision hâtive. Elle se rappela avec un brin de mélancolie mêlée de honte l'époque où elle n'avait pas besoin de se demander comment l'eau de son bain était arrivée jusqu'à sa chambre.

Lors du dernier voyage, Aubrey ne remarqua pas en revenant que la porte du salon, qu'elle avait laissée ouverte, était à présent repoussée contre le chambranle. Ses brocs de cuivre à la main, elle l'ouvrit d'une poussée de l'épaule, entra... et se figea.

Le comte était assis devant la cheminée, le menton posé dans sa main, comme plongé dans une profonde rêverie. Ses manches de chemise étaient relevées jusqu'aux coudes et il ne portait ni veste ni gilet, pas même de chaussures. Il se tourna vivement en entendant l'exclamation étouffée qu'Aubrey ne put réprimer puis il se leva lentement. Remarquant alors son lourd fardeau, il se hâta pour lui prendre des mains les brocs remplis d'eau fumante.

Aubrey referma promptement la porte derrière elle.

— C'était ouvert, expliqua-t-il à voix basse. Mais je ne t'ai pas trouvée.

Sans attendre la réponse de la jeune femme, il se dirigea vers la chambre et, soulevant l'un des brocs à bout de bras, le vida dans la baignoire. Ses mouvements étaient souples et adroits, comme s'il était accoutumé à accomplir ce genre de corvée. En dépit d'une certaine incertitude qui transparaissait dans son regard, il semblait parfaitement à l'aise dans la chambre d'Aubrey qui se demanda avec un peu d'embarras s'il était déjà entré dans la pièce pour la chercher. C'était probable…

Elle approcha de la baignoire d'un pas hésitant et posa la main sur le rebord arrondi.

— Le moins que l'on puisse dire, c'est que… vous me surprenez, dit-elle.

— Parfois, Aubrey, je me surprends moi-même.

Elle l'observa un moment en silence, avant de demander :

— Pourquoi êtes-vous venu ?

Il inspira profondément et contempla les brocs vides qu'il avait reposés sur le sol.

— Aubrey, j'ai essayé, chuchota-t-il. J'ai essayé, mais je n'y arrive pas. Je ne peux pas rester loin de toi.

Il posa sur elle son regard gris qui contenait une interrogation muette.

— Giles… vous ai-je demandé de rester à distance ?

Il secoua la tête et lui ouvrit les bras. Aubrey se jeta contre lui et noua les mains sur sa nuque solide. Il la plaqua contre son torse, puis exhala un soupir en s'enivrant du parfum de ses cheveux.

— Je veux te faire l'amour, Aubrey. Pénétrer en toi, au plus profond de toi, goûter à ta peau, à ta chaleur.

— Giles…

Il posa les lèvres contre les siennes, l'empêchant d'en dire davantage.

— J'ai l'impression que mon corps est en feu, que mon sang bouillonne dans mes veines, dit-il en déposant une série de baisers sur son visage. Je n'ai pas le choix, c'est ainsi, c'est inéluctable. Je ne veux pas rester loin de toi, même si je sais que ce serait dans un sens plus simple pour nous.

— Non, murmura-t-elle dans un souffle. Non, Giles, ne me laisse pas. Ce serait la pire chose qui puisse nous arriver.

Alors, il posa à nouveau ses lèvres brûlantes sur les siennes et l'embrassa avec l'avidité d'un homme assoiffé trouvant enfin la source qu'il cherchait. Aubrey resserra son étreinte sur sa nuque, se haussa contre lui, se pressa contre son torse comme si leurs corps avaient pu se fondre l'un dans l'autre. Ne plus faire qu'un avec lui... deux êtres réunis en un seul corps. L'impression de vide qu'elle avait éprouvée ces derniers jours se dissipa et son amour pour Giles prit toute la place dans son cœur et dans son existence.

— Giles... comme tu m'as manqué! murmura-t-elle, les lèvres contre son cou.

— Aubrey, si tu savais ce que je ressens. Laisse-moi te montrer.

Il l'embrassa dans le cou, puis plus bas, au-dessus du col de sa robe. Avec des gestes doux et délicats, il ôta une à une les épingles qui retenaient sa chevelure et l'enveloppa d'un regard ardent.

— Tu allais prendre un bain. Je vais t'aider.

Les joues d'Aubrey s'empourprèrent.

— Quoi? Tu ne veux pas de moi comme femme de chambre? demanda-t-il d'un ton moqueur. Il est vrai que j'ai peu d'expérience, mais je vais commencer par te brosser les cheveux.

Il défit ses tresses, tout en continuant de soutenir son regard. Quand sa chevelure auburn fut entièrement libérée, il enfouit les doigts dedans, pour l'étaler sur ses épaules.

— Tes cheveux sont magnifiques, Aubrey, murmura-t-il en passant les doigts entre les boucles soyeuses qui se répandirent autour d'elle comme un rideau.

Tout à coup, il s'immobilisa.

— Iain est endormi? Ne risque-t-il pas de se réveiller?

Aubrey battit des paupières, effarée. Iain!

Giles tendit le bras derrière elle, poussa le battant et fit tourner la clé dans la serrure.

— Voilà, chuchota-t-il. C'est plus sûr.

Puis il posa les doigts sur les boutons qui fermaient sa robe et les défit un à un. Elle ne fit pas un geste pour l'en empêcher, elle en aurait été incapable. Une étrange léthargie s'était abattue sur elle, faisant fondre sa volonté. Le tissu noir de sa robe tomba mollement sur le sol, suivi très vite par ses sous-vêtements.

Giles s'agenouilla pour faire glisser ses bas sur ses chevilles et, d'un geste sec, elle ôta elle-même ses chaussures et les envoya rouler sur le sol. Il se redressa, prit ses seins au creux de ses mains, les taquina doucement du bout du pouce. Aubrey ferma les yeux pour mieux s'abandonner à ses caresses.

— Comme tu es belle ! chuchota-t-il. Mais ton bain attend, ma chérie.

Aubrey ouvrit les yeux et se mit à rire. Giles désigna la baignoire d'un mouvement de tête.

— L'eau est encore chaude.

Il alla vers le lit, prit la couverture qui se trouvait sur la courtepointe et l'étala devant la cheminée. La serviette suivit. Il se tourna ensuite vers Aubrey et vit qu'elle n'avait pas bougé.

— Allons, dit-il gentiment. Entre dans l'eau.

— Mais… c'est si… étrange.

— Non, je ne trouve pas, protesta-t-il en lui prenant la main pour la guider vers la baignoire.

Elle plongea un pied dans l'eau chaude, puis entra tout entière dans le tub de cuivre. Giles s'agenouilla à côté d'elle, tira sur les pans de sa chemise, la fit passer par-dessus sa tête et jeta négligemment le vêtement sur le lit. Les flammes de l'âtre éclairèrent alors ses bras et sa poitrine de reflets orangés, mettant en valeur le relief de ses muscles. Il était si beau, si bien bâti… Était-il conscient de cette beauté ? Elle en doutait.

Surprenant son regard admiratif, il sourit, prit de l'eau dans ses mains et les souleva au-dessus des cheveux d'Aubrey.

— Renverse la tête en arrière et détends-toi, Aubrey.

Elle sentit l'eau chaude couler sur ses cheveux et sur ses épaules, créant une merveilleuse sensation de bien-être. Giles répéta le geste encore et encore. Peu à peu, elle sentit ses muscles se détendre, ses courbatures s'effacer sous l'effet de l'eau et de la chaleur.

La voix de Giles la tira de sa douce rêverie.

— Avec quoi te laves-tu les cheveux ?

Elle lui montra un pot de céramique posé sur la table de toilette. Il l'attrapa, souleva le large bouchon de liège qui le fermait et se pencha pour respirer le parfum.

— Mmm… le lilas. Tu portes toujours ce parfum.

— C'est une infusion de fleurs, expliqua-t-elle. J'ai aussi du savon et d'autres produits.

— Tu les fais toi-même ?

— Oui, avec les fleurs que je cueille dans le jardin.

Il sourit et versa un peu de produit sur sa chevelure. Puis il lui massa doucement le cuir chevelu et la nuque. Enveloppée par le subtil parfum du lilas, Aubrey se détendit complètement mais elle ne ferma pas les yeux. Elle préféra les garder ouverts pour regarder le torse nu de son bien-aimé penché au-dessus de la baignoire, même si cela lui donnait l'impression d'être un peu trop coquine et décadente.

Lorsqu'il eut fini de la masser, il lui rinça longuement les cheveux. Il prit ensuite l'éponge qui flottait dans le bain et fit mousser le savon entre ses mains.

— Voulez-vous me donner votre bras, je vous prie, ma belle dame ?

Troublée, elle sortit son bras de l'eau un peu brusquement et lui éclaboussa le pantalon, mais il n'y prit pas garde. Il se concentra sur ses bras, et les savonna avec application, comme si c'était la chose la plus importante qu'il ait faite aujourd'hui. Avec des gestes lents et méthodiques, il lui frotta tout le corps, ne laissant de côté que les endroits secrets qu'elle rêvait justement de le voir caresser. Le corps de Giles, échauffé par cet exercice et par les flammes de l'âtre, était à présent couvert d'une fine couche de sueur.

— Je crois, ma chérie, que je vais te laisser terminer, dit-il en lui tendant le pain de savon.

— Vraiment ? balbutia Aubrey, un peu confuse.

— J'ai très envie de te regarder, dit-il d'une voix grave aux intonations sensuelles.

Il voulait donc seulement la regarder se laver ? Pourquoi pas, après tout ? N'avait-elle pas elle-même pris plaisir à l'observer, tandis qu'il était penché sur elle ? Avec des gestes un peu hésitants, elle fit mousser le savon entre ses mains, qu'elle passa lentement sur ses seins. Surprise, elle vit les pointes se tendre et gonfler sous ses propres doigts.

Giles l'enveloppa d'un regard approbateur. Ses yeux brillants se posèrent sur ses mains, comme pour l'inciter à continuer. Enhardie par son attitude, elle passa le savon sur ses seins en longs mouvements concentriques, soulevant légèrement dans l'eau les deux globes fermes.

— Une séductrice-née, dit-il, la voix rauque.

Aubrey se sentait, en effet, tentatrice. Comme si elle accomplissait un rituel érotique, un ballet naturel destiné uniquement aux yeux de son bien-aimé. Elle savonna de nouveau ses doigts, ferma les yeux et laissa sa tête retomber en arrière contre le bord de la baignoire. Elle continua de se caresser lentement, faisant glisser le savon sur ses seins, puis effleurant ses mamelons pour les rincer.

— Dieu tout-puissant… grommela Giles.

Elle répéta ces mouvements encore et encore, puis l'entendit se dresser et se pencher. Elle ouvrit tout grands les yeux et découvrit son visage près du sien.

— Donne-moi ce savon.

Elle alla chercher le savon au fond de l'eau et le lui tendit. Une main posée sur chaque bord de la baignoire, il baissa la tête et se mit à lécher le bout d'un sein. Aubrey tressaillit en poussant une exclamation.

En sentant sa main glisser dans l'eau et lui attraper la jambe, elle tressaillit de nouveau. Il la souleva et lui fit poser le pied sur le bord de la baignoire.

— Maintenant, allonge-toi, ordonna-t-il à voix basse. Et ferme les yeux.

Trop intimidée pour le regarder pendant qu'il la caressait ainsi, elle obéit volontiers. Du plat de la main, il repoussa doucement son genou sur le côté. Ses jambes s'ouvrirent et elle perçut la caresse de l'eau dans les replis les plus intimes de son corps. Avec un grognement sourd, Giles fit passer le savon sur sa peau, en une caresse follement érotique. Il prolongea ses caresses longuement, laissant parfois ses doigts plutôt que le savon effleurer la chair enflammée d'Aubrey. Très vite, il sentit le désir de la jeune femme s'éveiller. Sa respiration s'accéléra et elle s'ouvrit davantage, s'offrant à ses caresses.

— Je veux te regarder pendant que tu éprouves du plaisir, chuchota-t-il.

Aubrey s'humecta les lèvres du bout de la langue, mais n'osa pas ouvrir les yeux.

Giles laissa retomber le savon. Elle ne put réprimer un cri lorsqu'il posa les lèvres sur la pointe d'un sein. Il le saisit et l'attira avidement dans sa bouche, sans cesser d'en taquiner la pointe. Puis il glissa un doigt dans sa chair humide et la caressa. Une sensation merveilleuse s'empara d'elle. Quand il la sentit prête, il introduisit un deuxième doigt dans le fourreau étroit de sa féminité et, de son pouce, caressa le bouton dur et gonflé caché sous les plis secrets de sa chair.

Aubrey rejeta la tête en arrière, s'abandonnant au plaisir étourdissant que ses caresses douces et légères faisaient naître au creux de son corps. Elle eut l'impression que le sang lui battait aux tempes et perdit conscience de ce qui l'entourait.

— Oui, ma chérie, l'entendit-elle murmurer. Laisse-toi aller. Donne-toi…

Elle marmonna quelque chose, des mots sans suite qu'elle ne comprit pas elle-même.

Ses hanches se soulevèrent, cherchant ses caresses. Ses mains agrippèrent le bord de la baignoire et tout son corps se mit à frémir. Soudain le plaisir surgit, incontrôlable. Elle gémit sans s'en rendre compte, tandis qu'une vague chaude et délicieuse la submergeait, l'emportait. Puis, lentement, le calme retomba.

— Giles, balbutia-t-elle alors. Oh! Giles… j'ai essayé de ne pas tomber amoureuse de toi…

— Vraiment, mon amour ? J'espère que tu as échoué.

— Complètement. Tu es… le plus grand bonheur de ma vie.

Elle fut à peine consciente qu'il lui passait un bras sous la taille pour la soulever. Il la déposa délicatement devant la cheminée, sur la serviette qu'il avait pris soin d'étaler sur le sol. Enveloppée de douceur et de chaleur, Aubrey aurait aimé ne jamais rouvrir les yeux, ne jamais replonger dans la réalité. Elle voulait rester là, près du feu, tandis que Giles épongeait délicatement son corps humide.

La nuit étant froide, Aubrey ne conserva pas longtemps la chaleur du bain. Alors que Giles lui séchait les cheveux, elle se mit à frissonner. Elle sentit qu'il se redressait et ouvrit les yeux. Il était en train d'ôter ses vêtements.

— Tu as un corps magnifique, chuchota-t-elle en se soulevant sur un coude pour le regarder.

Il eut un sourire modeste et la souleva de nouveau pour la rapprocher du feu.

— Il ne faut pas que tu aies froid, dit-il.

Il s'allongea derrière elle et se plaqua contre ses reins, n'hésitant pas à lui faire percevoir la force de son désir. Enveloppée d'une brume de chaleur et de satisfaction, Aubrey poussa un grognement de plaisir lorsque Giles lui entoura la taille d'un bras et plaqua une main sur son ventre.

Il aurait aimé lui donner un enfant. La pensée lui traversa l'esprit de façon si inattendue qu'il en eut le souffle coupé. Bon sang ! Il devenait fou ! Déjà, la première fois, il avait joué avec le feu. Aubrey n'avait pas d'expérience et ne savait probablement rien sur la façon d'éviter une grossesse. Et maintenant, il était sur le point de prendre un nouveau risque. Cette idée aurait dû le terrifier… curieusement, il n'en fut rien.

Il était las de vivre une vie de prudence, où tout était prévu, planifié. Aubrey lui donnait envie de faire des folies, de vivre dangereusement. En bref, de faire ce dont il avait envie, sans s'inquiéter de ce que la société attendait de lui.

Ah! mais il n'était pas question pour autant de faire du mal à Aubrey.

Elle ne souffrirait pas à cause de lui, décida-t-il résolument. Quoi qu'il arrive, elle était à lui et il veillerait sur elle, d'une manière ou d'une autre. Pour l'instant, les désirs de la jeune femme coïncidaient avec les siens et c'était parfait ainsi. Tout en gémissant et en soupirant doucement, elle pressait ses hanches contre lui, excitant plus encore son désir. Il n'avait plus qu'une envie : s'enfoncer dans la chaleur de sa féminité, se perdre dans ce corps pulpeux et envoûtant.

Il aurait voulu pouvoir attendre. Un jour, peut-être serait-il rassasié de ses charmes et son désir se ferait alors moins ardent… Ce soir, ce n'était pas le cas. Il fit glisser sa main au creux de la taille d'Aubrey, puis sur la rondeur de ses hanches et le plus loin possible le long de ses jambes lisses comme de l'ivoire. Il voulait prendre le temps de l'admirer, de la caresser, de goûter à sa peau, mais son propre corps brûlait d'impatience. Il y avait trop longtemps qu'il était privé d'elle. Il se pressa plus étroitement contre ses hanches, posant les lèvres sur sa nuque.

— Soulève cette jambe, mon amour, murmura-t-il en glissant une main sous sa cuisse.

Aubrey lui lança un coup d'œil hésitant par-dessus son épaule, mais obéit. Giles s'insinua entre ses cuisses, effleurant de son sexe gonflé les replis chauds et humides. Sa respiration s'accéléra, tandis qu'il se frayait délicatement un chemin vers le cœur de sa féminité.

— Tes hanches, chuchota-t-il d'une voix rauque de désir. Cambre-toi.

Elle fit instinctivement ce qu'il lui demandait et il se pressa contre le fourreau soyeux de sa chair. Elle le prit en elle, par ses mouvements lents et voluptueux, l'enrobant peu à peu de sa chaleur. Il pénétra plus avant, se retira, recommença et la sentit frissonner de plaisir.

— Prends-moi en toi, ordonna-t-il. Donne-moi ton rythme.

Et elle le fit, avec toutefois un soupçon d'hésitation, de timidité. Giles ne put attendre. Avec un cri rauque, il pénétra totalement en elle, d'un unique et puissant coup de reins. Il la sentit se figer contre lui puis, cambrant les hanches, elle vint à sa rencontre. Il grogna de plaisir et plongea encore une fois en elle.

Peu à peu, leurs mouvements s'accélérèrent, comme leur respiration. La main de Giles glissa du ventre d'Aubrey jusque sur le triangle de boucles humides entre ses cuisses. Un doigt s'insinua plus profondément, cherchant la clé de son désir. Elle poussa un gémissement langoureux lorsqu'il la trouva et la caressa. Tous deux s'abandonnèrent au vertige qui les entraînait à un rythme infernal vers la spirale du plaisir.

Giles sentit le rythme de leurs souffles s'accélérer. Aubrey laissa échapper un sanglot. Il accentua sa caresse, la sentit frissonner contre lui et fit un effort surhumain pour retenir son propre plaisir.

Enfin, elle s'étira entre ses bras et laissa fuser un cri ; tout son corps fut secoué de frémissements. Giles donna un dernier coup de reins et sentit sa semence se répandre dans la chaleur de la jeune femme. Tout s'effaça autour de lui et il sombra dans l'océan de la jouissance en serrant de toutes ses forces Aubrey contre lui.

Une bûche craqua dans l'âtre et bascula dans la cendre rougeoyante, ce qui éveilla Aubrey. Ils avaient dû dormir un moment, car le feu était en train de s'éteindre ; ils étaient toujours allongés sur la couverture, leurs corps enlacés. Elle se sentit épuisée, vidée de ses forces, et aussi vaguement angoissée... comme si elle n'avait pas eu le droit d'être à ce point heureuse. Pourtant, ce soir au moins, elle voulait savourer pleinement ce bonheur inattendu que la vie lui offrait.

Elle dut se rendormir sans s'en rendre compte, car elle s'éveilla de nouveau un peu plus tard, blottie contre Giles, en bredouillant des mots de peur et de désespoir.

Encore un de ces cauchemars, songea-t-elle en se débattant pour échapper au rêve qui la poursuivait. Elle ne se trouvait pas dans une geôle froide et humide. Fergus était loin. Elle était libre et Iain en sécurité. La réalité, pour le moment, c'était Giles, son corps chaud et solide, son souffle tiède, ses lèvres sensuelles qui cherchaient les siennes.

— Tout va bien, ma chérie, murmura-t-il dans un demi-sommeil. Je suis là.

Il la serra contre lui et l'embrassa longuement puis, comme pour la rassurer encore davantage, il la fit rouler sur le dos et se hissa au-dessus d'elle. Sans s'attarder en préliminaires, il lui fit l'amour de nouveau, lentement, en gardant le silence. Quand ce fut terminé, il la porta jusqu'à son lit et se glissa dans les draps avec elle.

Aubrey sourit.

— Ce n'est pas trop petit pour toi ?

— Ce lit est sacrément étroit !

— Les gouvernantes ne sont pas censées recevoir des invités.

Il rit doucement, resserra son étreinte et lui passa doucement les doigts dans les cheveux en lui caressant la nuque.

— Tu as eu un sommeil agité, tout à l'heure.

— Je crois que j'ai fait un cauchemar.

— Tu crois ? répéta-t-il en scrutant son visage.

— Je ne me rappelle pas. Je n'ai pas envie d'y penser.

Giles ne dit rien pendant plusieurs minutes, mais Aubrey perçut la tension qui l'envahissait.

— Aubrey, ma chérie, finit-il par murmurer. En fait, je suis descendu chez toi parce que je voulais te demander quelque chose.

Ces paroles la mirent aussitôt sur le qui-vive.

— Vraiment ?

— Oui, mais je me suis laissé distraire, avoua-t-il avec un petit sourire. Aubrey... as-tu jamais eu de la famille à Birmingham ?

Désarçonnée par la question, Aubrey inspira longuement. Elle était si lasse de mentir à Giles...

— Non, avoua-t-elle dans un souffle. Je n'ai pas de famille dans cette ville.

Elle vit à la faible lueur des flammes qu'il l'observait.

— Mais tu as fait croire à mon oncle que tu en avais. Je ne me trompe pas, n'est-ce pas?

— Oui, je… je lui ai dit cela. Mais seulement au début. J'étais seule dans une auberge, avec Iain, quand j'ai vu l'annonce qu'il avait fait paraître dans le journal et… j'ai eu l'impression que c'était un signe du destin. Mais je craignais qu'il ne refuse d'engager une jeune femme seule, sans famille.

— Je vois. Et ton expérience d'intendante, où l'as-tu acquise?

— Je… je dirigeais la maison familiale. Au début je l'ai fait pour ma mère, après la mort de mon père. Puis pour ma sœur. Je m'occupais de tout. C'était un travail qui me convenait très bien.

— Et tu n'as jamais travaillé ailleurs?

Elle ferma les yeux.

— Faut-il vraiment que nous parlions de tout cela maintenant, Giles?

Il lui glissa un doigt sous le menton.

— Aubrey, ma chérie, regarde-moi.

Mais elle refusa d'ouvrir les yeux.

— Ton ami Max s'est rendu à Birmingham, n'est-ce pas? s'enquit-elle doucement.

— Comment le sais-tu?

— Une lettre est arrivée, aujourd'hui. Il a une écriture très particulière.

— Ah…

— Cet homme se méfie de moi, poursuivit-elle. Je ne le blâme pas. Tout cela a pris une très mauvaise tournure. Je regrette de m'être engagée dans cette affaire.

— Mais tu ne l'as pas cherché, Aubrey. Tu t'es trouvée là… au mauvais moment. C'est bien cela?

— J'aurais dû courir au village dès l'instant où j'ai entendu le coup de feu, dit-elle à voix basse. Je n'aurais jamais dû entrer dans la bibliothèque et toucher le… et toucher le major. Ce que j'ai fait était stupide… d'une incroyable stupidité! Mais j'ai cru que… que je pouvais l'aider. Je n'ai pas compris tout de suite que c'était trop tard. C'est seulement quand j'ai vu le trou dans sa poitrine…

— Je suis désolé, ma chérie. Désolé.

Aubrey garda le silence un long moment. Elle sentait les battements réguliers du cœur de Giles contre sa propre poitrine.

— Giles, tu m'as dit un jour que si je te demandais de me faire confiance, tu le ferais, chuchota-t-elle. Tu le pensais vraiment ?

Il hésita à peine avant de répondre :

— Oui, je le pensais.

— Cela fait presque trois ans que je suis à Cardow, reprit-elle lentement, comme si elle choisissait prudemment ses mots. J'aime cet endroit. Tu le trouves solitaire ; pour moi, il est paisible. J'aime beaucoup mon travail et je suis fière de ce que j'ai accompli dans le domaine. Je n'ai pas cherché cette... relation entre nous, mais si je ne devais jamais plus te voir, ou si tu me chassais, je serais brisée de chagrin. Je ne vois pas ce que le passé vient faire dans tout cela. Je ne t'ai jamais questionné sur ton passé, n'est-ce pas ?

— Non. Jamais.

— Je suis navrée que ton ami ait des soupçons sur moi. Cependant, je ne suis coupable que de ma stupidité. J'ai eu beaucoup de chagrin quand ton oncle est mort. Si étrange que cela puisse paraître, je l'aimais bien. Mais il est bel et bien mort, Giles. Et lord Vendenheim aura beau remuer ciel et terre, il ne pourra rien y changer.

— Que veux-tu dire, Aubrey ? demanda Giles en lui caressant la joue du bout des doigts. Qu'il devrait tout simplement abandonner ses recherches ?

— Oui. Crois-moi, Giles. Il ne ressortira rien de bon de tout cela. Toute cette agitation autour de cette affaire empêche seulement les plaies de se refermer.

Elle le vit froncer les sourcils dans la pénombre.

— Mais il faut que justice soit faite !

— Le tribunal des hommes sert rarement la justice, dit-elle avec un rire amer. C'est l'idée que tu as toi-même défendue pendant longtemps. Je pense que le jugement et la vengeance n'appartiennent qu'à Dieu. Quant à moi, dans le fond je me moque de ce que croit Vendenheim.

J'ai fourni la preuve de ma loyauté en tant que domestique.

— Justement, Aubrey. Je ne veux pas de toi comme domestique…

Elle ne le laissa pas aller plus loin.

— C'est tout ce que je peux être, Giles, dit-elle en lui posant une main sur la poitrine. Tout ce que je veux être. Ne peux-tu tout simplement accepter cela ?

Il ferma brièvement les yeux, comme s'il ne parvenait pas à soutenir son regard.

— Il y a moins de deux heures, Aubrey, tu m'as dit que tu m'aimais. Était-ce vrai ou considères-tu que cela faisait partie de tes devoirs de domestique ?

Aubrey tressaillit comme s'il l'avait giflée.

— Sors d'ici ! s'exclama-t-elle en le repoussant de ses deux mains. Sors de mon lit !

Giles lui saisit les poignets, la renversa sur le dos et se coucha sur elle de tout son long. Ses yeux avaient une expression douloureuse.

— C'est aussi mon lit, chuchota-t-il. Et tu es à moi, Aubrey. Peu importe ce que tu es, ou ce que tu as fait. Tu m'appartiens, et pour toujours.

— Tu veux jouer au seigneur et maître ? rétorqua-t-elle d'un ton acerbe. Eh bien, vas-y. Tu peux me posséder sur-le-champ. Comme ça. Contre ma volonté. Alors, qu'est-ce que tu attends ?

Renonçant à la lutte qu'elle lui imposait, il se laissa retomber sur elle.

— Bon sang, Aubrey, ce n'est pas cela que je veux ! marmonna-t-il, les lèvres dans son cou. Ce que je veux, ce n'est pas seulement te posséder physiquement. Mon désir pour toi est plus proche du désespoir… de l'obsession.

Aubrey ravala ses larmes et se renfonça dans la chaleur du lit.

— Nous avons tous les nerfs à vif, murmura-t-elle. Je suis désolée, Giles, mais je ne peux pas me livrer entièrement. Je ne peux pas être celle que tu désires.

Giles lui caressa les cheveux et l'embrassa avec douceur.

— Tu es tout ce que je désire, Aubrey. Et au fond de mon cœur, tu es à moi. Mais tu as raison, ma chérie, je ne peux pas te posséder.

— Je t'aime, Giles. Voilà, je l'ai dit. Clairement. Et pas seulement au moment où tu fais vaciller mes sens. Je t'aime, mais je ne suis pas la femme qu'il te faut.

— Je ne comprends pas.

Elle pinça les lèvres et secoua la tête.

— Un jour, il faudra que tu te maries. Tu choisiras quelqu'un qui pourra soutenir ta carrière, quelqu'un de ton monde. C'est un devoir que tu as envers ta famille, ton titre.

— Ah! le devoir... Voilà une notion que je ne comprends que trop bien. Toute ma vie, j'ai fait mon devoir. Et maintenant, je me demande si je saurai un jour faire ce qu'il faut pour être heureux. Tu voudrais que je suive l'exemple de ma mère? Que je me marie pour des raisons économiques, des questions de lignée?

— Non. Mais pour des considérations politiques, répliqua-t-elle. Tu as suffisamment de pouvoir pour aider les autres, ceux qui sont sans défense. Et il ne faut pas que tu y renonces.

— Ma carrière, c'est cela? grommela-t-il. Cela commence à me peser un peu, mais je sais que le travail que j'accomplis est important, Aubrey. C'est une chose que je n'ai jamais perdue de vue.

Elle lui prit la main, l'embrassa et pressa ses doigts contre sa joue.

— Dans combien de temps dois-tu retourner à Londres?

— J'aurais dû repartir il y a déjà quinze jours, avoua-t-il. Ma présence là-bas serait nécessaire, mais je ne veux pas te quitter. Je répugne aussi à quitter le château, même si cela peut paraître étonnant.

Aubrey le regarda à travers ses longs cils noirs.

— Tu commences peut-être à aimer un peu cette maison?

— Je commence surtout à la voir telle qu'elle est, avec mes propres yeux et non à travers le regard de quelqu'un d'autre. J'ai découvert ces jours-ci que ce n'était pas une prison, mais un très beau château. Une demeure vivante et accueillante.

— Tu considérais ce lieu comme une prison ?

Giles retomba sur le dos et considéra le plafond d'un œil pensif.

— Ma mère se sentait comme en prison, ici, avoua-t-il. Elle est arrivée à dix-sept ans, jeune mariée, et a toujours détesté cet endroit. Elle disait que sa plus grande angoisse était de penser qu'elle mourrait un jour à Cardow.

Aubrey repoussa les mèches noires qui barraient le front de Giles.

— Elle n'était pas heureuse ? Ton père ne l'aimait pas ?

Giles eut un sourire triste.

— Il l'aimait trop. Et elle ne l'aimait pas du tout.

— Ah ! Quel malheur...

— Elle n'a jamais voulu vivre ici, poursuivit-il dans un murmure. Une légende raconte qu'aucune jeune mariée n'a jamais pu être heureuse à Cardow. Ses murs sont trop vieux, trop désolés... et même hantés, à ce qu'on dit. Parfois, je me dis que c'est cette maison qui l'a rendue folle. Finalement, elle est morte ici, comme elle le redoutait. C'est une histoire tragique.

Aubrey se blottit plus étroitement contre lui.

— Oui, j'ai... j'ai entendu dire qu'elle était tombée.

Le regard de Giles se fit lointain, comme s'il plongeait soudain dans un passé très éloigné.

— Je suppose qu'on t'a dit qu'elle s'était tuée, mais ce n'est pas vrai. Elle n'a pas fait cela. C'est lui qui l'a poussée... peut-être pas avec ses mains, mais avec ses mots. Je ne suis plus très sûr de ce qui s'est passé... Quelle arme il a utilisée.

— Il l'a poussée ? répéta Aubrey, consternée. Je croyais... j'avais compris que...

— Quoi ? Qu'elle avait sauté ? Non, il l'a poussée...

Sa voix se brisa et il secoua lentement la tête.

— Du moins, c'est l'impression que j'ai eue. Mais je n'étais qu'un enfant. Mon imagination a pu me jouer des tours... Je sais que cela arrive.

— Mon Dieu ! murmura Aubrey d'une voix blanche. Tu... tu étais là quand c'est arrivé ?

Giles posa sur elle un regard étrange.

— Tu vois la massue ancienne, accrochée avec un bouclier dans la galerie ? Maman portait sa robe préférée, en velours bleu. L'ourlet s'est accroché à une des piques de la massue et le tissu a fait un bruit affreux, quand il s'est déchiré. Je n'ai jamais pu l'oublier.

— Mais pourquoi ? Pourquoi a-t-il fait cela ? demanda-t-elle, l'estomac noué.

— Ils étaient en train de se quereller. À mon sujet, comme d'habitude. Mon père était devenu très sombre, très amer. Il l'avait aimée, pourtant, et il l'aimait sans doute encore. Mais après ma naissance, après lui avoir donné un héritier, elle l'a repoussé. Ce jour-là, mon père lui avait annoncé sa décision de m'éloigner. Il voulait m'envoyer à l'école. Pour faire de moi un homme, disait-il. En réalité, je pense qu'il voulait la punir de trop m'aimer. Ma mère s'est mise à pleurer, en disant qu'elle mourrait s'il faisait cela, qu'elle ne supporterait pas d'être prisonnière de Cardow, sans moi...

— Comme c'est triste.

Giles reprit, le regard toujours perdu dans l'obscurité :

— Père s'est contenté de hausser les épaules. Il est sorti de la bibliothèque, mais elle lui a couru après. Elle ne renonçait jamais. Jamais. On aurait dit qu'elle prenait plaisir à provoquer et à prolonger ces querelles. Elle l'a suivi dans la galerie, en hurlant. Et tout à coup, elle... l'a poussé. Il s'est retourné et l'a poussée plus fort. Elle... elle a heurté la balustrade et... a basculé dans le vide.

— Ô mon Dieu ! murmura Aubrey en resserrant les bras autour de lui.

Toujours perdu dans ses souvenirs douloureux, Giles battit des paupières.

— Les domestiques ont accouru de toute la maison. Père s'est mis à hurler qu'elle était devenue folle, qu'elle avait sauté du haut de la galerie. Il a répété ce mensonge jusqu'à l'arrivée du pasteur. Ce dernier lui a rappelé les conséquences terribles qu'entraînait un suicide.

— Oh! Giles...

— Tous les biens de ma mère auraient été confisqués par la Couronne. On aurait murmuré qu'elle était folle et que son âme était destinée à brûler en enfer. Elle aurait été enterrée de nuit, en secret, et n'aurait pas eu droit à la moindre prière pour la paix de son âme.

— Oui, balbutia Aubrey d'une voix étranglée. Je sais.

— La pensée d'une telle humiliation incita mon père à réfléchir, bien sûr. Il se rendit compte que notre famille serait marquée à tout jamais par une telle ignominie. Alors, tout changea : ma mère était tout simplement tombée par-dessus la balustrade. C'était un accident. Et... et c'est sans doute la vérité. Seigneur! Je ne sais même plus moi-même ce qui s'est passé en réalité.

Aubrey ferma les yeux.

— Oh! Giles... c'est terrible.

— Après cela, j'ai détesté mon père. Je le hais toujours. Mais je suis adulte à présent, et je me rends compte que ma mère a délibérément provoqué sa colère, pendant tout le temps qu'a duré leur union. Certes, il était jaloux et mesquin, mais elle n'a jamais voulu accepter son sort, ou essayer de trouver un terrain d'entente avec lui.

— Leur mariage avait été arrangé par les familles?

Giles répondit d'un hochement de tête.

— Mais personne ne l'a obligée à prononcer les vœux du mariage, ajouta-t-il après quelques secondes. Et, d'une certaine façon, elle ne les a pas honorés. Je l'aimais, Aubrey. Je l'aimais de toutes mes forces. Mais à présent que j'ai passé quelque temps ici, je commence à considérer les choses et les événements comme un homme et non plus comme un enfant accablé de chagrin. J'ai l'impression d'y voir plus clair, et je me demande s'ils n'avaient pas autant de torts l'un que l'autre.

Aubrey remonta les couvertures sur eux et se serra contre Giles. La seule chose dont il semblait avoir besoin, en cet instant, c'était de réconfort.

— Que t'est-il arrivé, après sa mort?

— On m'a envoyé à l'école, répondit-il platement. Mon père ne voulait pas de moi dans la maison. Je ne suis revenu à Cardow que lorsque je n'ai pas pu faire autrement, et j'ai toujours gardé la même attitude envers ce domaine : je l'ai ignoré. Je pense que j'ai commis dans ma vie le même péché que ma mère.

— Que veux-tu dire ?

Il sourit, avec une ombre d'amertume.

— Je n'ai pas essayé de tirer le meilleur parti de ma vie. J'ai ignoré mes devoirs envers ma famille et j'ai fait payer aux autres le prix de mon chagrin.

Aubrey ne sut que répondre. Il y avait une part de vérité dans ces paroles, mais cela ne l'exaspérait plus autant qu'autrefois. Maintenant qu'elle connaissait le comte de Walrafen et qu'elle l'aimait, sans doute le voyait-elle avec d'autres yeux ? Plus clairement ? À moins qu'elle ne soit aveuglée, au contraire… Toutefois, cela ne lui semblait plus d'une grande importance. Elle posa la tête contre sa poitrine et écouta les battements de son cœur. Tous deux glissèrent ainsi, lentement, dans le sommeil.

15

Où Mr Kemble subit quelques mésaventures

C'était pour lord Vendenheim une règle implicite. Dans une enquête policière, quand une chose était susceptible d'aller de travers, elle finissait immanquablement par le faire. Ensuite, on pouvait naturellement s'attendre au pire. Rien ne s'était bien passé à Birmingham, et il avait écrit à Giles pour le lui dire. Ce en quoi il avait eu tort, bien sûr. Perte de temps et d'argent car Giles, le diable l'emporte, en savait beaucoup plus long qu'il ne voulait le reconnaître.

C'était après qu'ils avaient quitté Birmingham pour se rendre à Bedlington que « le pire » était arrivé. Kem et lui avaient partagé une douzaine d'huîtres dans une taverne un tantinet trop éloignée de la mer, avec les conséquences que l'on peut aisément imaginer. Quand ils furent enfin remis de cette légère indisposition et qu'ils purent reprendre la route sur des jambes encore flageolantes, ils se mirent en quête de l'adresse qu'Aubrey Montford avait fournie dans sa lettre de références.

Or, au lieu d'une résidence privée, ils trouvèrent une modeste boutique de chapeaux et demandèrent au chapelier s'il connaissait quelqu'un du nom de Montford. L'homme les envoya chez le marchand de tabac, qui lui-même les dirigea vers une ferme, une vieille bâtisse délabrée appartenant à un certain Montwell. Ce vieux ronchon possédait trois bouledogues aussi grincheux que lui, qui ne parurent pas apprécier du tout l'eau de toilette française dont Kemble s'était abondamment aspergé le matin.

Les deux hommes reprirent donc la route et leurs recherches, car quelque part, dans les régions les plus reculées du Northumberland, il avait dû y avoir un jour une famille répondant au nom de Montford. C'était quasiment une certitude : chaque fermier, chaque valet d'écurie, chaque forgeron interrogé à ce sujet leur avait fait la même réponse. Les pouces calés sous les bretelles, ils avaient craché par terre et affirmé solennellement qu'il existait dans un village voisin une famille de ce nom. Il était toutefois regrettable qu'ils eussent tous fourni le nom d'un village différent.

Exaspéré par cette errance infructueuse, Max donna un coup de pied dans l'une des pierres qui jonchaient le chemin couvert d'ornières. Par malheur, la pierre fut projetée plus loin qu'il ne le pensait et alla heurter avec force le postérieur de Kem. Celui-ci pivota sur ses talons et lança à Max un regard furibond.

— Max, je suis réellement désolé que votre précieux équipage ait perdu une roue à Darlington, mais je ne suis pas responsable du pétrin dans lequel nous nous trouvons !

Max grimaça un sourire.

— Oh ? Et qui pourrait donc en être responsable, si ce n'est vous ?

— Je n'ai pas vu ce maudit fossé ! Si ces péquenauds taillaient correctement leurs haies, de tels accidents ne se produiraient pas ! Quant à la guimbarde que vous avez louée, elle ne valait même pas la moitié de la somme que vous avez avancée. Et maintenant, comment allons-nous la restituer, avec un essieu cassé ? Ah non ! Ne dites pas qu'il faut trouver un forgeron, Max ! Si je vois un autre de ces monstres noirs et poilus couverts de sueur, je hurle !

— Mmm… je ne sais pas, Kem, répondit Max, pensif. Je crois que celui de Hepscott s'était pris d'affection pour vous.

Kem croisa les bras tout en continuant d'avancer d'un pas vif sur le chemin défoncé.

— Ce n'est pas moi qui ai demandé à venir dans le Nord ! rappela-t-il à Max d'un ton pincé. Tout ce que je vois, c'est que nous avons échoué au bout du monde, après avoir traversé une douzaine de villages aux noms ridicules. Spitford, Cowpen, Pigpen... Regardez-moi ces nids-de-poule ! ajouta-t-il en sortant sa flasque d'armagnac de la poche de son pardessus. Je vous le demande, Max, où se cache cet Écossais qui a inventé une méthode pour recouvrir les routes ? Les gens ne sont jamais là quand on a besoin d'eux.

— Je crois savoir qu'il est mort, rétorqua Max d'une voix égale. Et ce pauvre McAdam n'a certes pas eu le temps de paver toutes les routes d'Angleterre. N'y pensez plus, Kem et avancez.

— Ne me bousculez pas, sacrebleu ! Vous savez, Max, cela ne vaut vraiment pas le coup d'être votre ami. De toute façon, si vous étiez vraiment mon ami, vous ne m'auriez pas fait chanter pour ce chandelier ! Bon sang ! j'aurais dû jeter ce fichu machin dans la Tamise avant que vous... Eh bien ? Ça alors ! Dites-moi, Max, que voyez-vous là ?

Kem s'immobilisa au beau milieu de la route, en balançant sa flasque au bout de ses doigts.

Max suivit son regard. Ce n'était qu'un vieux panneau de bois, cloué de guingois sur un poteau. Il disparaissait presque complètement dans l'herbe haute et les buissons, mais on pouvait encore déchiffrer le nom, bien que les lettres fussent délavées par la pluie.

— Montford Farm, murmura Max, la tête penchée de côté pour mieux voir. Dieu du Ciel, est-ce possible ? Cette pancarte est plutôt... vermoulue.

— C'est sûrement ce que nous cherchons. Allons voir.

Ils s'engagèrent dans un chemin creusé de deux profondes ornières continues, entre lesquelles s'étalait un peu d'herbe. La route encadrée de haies aboutissait dans une clairière au milieu de laquelle se trouvait une ferme. Une minuscule ferme, dont le toit de chaume semblait prêt à s'effondrer d'une minute à l'autre. Une grange de pierre était adossée à la misérable bâtisse et quelques vaches osseuses erraient dans le pré, gardées par un fermier à l'allure aussi délabrée que son humble demeure.

— De la boue ! siffla Kem entre ses dents en désignant la cour devant la maisonnette. Encore et toujours de la boue !

— Vous vous trompez, mon cher. C'est du fumier, rectifia Max. Et très frais, si mon odorat ne me trompe pas.

— *Ma foi !* grommela Kem en français, en avançant d'un pas décidé. C'est du pareil au même. Quel maudit voyage !

Le fermier, qui les avait aperçus, avança d'un pas traînant.

— Seriez-vous Mr Montford ? s'enquit Max poliment, après s'être présenté.

— Non, c'est pas moi, répondit l'homme avec un bon sourire.

— Mais cet endroit s'appelle bien Montford Farm ? s'exclama Kem d'une voix stridente.

Le fermier repoussa sa casquette sur son crâne.

— Ben ouais, mais… ils sont tous morts, maintenant. C'est le cousin de ma femme qui m'a légué ce bout de terrain.

— Oui, je comprends, dit Max. Mais nous recherchons la famille d'une personne qui s'appelle Mrs Montford. Elle est gouvernante.

Le visage de l'homme s'éclaira.

— Oui, oui, c'est vrai, m'sieur ! C'est une des sœurs d'Elbert, le cousin de ma femme. Elle est partie pour s'occuper d'une grande maison. Mais je ne me rappelle plus son nom.

— Montford, peut-être ? suggéra Kem d'un ton narquois.

L'homme rit de bon cœur.

— Ça, monsieur, vous avez le sens de l'humour ! C'était bien Montford, son nom. Mais s'appelait-elle Ann, ou Mary, ou Jane, je serais ben incapable de vous l'dire !

— Aubrey ? suggéra Max.

L'homme cracha dans le fumier, manquant de très peu les chaussures italiennes de Kem.

— P'têt ben… Drôle de nom, Aubrey. De toute façon, elle est partie dans le Nord il y a longtemps, pour tenir la maison d'une grande famille.

— Où ça, dans le Nord ? questionna Kem qui commençait à entrevoir avec horreur qu'il n'était pas au bout de ses peines.

— Oh ! assez loin ! fit l'homme, affable. Assez loin. Près de Dundee, je crois.

— Mon Dieu !

Près de défaillir, Kem plaqua une main sur son cœur. Cependant, le fermier ignora cette expression de détresse et continua, impitoyable :

— La maison d'un comte écossais. Mais il est mort, et c'est son jeune frère qui a hérité du titre. Il l'a gardée à son service. Et puis celui-là est mort à son tour, tué par ce vieux Bonaparte, j'ai entendu dire. C'est un cousin qu'a hérité de la maison et du reste. Je crois bien qu'elle est toujours là-bas... si elle est pas morte elle aussi. Mais si c'est l'cas, personne m'a prévenu. Ils auraient dû l'faire, si c'était arrivé, croyez pas ? Vu qu'elle est parente avec ma femme.

Kem tapait du pied sur le sol avec impatience, mais Max, lui, comptait les comtes disparus sur le bout de ses doigts. Finalement, il lança à l'homme un coup d'œil intrigué.

— Combien de temps y a-t-il que cette... Mrs ou Miss Montford est partie ?

Le fermier rabattit sa casquette sur son front et observa pensivement les chaussures de Kem. Celui-ci, prudent, recula d'un pas.

— C'était Mrs, qu'elle disait, marmonna l'homme au bout d'un moment. Mais elle était pas mariée, ça non. Elle est partie en... 1802. Ou 1803...

— Cela fait presque trente ans ? fit Kem d'une voix sifflante de colère. Et j'ai cassé un essieu pour ça ? Cette Mrs Montford ne peut pas être la femme qui nous intéresse !

Le fermier haussa les sourcils, écarquilla les yeux et se tourna vers Max d'un air désemparé.

— Ben... c'est la seule Mrs Montford que nous ayons dans la famille, m'sieur ! dit-il d'un air désolé. C'est peut-être les Montwell de Cowpen, que vous cherchez ?

— Non ! s'exclama Kem en tapant du pied dans le fumier, éclaboussant du même coup le costume de Max. Non, non, non ! Pas Montwell ! Et pas Cowpen ! Et pas l'Écosse, pour l'amour du Ciel ! Max, je vous en prie, je vous en supplie ! Ramenez-moi à la maison ! Tout de suite ! Je veux retourner à Londres, par pitié !

Max adressa au fermier un sourire contrit, comme si son ami était subitement devenu fou.

— Ce comte écossais, dit-il. Vous rappelez-vous son nom, par hasard ?

L'homme secoua la tête, perplexe.

— J'peux pas dire. C'était un nom bizarre. *Penknife* ? *Penrose* ? Ou bien ça commençait par un *Hen*...

— Henny-Penny ? suggéra Kem, accablé.

Max lui lança un regard noir.

— N'était-ce pas un nom se terminant en *ross* ? demanda-t-il ? C'est assez courant en Écosse.

Le fermier arracha sa casquette, qu'il fit claquer sur sa cuisse.

— Par Dieu ! Vous avez raison ! C'est *Kenross* !

— Kenross ? répéta Kem, brusquement intéressé. C'est une drôle de coïncidence...

— Mon ami, répliqua gravement Max, les coïncidences n'existent pas.

Milson, le troisième valet de pied de Cardow, était un exemple type du genre de personnel dont Pevsner était responsable. Il était trop jeune, trop beau et trop familier avec les femmes de chambre. Qui plus est, il était paresseux. Néanmoins, Aubrey avait compris très vite qu'il n'y avait pas grand-chose à faire pour remédier à cela. Elle se contentait donc de faire remarquer ce qui n'allait pas dans le service du jeune homme, puis de garder un œil sur Pevsner jusqu'à ce que l'oubli ou la faute soit réparé. La frontière entre le domaine du majordome et celui de la gouvernante était très floue, mais elle existait.

Un des devoirs de Milson consistait à ramasser toutes les lampes de la maison chaque matin. Il était censé nettoyer les verres salis par la suie, placer des mèches neuves et remplir d'huile les récipients. Il arrivait fréquemment qu'au cours de ses inspections de l'après-midi Aubrey trouvât des lampes dont l'état n'était pas satisfaisant. Aujourd'hui, elle en avait repéré deux, uniquement dans la petite salle à manger.

Elle nota cela sur sa liste, puis passa dans le salon du matin, un peu agitée à l'idée d'une entrevue orageuse avec Pevsner, mais elle n'eut pas le temps de vérifier l'état des lampes. Quand elle entra dans la pièce de service qui reliait les deux salles, elle se figea sur place en entendant un bruit étrange.

— À gauche! À gauche! cria quelqu'un d'une voix aiguë, dans le salon.

— Ma gauche, ou ta...?

Le reste fut couvert par un grand fracas de métal dégringolant sur le sol.

— Oups! fit une petite voix. Le plat en étain de la desserte...

Mon Dieu! Était-ce bien... *la voix de Iain*? Oui, pourtant, cela ne faisait aucun doute. Cependant, Iain n'avait pas la permission d'entrer dans les salons réservés à la famille. Et encore moins celle de renverser les plats!

Aubrey posa son cahier et entrouvrit la porte capitonnée. Éberluée, elle vit Giles passer devant elle, les bras tendus en avant comme un fantôme cherchant son chemin. Une serviette de table en lin blanc était nouée sur ses yeux, et il portait un chandelier en argent en équilibre sur la tête.

— Le garde-feu! Attention au garde-feu! cria Iain.

Giles s'orienta habilement vers la gauche, évitant de renverser le garde-feu placé devant la cheminée. En revanche, une des bougies tomba du chandelier et roula sur le sol.

— Cette fois, je vais réussir à faire le tour complet, annonça le comte. Il ne me reste plus qu'à dépasser les fenêtres.

Muette de stupéfaction, Aubrey poussa complètement la porte et entra dans le salon.

— Oups! dit de nouveau Iain d'une toute petite voix.

Giles s'immobilisa et le chandelier vacilla dangereusement de droite à gauche.

— Qu'y a-t-il, cette fois?

— Maman... dit l'enfant d'une voix à peine audible.

Maintenant le chandelier d'une main, Giles pivota sur ses talons, tout en tirant sur le bandeau pour l'enlever. Un large sourire éclaira son visage.

Aubrey fit quelques pas à l'intérieur du salon en secouant la tête d'un air excédé.

— Que faites-vous là, tous les deux ?

— Nous n'avons rien cassé ! s'exclama Iain. Promis !

— Nous avons seulement joué aux « Trois Petits Mensonges », avoua Giles en déposant le chandelier sur une table. Je me suis retrouvé obligé de payer un gage.

— Un gage ? répéta Aubrey en contemplant le plat d'étain qui avait roulé au milieu de la pièce. Et en quoi consistait-il, ce gage ? À faire tomber tout le bric-à-brac des étagères du salon ?

Giles tenta en vain de dénouer les coins de la serviette qui avait glissé dans son cou.

— J'ai été condamné à faire le tour de la pièce les yeux bandés, en portant un chandelier en équilibre sur la tête. J'en étais à mon troisième essai et je pense que j'étais sur le point de réussir.

Il prononça ces derniers mots avec un soupçon de fierté. Iain regarda Aubrey, les yeux élargis d'inquiétude.

— Comme il pleuvait, nous n'avons pas pu jouer au cricket après l'école. Mais ça, c'est presque aussi amusant, expliqua-t-il.

— Vraiment ? rétorqua Aubrey d'un ton sec.

L'enfant hocha la tête.

— J'ai déjà gagné les deux premières manches.

Stupéfaite, Aubrey vit Giles adresser à l'enfant un clin d'œil complice.

— Iain, je crois que nous empêchons ta maman de faire son inspection. Nous finirons le jeu une autre fois, d'accord ?

Iain, qui redoutait visiblement la colère d'Aubrey, saisit vivement les livres d'école qu'il avait abandonnés sur la table et s'esquiva sans demander son reste. Aubrey demeura en tête à tête avec Giles, qui n'avait toujours pas réussi à dénouer le bandeau.

— Maudite serviette ! grommela-t-il en tirant vainement dessus. Détache-moi, Aubrey, s'il te plaît.

La jeune femme dut faire un effort sur elle-même pour ne pas éclater de rire. Elle leva les mains pour défaire le nœud et Giles l'enlaça, l'attirant vers lui.

— J'aime sentir ta présence dans la maison, dit-il en lui chatouillant le cou de ses lèvres. J'aime savoir que tu es là, prête à voler à mon secours.

Les joues d'Aubrey s'enflammèrent et elle protesta d'un ton sévère :

— Giles, il ne faut pas. Pas ici !

— Ah non ! C'est vrai. Il ne faut pas.

Son sourire s'évapora et il se rembrunit. Aubrey se sentit terriblement désemparée. Elle avait passé les deux dernières semaines à se creuser la cervelle pour trouver un moyen de sortir de cette situation. Impossible de ne pas être tentée par l'avenir que Giles lui offrait. Au fil du temps, après tant de nuits passées dans ses bras, de mots tendres susurrés dans le secret de la chambre, elle était de plus en plus amoureuse de lui.

Il voulait l'épouser. Le fait qu'elle soit sa gouvernante, une domestique, ne semblait pas le gêner le moins du monde. Il ignorait les origines de Iain, et pourtant il s'était pris d'amitié pour l'enfant au premier regard et le traitait en égal. Même dans son ancienne vie, lorsqu'elle disposait encore d'une dot généreuse et du prestige qu'offrait le nom d'une bonne famille, elle aurait considéré ce mariage avec un politicien important, issu de la plus haute aristocratie anglaise, comme une sorte de triomphe social. À présent, c'était tout simplement inenvisageable.

— Voilà, dit-elle en défaisant le nœud. Tu es libre.

Dans un élan spontané, elle l'embrassa sur la joue. Giles laissa ses mains posées sur sa taille.

— Libre, Aubrey ? Je ne crois pas. Je me sens pris au piège. Pour toujours, j'en ai peur.

Aubrey demeura muette.

— Aubrey, regarde-moi, ordonna-t-il. Nous devons parler, toi et moi.

— Oui ? fit-elle en levant les yeux.

— Il faudra bientôt que je parte, dit-il avec gravité. Je dois retourner à Londres. Tu le sais, n'est-ce pas ? Tu sais que nous ne pouvons pas continuer comme ça ?

— Je sais. Je suis consciente que ta vie est là-bas, Giles. Ton travail est important et rien ne doit t'en éloigner.

— Ce n'est pas tout. Iain et toi êtes devenus importants pour moi également. Les semaines que je viens de passer ici, avec toi, m'ont changé. Elles m'ont ouvert les yeux. Sur mes faiblesses, d'une part, mes négligences, mais aussi sur la beauté du domaine. Et j'ai fini par me rendre compte que j'étais passé à côté de beaucoup de choses. À côté de la vraie vie, par exemple. Maintenant, je sais comment je veux remplir le temps qu'il me reste à vivre dans ce monde.

— Moi aussi, j'ai appris des choses, avoua-t-elle.

J'ai appris à aimer, à aimer sans réserve, sans espoir et sans rien exiger en retour. J'ai appris ce qu'était le bonheur.

Elle ne prononça pas ces mots à haute voix. Mais lorsqu'elle était avec Giles, elle en ressentait la portée au plus profond d'elle-même.

Il lui agrippa les bras, enfonçant ses doigts dans sa chair.

— Je te le demande encore une fois, Aubrey. Viens à Londres avec moi. Je veux t'épouser. Je veillerai sur toi et sur Iain.

— C'est un grand honneur que tu me fais, Giles, et je te remercie de ta confiance. Mais je ne peux pas faire ce que tu me demandes.

— Es-tu déjà allée à Londres, Aubrey ?

— Non.

Le visage de Giles se rembrunit et ses mâchoires se crispèrent.

— Et tu n'as pas l'intention d'y aller, c'est cela ?

— Que... que veux-tu dire ?

Il la rapprocha de lui d'un mouvement brusque.

— Aubrey, m'aimes-tu vraiment ?

— Oui, répondit-elle avec franchise.

À quoi bon nier l'évidence ? Elle était lasse de lutter contre ses propres sentiments.

290

— Je te crois, dit-il. Ton amour se reflète dans tous tes gestes. Dans le moindre effleurement de tes doigts, dans tes yeux, dans tes caresses. Alors pourquoi refuses-tu ma proposition? Bon sang, donne-moi au moins une raison, une seule!

Aubrey ferma les yeux et détourna le visage.

— Je... je ne peux pas, chuchota-t-elle. Je t'en prie, Giles, ne me harcèle pas. Je t'en supplie.

Giles relâcha la pression de ses doigts.

— Je dois partir à la fin du mois de novembre, déclara-t-il avec froideur. Tu refuses de me laisser t'aider et je ne peux rien faire de plus pour éclaircir la mort de mon oncle. Je ne resterai pas ici plus longtemps à te supplier de me suivre. J'ai aussi ma fierté.

— Je comprends.

Il sourit, mais l'expression de ses yeux était glaciale.

— À la fin du mois de novembre, répéta-t-il. À moins que tu ne te décides à me faire confiance.

16

Suite des mésaventures de Mr Kemble

— Je ne comprends toujours pas pourquoi nous
sommes venus jusqu'ici, fulmina Kemble, alors que se
profilaient au loin les hautes murailles de Cragwell Court.

Il ne leur restait plus qu'un mile à parcourir. Le voyage
avait été si pénible qu'ils avaient l'impression d'être partis
depuis des mois. Max finissait par compatir avec Kem et
à comprendre ses récriminations incessantes. L'Écosse au
mois de novembre n'avait rien de séduisant. Par chance,
il avait enfin pu récupérer son carrosse, équipé de chaufferettes et de couvertures de laine.

Le château des comtes de Kenross était un manoir du
XVIIIᵉ siècle, perché au sommet d'une colline dans les environs de Dundee. Ils n'avaient eu aucun mal à se faire indi-
quer le chemin. Cependant, la tête sur le billot, Max
n'aurait su répondre à la question de son compagnon :
Pourquoi avaient-ils entrepris ce voyage ? Qu'est-ce qui
l'avait poussé à faire une chose que même Giles, son
meilleur ami, n'aurait pas osé lui demander de faire pour
lui ? C'était de l'entêtement pur et simple !

— Avez-vous décidé de m'ignorer ? lança son compagnon de voyage d'un ton piquant.

— Pourriez-vous me montrer cette broche encore une
fois ?

Max voulut claquer des doigts, mais il portait d'épais
gants de cuir et ses doigts étaient gourds. Kem fouilla à
regret dans la poche de son pardessus et en sortit un
carré de soie plié avec soin. Max dégagea la broche,

un anneau d'argent ciselé, au centre duquel se trouvait une énorme pierre rouge taillée à facettes.

Il la tourna vers la fenêtre pour la faire scintiller dans la lumière.

— Cette pierre a-t-elle une très grande valeur ?

— Doux Jésus ! Si elle en avait tant que ça, l'aurais-je volée à sa propriétaire ? s'exclama Kemble. Pour qui me prenez-vous, mon cher ?

— Je n'ai pas la prétention de comprendre votre morale personnelle, Kem, répliqua sèchement Max. Tout ce que je sais, c'est que vos principes sont très flexibles. Notre pauvre Mrs Montford risque d'avoir une attaque quand elle s'apercevra que cet objet a disparu de son tiroir.

— Mais je compte bien la lui rendre ! rétorqua Kemble d'une voix stridente. D'ailleurs, un cambrioleur digne de ce nom aurait emporté le collier de perles. Moi, je voulais simplement observer cette broche avec une loupe de joaillier.

— Et qu'avez-vous appris ? s'enquit Max avec un haussement d'épaules.

— Que celui qui en a fait l'acquisition était probablement très riche. Et qu'il est sans doute mort à l'heure actuelle, puisque l'objet a plus de cinquante ans. C'est un bijou français ; le nom du fabricant est gravé sous l'épingle. Chauvin et Truffaut. Une boutique parisienne réputée. L'objet est rare et très intéressant. Mais ces perles, Max ! Elles sont carrément hors concours ! Cela m'a brisé le cœur, de les laisser où elles étaient.

Max soupesa la broche au creux de sa main, puis la souleva pour observer le château de Cragwell Court à travers la pierre translucide.

— Qu'en pensez-vous, mon ami ? murmura-t-il. Allons-nous enfin apprendre quelque chose sur notre mystérieuse Mrs Montford ?

— Quelle Mrs Montford ? demanda sèchement Kem.

— Ah ! Vous avez donc échafaudé une théorie ?

— Oui, et je suis prêt à parier dix livres que je suis dans le vrai. Vous suivez ?

Sur une impulsion idiote, Max serra la main de Kemble.

Aucun valet ne sortit pour les accueillir lorsque leur carrosse gravit l'allée du château. Cragwell Court semblait être une demeure abandonnée. Kem monta néanmoins les marches du perron pour sonner à la porte et, après quelques secondes, une jolie petite servante au visage extrêmement pâle vint leur ouvrir. Elle leur apprit que la famille était absente la plus grande partie de l'année. Toutefois, quand ils demandèrent à voir la gouvernante, la jeune femme esquissa une révérence et partit promptement à sa recherche.

— Par ici la monnaie, mon vieux, déclara Kem en tendant la main.

— Vous n'avez pas encore gagné, bougonna Max, renfrogné.

Mais à ce moment précis, la gouvernante apparut dans le hall. Une femme à la charpente solide, aux larges épaules, vêtue d'une sobre robe en laine grise. L'image même de la compétence et de l'efficacité.

— Bon après-midi, messieurs. En quoi puis-je vous être utile ?

— Vous êtes bien Mrs Montford ? risqua Max d'un ton prudent.

La matrone sourit aimablement.

— C'est bien cela ! Entrez, je vous prie.

— Vous me devez dix livres ! chuchota Kem tandis qu'ils traversaient un long corridor.

La gouvernante les fit entrer dans un salon jaune, une couleur choisie sans aucun doute pour compenser le manque de soleil à cette époque de l'année. Quand les présentations furent faites, Max ne sut comment demander à la brave femme d'expliquer l'origine de son nom. Il décida donc de lui montrer la lettre adressée à lady Kenross.

La femme la parcourut et secoua la tête avec perplexité.

— Oh ! il ne s'agit pas de l'actuelle lady Kenross, dit-elle en leur montrant la date. Cette lettre a été envoyée à lady Janet, l'épouse de l'ancien comte. Mais elle est morte depuis quelques années.

— Et depuis combien de temps travaillez-vous dans cette maison, madame Montford ?

— Cela fera vingt-six ans en juillet, dit-elle en redressant fièrement les épaules. J'ai connu les trois derniers comtes et j'ai toujours été traitée avec beaucoup de respect et de bonté. Mais pourquoi cette question, monsieur ?

Kem et Max échangèrent un bref regard et Kem sortit la broche de sa poche. Les yeux de la gouvernante s'arrondirent de surprise et elle sembla retenir sa respiration.

— Où avez-vous trouvé cela ? demanda-t-elle. Cette broche appartenait à la mère de notre lady. Je la reconnaîtrais n'importe où.

Max se pencha en avant.

— Madame Montford, sauriez-vous nous expliquer comment il se fait que ce bijou se trouve entre les mains d'une jeune femme travaillant comme gouvernante dans le Somerset, sous le même nom que vous ?

La vieille femme pressa une main sur sa poitrine.

— Le même nom que moi ? Une autre Lydia Montford ? Mais je l'ignore !

— Ce n'est pas Lydia, mais Aubrey, rectifia Kem.

— Ô mon Dieu ! fit-elle en se tordant les mains.

— Madame Montford ? intervint Max. Ce prénom vous dit quelque chose ?

Blême, la femme les dévisagea l'un après l'autre.

— Messieurs, êtes-vous de la police ?

Kemble balaya cette supposition d'un geste gracieux de la main.

— Voyons, chère madame ! Avons-nous l'allure de policiers ?

Mrs Montford pinça les lèvres et les observa encore longuement avant de déclarer :

— Eh bien, le lieutenant Farquharson et lady Janet avaient deux filles. Elles sont nées avant qu'il ne devienne le cinquième lord Kenross. L'aînée s'appelait Muireall et la cadette Aubrey. C'était une bien gentille petite, et si on vous a dit le contraire, on vous a menti. Peut-être aussi qu'elle se fait passer pour moi, mais ça m'est bien ég...

— Vous voulez dire que vous la connaissez ? s'exclama Max.

La gouvernante lui jeta un coup d'œil désapprobateur.

— Je pense bien ! La pauvre n'était qu'une toute petite fille quand elle est arrivée à Cragwell.

Elle fit une pause et un sourire attendri éclaira son visage.

— Elle adorait préparer des gâteaux, ma lady Aubrey. Et aussi écouter les histoires que je lui racontais sur mon enfance dans le Northumberland. Tous ces petits villages avec de drôles de noms ! Cela la faisait rire aux éclats.

— Oh ! j'avoue qu'ils m'ont bien fait rire, moi aussi ! fit remarquer Kemble.

Cette réflexion parut intriguer Mrs Montford, mais elle revint aussitôt à l'affaire qui les intéressait.

— Je disais donc, après Waterloo, lady Kenross et la petite Aubrey furent obligées d'aller vivre dans le petit manoir. Je leur rendais visite tous les quinze jours, pendant ma demi-journée de congé. Lady Aubrey me posait toujours une foule de questions et je lui expliquais de mon mieux ce qu'elle voulait savoir. Elle était tellement gentille pour sa mère et tellement travailleuse ! Elle s'occupait de tout, afin que lady Kenross n'ait aucun souci. La ferme, la maison, les comptes. Ensuite, après la mort de sa mère, elle alla vivre chez la pauvre lady Manders, à qui elle rendit les mêmes services.

— Lady Manders ?

— Sa sœur Muireall, dit la gouvernante comme si elle énonçait une évidence. Elle avait épousé le comte de Manders. Bel homme, mais un propre à rien, si vous voulez mon avis. La pauvre Muireall était de santé trop faible pour suivre le style de vie qu'il affectionnait. Mais je vous demande pardon, messieurs... Pourquoi êtes-vous là, exactement ?

— Eh bien, nous essayons simplement de retrouver Aubrey Montford, déclara Kem. Nous sommes très inquiets à son sujet.

La femme se raidit.

— Son nom est lady Aubrey Farquharson. Et votre ami a dit qu'elle était dans le Somerset !

Kem n'hésita qu'une fraction de seconde avant de se rattraper.

— Elle y était en effet, répliqua-t-il avec affabilité. Mais nous ne sommes pas sûrs de l'endroit où elle se trouve à présent. En fait, nous n'avons pas de nouvelles depuis plusieurs semaines.

Mrs Montford eut l'air soudain désolée. Des larmes perlèrent sous ses paupières.

— Oh ! Elle s'est enfuie de nouveau, c'est cela ? dit-elle en fouillant dans sa poche. Pauvre petite ! Obligée de se sauver, comme un chaton poursuivi par une meute de chiens féroces ! C'est tellement affreux !

— Allons, allons, madame Montford, dit Kem d'un ton apaisant.

Il s'assit souplement sur le canapé, à côté de la gouvernante, et lui tendit son mouchoir.

— Dites-moi donc ce qui vous cause tant d'inquiétude, ma chère. Pourquoi la pauvre petite Aubrey est-elle obligée de s'enfuir ?

— Eh bien, c'est à cause de ce fieffé menteur, ce Fergus McLaurin !

Elle s'interrompit pour se moucher bruyamment dans le mouchoir de Kem et ajouta :

— Mais ça, je suppose que vous le savez.

— Eh bien, je m'en doutais, affirma Kem d'une voix douce comme du velours.

— J'ai cru mourir de chagrin ! poursuivit Mrs Montford entre deux sanglots. Je ne savais pas où était passée ma chère petite. Elle s'est enfuie dès la fin du procès, naturellement. Quand ils l'ont laissée sortir de prison.

— Grand Dieu ! s'écria Max. De prison ?

Kem le foudroya du regard.

— Mais bien sûr, Max. Qu'aurait-elle pu faire d'autre, la pauvre enfant ?

— En vérité, que pouvait-elle faire ? renchérit la gouvernante.

— Elle n'avait pas le choix.

— Oh non ! Après tout, il était facile de deviner où Fergus voulait en venir, n'est-ce pas ?

— Oh, j'ai toujours eu des soupçons sur cet homme, approuva Kem. Mais vous, quelle est votre opinion ?

Mrs Montford était lancée, plus rien n'aurait pu l'empêcher de parler.

— Eh bien, je pense que c'est lui qui a réglé son compte à son imbécile de frère… je veux dire, lord Manders. Il lui a fracassé le crâne avec ce tisonnier ! Et il a essayé de faire accuser ma pauvre lady Aubrey à sa place ! Fergus a toujours été jaloux de son frère. Ils n'ont jamais pu s'entendre à cause de ça, vous comprenez ?

— Eh bien, à vrai dire, je m'étais toujours posé la question, avoua Kem. Mais votre théorie est extrêmement intéressante !

La femme hocha vigoureusement la tête.

— Eh bien, puisque vous aimez les théories, monsieur, en voilà une autre : si ma pauvre Aubrey avait été pendue pour meurtre, le prochain sur la liste aurait été le pauvre petit lord Manders ! Et alors, Fergus en serait arrivé exactement où il voulait, pas vrai ?

— Tout à fait ! Tout à fait.

Kem feignit alors une hésitation et enchaîna :

— D'après vous, que voulait-il au juste, madame Montford ?

La gouvernante le regarda comme s'il était particulièrement borné.

— Que voulait-il… plus que tout au monde ? ajouta Kem précipitamment. Après tout, il y avait… l'argent ?

Le regard de Mrs Montford se perdit dans le vague.

— Eh bien… on en revient toujours à une question d'argent, n'est-ce pas ? Mais ce n'est pas tout. Il y a aussi le domaine de Tayside, qui est fort beau. Et puis un petit château, je crois, dans la Vallée de la Loire. Mais surtout, je pense que Fergus rêvait simplement de devenir lord Manders. Il avait toujours convoité ce titre, et s'il était capable de tuer son propre frère pour ça, pourquoi se serait-il arrêté en si bon chemin, je vous le demande ? Il aurait aussi éliminé son neveu.

— Oh! je suis certain que rien ne l'aurait arrêté! déclara gravement Kem.

— Vous… vous croyez?

— Ce genre de scélérat ne recule devant rien.

— C'est… c'est aussi mon opinion, acquiesça-t-elle en se tamponnant les yeux.

— Vous comprenez merveilleusement la nature humaine, madame.

— C'est ce qu'on m'a toujours dit, bredouilla la gouvernante entre deux reniflements. C'est pourquoi quand lady Aubrey a enlevé le petit lord Manders dans son berceau, au beau milieu de la nuit, je ne l'ai pas blâmée un seul instant!

— Grand Dieu non! s'exclama Kem, l'air tout à fait indigné. Qui aurait pu lui adresser le moindre reproche?

— Il faut remercier le Ciel qu'il existe sur terre des hommes aussi compréhensifs que vous, monsieur.

— Eh bien, il aurait fallu être un imbécile pour ne pas s'apercevoir dès le début que ce Fergus n'avait rien de bon dans la tête.

— Oh,! ça se voyait comme le nez au milieu de la figure! dit Mrs Montford en regardant Kem d'un air d'adoration. Mais que pouvons-nous y faire, à présent, monsieur Kemble? Je n'en sais rien.

Elle émit un sanglot pitoyable. Kem lui offrit un autre mouchoir en déclarant solennellement :

— Madame, j'ai même envisagé de provoquer moi-même ce misérable, afin de laver l'honneur de la famille dans le sang.

— Oh! Oh, mais vous ne pouvez pas faire ça!

Le visage de Kem s'allongea, comme sous l'effet d'une intense déception.

— Non? Pourquoi? Serait-il lâche? Invalide? Enfin, quoi?

— Non, non, non, marmonna-t-elle en lui arrachant le mouchoir des mains. Il est mort!

— Mort? Mais quand? Où ça?

— À Édimbourg, annonça-t-elle après s'être mouchée une fois de plus. La semaine dernière! Lord Carthard l'a surpris dans le lit de lady Carthard et il l'a étranglé de ses propres mains !

— Quoi ? Non ! C'est impossible ! On m'aurait donc privé d'une juste vengeance ?

Max leva les yeux au ciel et se leva.

— Venez, Kem, marmonna-t-il entre ses dents. Nous irons cracher sur sa tombe, si cela peut vous soulager.

Le bras toujours passé sur les épaules de Mrs Montford, Kem leva vers son compagnon un regard innocent.

— Dieu du Ciel, que voulez-vous dire, Max ? Nous ne rentrons pas chez nous ?

— Je crains que non, mon pauvre vieux. Allons, debout. Et priez le Ciel pour qu'il fasse beau à Édimbourg.

Il faisait un temps tout à fait inhabituel pour le mois de novembre. Ou, tout au moins, inhabituel sur la côte du Somerset. Une aube claire s'était levée, fraîche mais pleine de promesses. Puis le soleil avait fait son apparition et ses rayons avaient peu à peu réchauffé la campagne. Dès le début de l'après-midi, une douce tiédeur s'était installée. Par chance c'était un dimanche, l'un des rares moments où Aubrey était un peu libérée de ses tâches quotidiennes.

Iain le savait et, depuis le matin, il la suivait partout avec son regard limpide empli d'espoir. Aubrey n'avait pas eu le courage de lui refuser une promenade. Elle avait entassé dans un panier des parts de tourte, du fromage, des pommes, et ils avaient parcouru à pied les deux kilomètres séparant le château d'une ravissante petite crique au pied des falaises. Cette étendue de sable un peu isolée était l'un des terrains de jeu préférés de Iain, car la marée abandonnait sur la plage toutes sortes d'objets curieux. Un quart d'heure plus tard, il avait déjà découvert un bout de chaîne rouillée, une bouteille de verre brun dépourvue de bouchon et un morceau de bois lavé par la mer qui avait, selon lui, la forme d'une licorne.

Il déposa son butin près de la couverture qu'Aubrey avait étalée sur la plage et retourna chercher entre un groupe de rochers le trésor que des contrebandiers avaient sûrement caché là quelques siècles auparavant. Avec un sourire amusé, Aubrey regarda l'enfant enfoncer un long bâton dans le sable humide, dans l'espoir de tomber sur un coffre abandonné. Soudain, une ombre s'allongea sur la couverture. Aubrey leva les yeux et son cœur fit un bond.

Giles se tenait derrière elle. Grand, d'une beauté à couper le souffle, il portait des bottes, un pantalon en velours et une vieille veste en ratine marron, dont la brise marine soulevait les pans. Aubrey ne l'avait pas vu depuis des jours, du moins pas en tête à tête. Elle se rendit compte à quel point il lui avait manqué. Sans lui, sa vie était vide.

Giles regardait Iain creuser le sable.

— Qu'espère-t-il trouver ? L'or des pirates, ou le butin des contrebandiers ?

Le cœur gonflé de bonheur, Aubrey se mit à rire.

— Une combinaison des deux, je suppose. Jenks lui a raconté que des contrebandiers français écumaient autrefois ces côtes et qu'ils se faisaient payer en pièces d'or.

— C'est sûrement vrai. Je peux m'asseoir ?

— Oui… naturellement.

En proie à un brusque accès de timidité, Aubrey baissa les yeux et tendit la main pour lisser un pli de la couverture.

— Tu dois te demander ce qui m'amène ici ? dit-il en s'asseyant et en allongeant ses longues jambes devant lui.

— En effet.

— Je vous ai suivis, avoua-t-il, les yeux fixés sur Iain. Je voulais te parler. Quand je vous ai vus partir tous les deux, de la fenêtre de mon bureau, j'ai eu envie de savoir où tu allais, avec ton panier et ta couverture. Cela paraissait… tentant.

Aubrey sourit.

— Tentant ? De descendre le long d'un chemin escarpé, juste pour venir s'asseoir sur le sable au bord de l'eau ? La plupart des gens trouveraient cela sans intérêt.

— Pas moi, répliqua-t-il en la fixant d'un regard grave. Rien de ce que je fais avec toi, ou avec Iain, n'est sans intérêt.

Elle avait posé sa main sur la couverture, il la prit et la porta à ses lèvres.

— Je suis désolé de t'avoir parlé si durement, l'autre jour, ma chérie.

— Tu n'as pas à t'excuser.

Un vague sourire étira le coin de ses lèvres :

— Ce n'est qu'une moitié d'excuse. Je pensais vraiment ce que je disais, Aubrey.

Il la regarda longuement, avant d'ajouter :

— Mais je t'aime. Et à cela, l'éloignement ne changera rien. Je le regrette presque…

— Je t'aime aussi, Giles. N'oublie jamais cela. Et je comprends que tes obligations te rappellent à Londres.

— Eh bien moi, je ne suis plus très sûr de le comprendre, déclara-t-il, le regard rivé sur elle. Aubrey, vais-je être obligé de tout abandonner ? Cela ferait-il une différence pour toi ? Est-ce que ça m'aiderait à te conquérir ? Je t'aime… mais je ne comprends pas pourquoi tu refuses de me faire confiance.

L'espace d'un instant, elle fut tentée, tellement tentée d'accepter ! Puis la réalité remonta à la surface. Ce qui lui interdisait de le suivre, ce n'était pas seulement le fait de vivre à Londres, pas seulement le fait qu'il soit un homme public : c'était tout simplement qu'elle vivait dans le mensonge. Elle était considérée comme une criminelle ; en le suivant, elle causerait sa perte.

Luttant de toutes ses forces contre les larmes qui lui brûlaient les paupières, Aubrey secoua la tête.

— Tu ne dois pas envisager un instant de renoncer à ta carrière, Giles. Promets-moi que tu ne le feras pas. Ce serait mal. J'aurais tort d'exiger cela de toi, et tu aurais encore plus tort de le faire pour moi.

Les épaules de Giles s'affaissèrent imperceptiblement.

— Vraiment ? Il est certain qu'il y a tant à faire…

Aubrey lui prit le bras.

— Je sens que quelque chose t'inquiète, Giles. Quelque chose en dehors de moi.

Giles garda un long moment les yeux fixés sur l'hori-

302

zon. Quand il se décida à parler, ce fut d'une voix à la fois pensive et angoissée.

— L'Angleterre est au bord d'une crise, Aubrey. Je le sens. Je ne peux pas me permettre de ne penser qu'à moi, quand notre peuple meurt de faim. Les syndicats de travailleurs fourbissent leurs armes et les Radicaux poussent le gouvernement à effectuer des réformes si considérables que le pays risque de se déchirer. Si notre vieux roi meurt bientôt, ce qui est probable... Dieu nous vienne en aide ! Le gouvernement de Wellington sera obligé d'organiser des élections générales, ce pour quoi nous ne sommes pas prêts. Nous risquons de perdre le contrôle de la Chambre des communes, et alors, Dieu seul sait ce que sera le pouvoir des Radicaux.

— Si ces événements se produisent, ta présence sera encore plus nécessaire, Giles. Il faudra que tu représentes la voix de la raison, comme tu l'as toujours fait.

Giles esquissa un sourire qui n'atteignit pas ses yeux.

— J'aimerais que pour une fois, quelqu'un d'autre prenne ma place. J'ai envie de faire l'école buissonnière. Ça me changerait un peu, qu'en penses-tu ? Ce serait mal ?

— Non, mais c'est imp...

La fin de sa phrase se perdit dans un cri. Iain venait de tomber du rocher sur lequel il était perché.

Giles s'élança vers le rivage avant même qu'Aubrey ne se soit levée. Il se précipita derrière la barrière de rochers et réapparut, tenant Iain dans ses bras. Affolée, Aubrey courut vers eux, sa lourde jupe de laine claquant dans le vent.

— Iain ! Que t'est-il arrivé ? s'écria-t-elle, hors d'haleine.

— Je... je suis... tombé, bredouilla l'enfant en luttant bravement contre les larmes.

Il avait une grosse entaille sur la tempe et du sang coulait sur sa joue.

Giles alla s'asseoir sur la couverture et prit l'enfant sur ses genoux. Aubrey s'agenouilla à côté d'eux.

— Ces rochers sont couverts d'algues, expliqua Giles en sortant un mouchoir propre de sa poche. Il a glissé. Mais ça n'a pas l'air très grave.

Aubrey passa la main dans les cheveux du petit garçon et les maintint en arrière afin que Giles puisse éponger le sang de la plaie.

— Aïe! hurla l'enfant.

— Cesse de gigoter! Il faut que j'enlève le sable, dit Giles avec gentillesse mais fermeté. Je te promets que je ne te ferai pas mal.

Iain fit une grimace de douleur, mais parvint à se dominer et à rester stoïque. Aubrey n'aurait su dire ce qui l'impressionnait le plus : le désir de l'enfant de faire plaisir à Giles, ou la douceur de ce dernier?

— Voilà, annonça le comte quand il eut fini. Il n'y a pas de quoi s'inquiéter. Si ta maman est d'accord, je pense que tu peux retourner à ta chasse au trésor.

Aubrey approuva d'un signe de tête, mais Iain hésita.

— C'est que j'ai faim, maintenant.

— C'est un signe de bonne santé! s'exclama Aubrey en tirant le panier au centre de la couverture.

L'expression de Giles changea sur-le-champ et il fit mine de se lever.

— Je vous laisse.

— À votre place, je resterais, dit Iain. Mrs Jenks nous a donné de la tourte à la viande.

Aubrey prit la main de Giles et ajouta, rassurante :

— Il y en a largement pour trois.

Les yeux du comte s'illuminèrent.

— J'espérais un peu que vous m'inviteriez, avoua-t-il. Je n'ai plus déjeuné en plein air depuis… une éternité.

Le soleil leur chauffait les épaules. Aubrey sortit soigneusement le pique-nique du panier.

— Mais n'est-ce pas la grande mode, à Londres, de dîner en plein air, monsieur le comte? demanda-t-elle d'un ton taquin en lui passant une tranche de cheddar. Je pensais que votre emploi du temps prévoyait ce genre de distractions?

Giles prit un morceau de fromage et le tendit à Iain.

— Ce n'est pas la même chose, répondit-il à mi-voix.

Aubrey leva la tête et leurs regards se croisèrent. Le regard gris du comte se fit intense et elle fut tout à coup submergée par une myriade de sensations étourdissantes. Comme si elle venait de faire un saut dans le vide et se laissait emporter au hasard par le vent, telle une feuille d'automne...

C'était un peu ce qu'elle avait envie de faire : un grand saut dans l'inconnu. Elle était lasse de tenir Giles à distance, de dissimuler ce qu'elle éprouvait, d'éluder ses questions. Elle avait besoin de son aide ; elle avait besoin de lui et, tout à coup, elle sut que la plus sage décision au monde serait de placer son sort, son avenir, entre les mains du comte de Walrafen.

Toutefois, il fallait compter avec Iain. Cette décision serait-elle la meilleure pour lui ? Giles aimait cet enfant, de toute évidence. Assise face à eux sur la couverture, Aubrey le regarda partager une tourte en deux et en offrir une moitié à l'enfant, en lui souriant avec douceur. Iain mordit dans la tourte à pleines dents et elle vit la fossette de Giles se creuser tandis qu'il l'observait.

Assez... Elle en avait assez de lutter seule, de n'avoir personne à ses côtés pour la conseiller, l'aider à prendre les bonnes décisions pour Iain. En trois ans, l'enfant à la santé fragile était devenu un garçon vigoureux qui ne demandait qu'à se développer. Malgré toute sa maturité et sa détermination, Aubrey n'était pas préparée à assumer cette fonction de mère, pas plus qu'elle ne l'était à mener une vie de fugitive, sans cesse sur le qui-vive. Néanmoins, elle était parvenue à arracher Iain aux griffes de son oncle et à lui offrir une vie agréable, stable.

Était-ce si répréhensible de souhaiter avoir aussi une vie tranquille ? De vouloir aimer Giles et être aimée de lui ? D'être sa femme et de porter ses enfants ? Oh ! quelle terrible tentation il lui avait mise sous les yeux ! Il lui avait donné une chance d'accomplir son rêve, d'avoir un mari qu'elle aimait, une maison, une vraie famille pour Iain.

Cependant, si elle parlait à Giles de ce dont on l'avait accusée autrefois, des charges retenues contre elle, que penserait-il ? Elle ne pouvait être certaine de sa réaction. Il faudrait qu'elle lui fasse confiance, qu'elle prie pour que son passé ne rejaillisse pas sur sa carrière et qu'elle prenne le risque de faire un plongeon dans le vide...

Quoi qu'il pût penser d'elle et de sa conduite impétueuse en Écosse, Aubrey commençait à croire qu'il ne se détournerait pas de Iain et qu'il assurerait la sécurité de l'enfant. Fergus ne chercherait pas à nuire à son neveu si celui-ci se trouvait sous la protection du comte de Walrafen qui avait de l'autorité et le bras long. Le ministère de l'Intérieur était à sa disposition ; Iain n'aurait plus rien à redouter de Fergus McLaurin.

À l'instant où cette pensée lui traversa l'esprit, Giles lui sourit. Ses yeux exprimaient une foule de sentiments : le bonheur, l'émerveillement, la satisfaction, mais aussi un désir charnel, viril. La brise du large souleva ses boucles noires, mettant en valeur son regard clair. Aubrey le considéra avec admiration. C'était un homme bon et parfaitement honnête ; il était temps qu'elle soit parfaitement franche, elle aussi.

Cette nuit-là, animée par un sentiment d'urgence et de désespoir, Aubrey alla retrouver Giles dans sa chambre. Elle avait besoin de lui, physiquement et émotionnellement. Cependant, il y avait toujours chez elle un reste d'incertitude, comme la première nuit, lorsqu'elle était encore réticente et plongée dans une terrible confusion.

Ce soir, elle n'avait plus aucune réticence, mais elle était nerveuse. Quand Giles la tiendrait dans ses bras, quand ils seraient nus et qu'il n'y aurait plus aucune barrière entre eux, sa résolution serait-elle encore aussi forte que cet après-midi ? Ne craindrait-elle pas de renoncer à tout ce qu'elle avait bâti ces trois dernières années ? Et si la conviction qu'elle avait eue aujourd'hui sur la plage n'était qu'une chimère ? Un rêve d'intimité né d'une illusion, de la sollicitude apparente de Giles pour l'enfant ? Aubrey avait la sensation de se trouver au seuil d'une nouvelle vie, mais elle demeurait figée, n'osant faire un pas en avant.

Toutefois, un retour en arrière, vers une vie sans Giles, lui paraissait désormais impossible. Au cours des nuits qu'ils avaient passées ensemble, ils s'étaient déjà forgé des habitudes. Tout d'abord ils faisaient l'amour, lentement, passionnément. Puis, toujours enlacés, ils parlaient à voix basse jusqu'au petit matin. Aubrey avait vécu dans une telle solitude, ces dernières années, que le fait d'avoir quelqu'un à qui parler, se confier, était une sorte de luxe hédoniste. C'était pourtant une chose si simple, que la plupart des gens la trouvaient banale, mais elle savait qu'il n'y avait rien de banal dans un tel échange.

Elle entra chez Giles sans frapper et il ne s'aperçut pas tout de suite de sa présence. Il se tenait debout près de l'âtre, vêtu de sa robe de chambre de soie noire. Une main sur le manteau de la cheminée, il contemplait les flammes. Ses cheveux, qu'il n'avait pas fait couper depuis son arrivée à Cardow, lui retombaient sur le front et cachaient en partie ses yeux. Avec son allure à la fois sombre et vulnérable, il était d'une beauté à couper le souffle.

Aubrey toussota pour signaler sa présence ; le regard de Giles s'éclaira aussitôt.

— Aubrey. Aubrey, ma chérie, dit-il en s'élançant vers elle pour la prendre dans ses bras.

Oh ! comme il était facile et naturel de s'abandonner à son étreinte ! Plus facile encore de tomber dans son lit. Impossible de nier l'amour qu'elle éprouvait pour lui... autant essayer d'empêcher le soleil de se lever ! Ils se déshabillèrent vivement, avec une impatience qui les rendait malhabiles. Leurs vêtements tombèrent un à un sur le sol et ils se glissèrent entre les draps. Giles était particulièrement ardent, ce soir. Aubrey s'en rendit compte dès qu'il la toucha. Il la caressa avec une ferveur proche du désespoir, comme s'il comptait intérieurement les jours qui leur restaient, et ils firent l'amour sans prononcer un mot. Ces derniers temps, ils se rejoignaient dans une telle communion des sens et de l'esprit que les paroles étaient devenues inutiles.

Giles l'embrassa et la caressa longuement, tandis qu'elle laissait ses mains courir avec abandon sur son corps dur et musclé. Elle glissa une main le long de sa poitrine, puis plus bas. Il poussa un grognement sourd lorsqu'elle la posa sur son sexe tendu puis elle le caressa, éprouvant sa douceur satinée, imaginant leurs deux corps unis dans la passion.

Émerveilles, ils passèrent un long moment à se caresser mutuellement. Même après toutes ces semaines, Aubrey s'extasiait encore sur la beauté de son bien-aimé. Elle voulait explorer son corps, faire avec lui de nouvelles découvertes.

Soudain, Giles roula sur le dos, prit Aubrey par la taille et la souleva au-dessus de lui.

— Fais-moi l'amour, Aubrey. Prends-moi en toi.

Il avait été un bon maître, il lui avait appris à désirer, à chercher la satisfaction que lui seul pouvait lui apporter… Aubrey arqua son corps en arrière et fit pénétrer dans sa chair le sexe de son amant. Giles gémit doucement. Ses mains glissèrent de la taille de la jeune femme jusque sur ses cuisses. Ses longs doigts bruns se détachaient sur la peau laiteuse. Quand elle se souleva, il resserra son étreinte sur elle, renversant la tête dans l'oreiller, les muscles de son cou tendus dans l'effort.

Éperdue, Aubrey regarda le désir intense qui transparaissait sur son beau visage. Elle s'émerveilla du pouvoir qu'elle détenait sur lui. Pendant de longues minutes, l'obscurité ne résonna que de leurs soupirs d'extase, puis la respiration d'Aubrey s'accéléra. Fermant les yeux, elle posa les mains sur le torse de Giles afin de sentir la force de ses muscles tandis qu'il pénétrait en elle. Sa longue chevelure retomba comme un rideau devant son visage et se répandit sur les épaules de son bien-aimé.

Elle eut l'impression qu'un nuage tourbillonnant de désir l'enveloppait et l'entraînait dans un monde inconnu. Le parfum musqué de leurs corps l'enivra. Haletante, elle se pencha pour embrasser la gorge de Giles, pour goûter du bout de la langue la saveur salée de la sueur qui imprégnait sa peau. Il la maintint contre lui, prit ses lèvres, tout en continuant de la pénétrer de violents coups de reins.

Plus rien n'existait pour Aubrey que cette sensation qui la poussait peu à peu vers le merveilleux précipice qui allait l'engloutir. La respiration de Giles se fit plus rauque, puis il poussa un cri de triomphe. Alors, ils s'abandonnèrent ensemble à la vague chaude et aveuglante de la jouissance.

Épuisée, Aubrey se laissa retomber contre son corps brûlant. Giles l'entoura de ses bras.

— Je t'aime, Aubrey, souffla-t-il, les lèvres dans sa chevelure. C'est plus fort que moi, je t'aime.

Elle se blottit contre lui. Jamais elle ne s'était sentie aussi en sécurité qu'en cet instant ; elle s'abandonna alors au sommeil.

17

Oh ? Vendenheim fait un retour triomphal

Un grincement discordant de métal rouillé. Une vieille clé tournant dans une serrure. Elle se débattit pour échapper aux bras qui la maintenaient prisonnière, en vain. Ses efforts étaient inutiles. Les portes se refermèrent, les unes après les autres, annihilant tout espoir. Une autre grille. Une autre serrure. Une autre volée de marches, s'enfonçant dans l'obscurité terrifiante qui l'avalait.

On lui avait attaché les bras dans le dos, les mains remontées entre les omoplates. On la poussa dans les ténèbres. Le sang ne s'écoulait plus de ses plaies. Elle avait froid, terriblement froid. L'humidité lui collait à la peau, avec une odeur de pourriture et de désespoir. Elle trébucha en avant, luttant de toutes ses forces contre celui qui la poussait.

Le cachot était devant elle ; on avait ouvert la porte toute grande, et soudain, elle sut. C'était la fin. La dernière porte allait se rabattre sur elle. Si on l'enfermait là, elle n'en sortirait jamais vivante. Ses bras étaient engourdis, son corps ankylosé. Elle ne sentait plus la douleur. N'éprouvait plus rien, juste une immense terreur. L'odeur âcre de la peur lui donna la nausée. Un homme se tenait derrière elle ; elle sentit son haleine écœurante dans son cou.

— Ça t'apprendra à te mêler de tes affaires, chienne !

Fergus. Mon Dieu ! C'était Fergus !

— Cette fois c'est fini, tu ne t'échapperas plus...

Il l'avait retrouvée. Il la tenait, mais elle ne se laisserait pas faire.

— Non ! cria-t-elle. Non, je n'irai pas ! Je suis innocente !
Innocente ! Vous ne pouvez pas… ne pouvez pas…

Les mots s'étranglèrent dans sa gorge. Aubrey voulut courir, se débattre, mais elle ne pouvait plus bouger. Même plus
respirer. Fergus lui agrippa les épaules et la poussa, la
poussa… jusqu'à ce que les murs noirs du cachot se referment sur elle comme pour l'avaler vivante.

Aubrey poussa un hurlement. Encore et encore.

— Aubrey ! Aubrey !

Une voix ferme l'appela, dans le lointain.

— Aubrey, pour l'amour du Ciel ! Réveille-toi.

Elle voulut se sauver, échapper encore une fois aux
bras qui la maintenaient.

— Assez, Aubrey ! Cesse de me repousser. C'est moi, tu
n'as rien à craindre.

Les mains lui relâchèrent les épaules. Elle s'éveilla à
demi et fut vaguement consciente qu'un homme la prenait dans ses bras. Il la serra contre son torse chaud et
puissant et elle sentit qu'elle avait le visage trempé de
larmes. Des sanglots la secouaient encore.

— Aubrey, chuchota Giles. Aubrey, tu es dans mes bras,
Dieu merci.

Giles. Giles était avec elle, et personne d'autre. Alors,
elle se mit à pleurer de plus belle, le visage enfoui au
creux de son épaule.

— Oh ! Giles… Giles… murmura-t-elle, le corps secoué
de sanglots irrépressibles. J'ai cru… j'ai cru que… Oh !
Giles…

Il posa tendrement les lèvres sur sa tempe moite de
sueur.

— Calme-toi, ma chérie. Tu es avec moi, dans mes
bras. Tu n'as rien à craindre. Personne ne te fera plus
jamais de mal. Jamais.

Aubrey essaya de réprimer ses larmes, mais un tel soulagement déferla en elle que ses pleurs redoublèrent. Le
sang se remit à circuler dans ses bras, faisant surgir d'in-
tolérables picotements. Elle voulut se redresser ; ses
membres ne lui obéissaient plus.

— Oh... mon bras...

Giles la souleva avec précaution, pour l'aider à s'asseoir au bord du lit.

— Tu t'es endormie dessus et il s'est ankylosé, expliqua-t-il en lui calant un oreiller derrière le dos. Fais-moi voir.

De sa main gauche, dont elle arrivait mieux à maîtriser les mouvements, elle rejeta en arrière une mèche de cheveux qui lui barrait le visage.

— J'ai fait un cauchemar, murmura-t-elle, les yeux fixés sur les longs doigts bruns de Giles qui lui massaient l'avant-bras.

— Un cauchemar ? Tu es en dessous de la vérité, répliqua-t-il en fixant sur elle son regard gris. Tu semblais carrément terrifiée et tu te débattais comme un chat sauvage !

Elle inspira longuement pour essayer de calmer les sanglots qui lui secouaient la poitrine, mais ne dit rien.

— De quoi as-tu rêvé ? demanda-t-il sans la quitter des yeux. Tu hurlais dans ton sommeil, Aubrey. Tu disais que tu n'irais pas... Où avais-tu si peur d'aller ?

— Je... je ne m'en souviens plus, marmonna-t-elle en secouant la tête.

Le regard qu'il fixa sur elle était doux, mais incrédule. Elle vit aussi que son refus de parler le blessait.

— Tu as déjà fait ce rêve, dit-il avec calme. Je t'ai souvent entendue parler dans ton sommeil, te débattre.

— Oui, avoua-t-elle, la gorge nouée.

Il lui relâcha le bras et glissa le sien sur ses épaules. Aubrey respira avec délices l'odeur rassurante de son corps et se blottit contre sa chaleur. Une telle force émanait de Giles que, lorsqu'elle était dans ses bras, elle avait l'impression de pouvoir défier tous les obstacles.

— Aubrey, je pense qu'il est temps que tu m'expliques ce qui se passe, annonça-t-il avec fermeté. Je ne peux plus supporter de te voir ainsi. Harcelée, tourmentée... Je veux t'aider, et pour cela, il faut que tu me fasses confiance. Je veux savoir ce qui est à l'origine de ces cauchemars.

Oh ! ce n'était pas seulement un cauchemar ! C'était une réalité, quelque chose qu'elle avait vécu. Cependant, après son arrivée à Cardow, le sentiment de terreur qui l'habitait s'était éloigné peu à peu. Ici, Iain et elle avaient pu recommencer à vivre presque normalement. Devait-elle maintenant prendre le risque de renoncer à cette sécurité?

Voilà, elle était au pied du mur, à présent. C'était maintenant qu'elle devait faire le saut dans l'inconnu, accepter de courir ce risque pour avoir le droit d'espérer construire un avenir avec Giles. Tout à coup, elle se décida.

— Très bien, chuchota-t-elle. Mais je ne vais pas te raconter tout de suite mon rêve, Giles. Avant tout, je vais te parler de Iain et de moi. De ce qu'était notre vie avant d'arriver ici, à Cardow.

— Je veux tout savoir, dit-il en lui embrassant délicatement la tempe.

Elle lui lança un coup d'œil de côté.

— Mais cela, Giles, risque de changer tes sentiments pour moi.

Le regard de Giles ne vacilla pas.

— « L'amour n'est pas l'amour, s'il change avec le moindre changement qu'il découvre », cita-t-il en posant une main sur sa joue.

Aubrey inspira profondément pour se donner du courage.

— Tu sais déjà que Iain n'est pas mon fils.

— Oui, tu m'as dit que c'était l'enfant de ta sœur.

— Muireall était de santé délicate, mais très jolie, poursuivit Aubrey. Son allure fragile ne faisait que rehausser sa beauté. Cela plaisait aux hommes, tu comprends.

Giles fit la moue.

— Personnellement, je trouve que ce qui met en valeur la beauté d'une femme, c'est sa force. Mais je sais que beaucoup d'hommes ne seraient pas d'accord avec moi sur ce point.

— De fait, Muireall était très courtisée. Et elle fit un bon mariage… du moins, c'est ce que nous pensions. Avec le fils d'une bonne famille, d'Édimbourg.

— En Écosse? murmura-t-il. Continue.

La main d'Aubrey se crispa un instant sur le drap.

— Douglas n'était pas un bon époux. Il aimait mener une grande vie, s'amuser. Les vêtements luxueux, le jeu, les femmes…

Elle s'interrompit et haussa les épaules.

— Il était comme ça. C'était un homme jeune, trop gâté par la vie. Et... et riche.

Il y eut un silence.

— Très riche ?

Aubrey soupira.

— On pouvait dire qu'il était fortuné, même par rapport aux critères de l'aristocratie anglaise. Et naturellement, il voulait un fils, mais Muireall n'arrivait pas à mener une grossesse à terme. Quand elle parvint enfin à avoir un fils, sa santé s'était détériorée et elle avait perdu toutes ses illusions sur son mariage. Trop lasse et trop amère pour lutter, elle s'est éteinte peu à peu. J'ai vécu avec elle pendant les dernières années de sa vie. Je m'occupais de Iain et dirigeais sa maison.

Giles hocha la tête.

— Oui, tu me l'avais dit, je m'en souviens.

— Mais je ne m'entendais pas avec Douglas, avoua-t-elle. Il avait toujours négligé Muireall et n'accordait aucune attention à son fils. Malgré moi, je le rendais responsable de la mort de ma sœur, et surtout, je ne lui pardonnais pas de se désintéresser de son propre enfant. J'ai souvent envisagé de partir, mais je ne pouvais me résoudre à abandonner Iain. À vrai dire, je ne savais où aller. En outre, Douglas avait besoin de moi pour diriger sa maison. Il aurait voulu que je sois docile, discrète comme une souris, que je m'efface devant son autorité. Je n'étais pas du tout comme cela, ce qui était fort regrettable...

— J'imagine sa réaction, murmura Giles en réprimant un sourire.

— Il négligeait Iain de plus en plus. Nos querelles sont devenues plus fréquentes et plus violentes. C'est alors que le jeune demi-frère de Douglas a quitté Londres pour venir s'installer à Édimbourg. Je me rappelle avoir trouvé cela étrange, car les deux frères n'avaient jamais été proches. Néanmoins, ils sortaient souvent ensemble. Un soir, ils sont rentrés bras dessus, bras dessous, après avoir bu plus que de raison. Ils braillaient une sorte de chanson de marins, un refrain stupide. Iain les a entendus et a dévalé le grand escalier en riant, pour aller à leur rencontre. Douglas l'a repoussé si brutalement qu'il est allé heurter la rampe et s'est blessé au visage.

— Cet homme méritait le fouet, dit Giles, qui s'était rembruni au fur et à mesure qu'Aubrey avançait dans son récit.

La jeune femme sentit des larmes brûlantes lui monter aux yeux en évoquant ces souvenirs.

— Pauvre Iain… Il cherchait toujours à gagner l'affection de son père ! Quand je l'ai vu tomber, j'ai perdu totalement mon sang-froid. Cet incident déclencha une violente dispute entre Douglas et moi. Et ce n'était pas la première ! Son frère riait en nous regardant nous quereller. Tous les domestiques ont entendu ce qui se passait. Ce fut… affreux. Une scène épouvantable. Je n'ai jamais su tenir ma langue et cela m'a toujours joué de vilains tours.

Giles lui embrassa le front et elle reprit, en réprimant ses sanglots :

— Les deux hommes sont restés tard dans le salon, cette nuit-là, à parler et à s'enivrer. J'ai mis Iain au lit et suis allée me coucher. Le lendemain matin, on a trouvé Douglas mort sur le sol du salon. On l'avait frappé à la nuque avec un tisonnier.

— Mon Dieu ! s'exclama Giles qui ne s'attendait pas à une chute aussi dramatique.

À ce souvenir, Aubrey fut envahie d'une bouffée de terreur.

— Oh ! Giles… il y avait des cheveux collés avec du sang sur le tisonnier, chuchota-t-elle. Il était mort. Froid. On ne pouvait plus rien faire pour lui. Alors, on a appelé les policiers, le juge de paix. Et Fergus.

— Fergus ? répéta-t-il avec une attention nouvelle.

— Fergus McLaurin. Le demi-frère de Douglas, expliqua-t-elle avec un grand calme.

— Ce nom a une consonance familière…

Aubrey laissa fuser un petit rire sec, empreint d'amertume.

— Je pensais que tu l'avais déjà entendu. Quoi qu'il en soit… Fergus a déclaré au magistrat que Douglas et moi nous étions querellés à deux reprises. Il a prétendu qu'il nous avait laissés dans le salon en train de nous disputer et qu'il était rentré chez lui. Il a dit beaucoup de choses encore : que j'avais menacé Douglas, que je l'avais accusé d'être responsable de la mort prématurée de ma sœur. Mais il avoua aussi avoir été complètement ivre et avoir cru que tout cela n'était que de la comédie. Il n'aurait pas pensé une seconde que son frère courait le moindre risque face à une faible femme. C'est pourquoi il avait tranquillement regagné son domicile.

Giles serra Aubrey dans ses bras. Elle parvint à se détendre à son contact.

— Ils n'ont pas pu croire ce que disait ce McLaurin. C'était sa parole contre la tienne.

— Il… il avait trouvé un témoin, balbutia-t-elle d'une voix presque inaudible. Un valet qui n'était pas dans la maison depuis longtemps. C'était peut-être Fergus lui-même qui l'avait fait entrer chez nous pour servir son dessein. Je n'en sais rien. Ce n'est que bien plus tard que j'ai compris tout cela. J'étais d'une naïveté effrayante. Tu comprends ? Au début, j'ai eu l'impression que ce n'était qu'un cauchemar. Une erreur bizarre, qui ne tarderait pas à être réparée. Ensuite, je me suis rendu compte que personne ne pouvait m'aider. Iain n'était qu'un petit enfant, mes parents et ma sœur aînée étaient morts. Soudain, j'ai pris conscience que j'étais seule au monde. Et j'ai commencé à me demander à quel moment Fergus avait échafaudé ce plan infernal.

— Seigneur ! Quelle idée atroce ! Mais pourquoi ? Pourquoi aurait-il élaboré un crime pareil ? Par haine ? Par vengeance ?

— Pour obtenir le titre et le pouvoir de son frère.

Aubrey se tourna entre les bras de Giles et soutint son regard.

— Douglas McLaurin était un homme riche, mais ce n'était pas tout. Il était aussi le sixième comte de Manders.

Elle vit le sang se retirer du visage de Giles, tandis que cette histoire prenait pour lui une nouvelle dimension. Qu'allait-il faire, maintenant ? La jeter dehors ? La chasser de sa maison ? Il ne fit rien de tout cela ; il resserra simplement les bras autour des épaules d'Aubrey et la tint si fort contre lui qu'elle crut que ses os allaient se briser sous son étreinte. C'était cependant une douleur délicieuse, qu'elle endura avec bonheur.

— Dieu du Ciel ! finit-il par murmurer. Le meurtre du comte de Manders !

— Tu t'en souviens ?

— Oui. Oui... un peu. L'affaire avait attiré l'attention de Peel. Il y avait eu... mon Dieu ! Aubrey... il y avait eu un procès ?

Les yeux d'Aubrey se brouillèrent de larmes.

— Je t'ai dit un jour qu'il y avait eu un scandale familial, Giles. Le scandale, c'était moi. Ils m'ont séparée de Iain, j'ai été détenue pour meurtre.

— Oh ! mon amour ! Mon pauvre amour ! s'exclama-t-il en l'embrassant.

Aubrey fut si émue par cet élan de tendresse qu'elle faillit fondre en larmes. Elle parvint toutefois à se ressaisir et continua :

— Avec mon mauvais caractère et ma langue bien pendue, j'avais fait le jeu de Fergus, ce soir-là. J'ai passé trois mois en prison avant d'être jugée pour le meurtre de lord Manders.

— Mais c'est monstrueux !

— Oh ! l'accusation retenue contre moi était très convaincante, dit-elle avec amertume. Fergus apparut rongé par la culpabilité et les remords à l'idée de n'être pas resté pour porter secours à son frère. Son témoin se montra extrêmement prudent dans ses déclarations et très efficace. Seul le nom de ma famille et le fait que je sois une femme m'ont épargné d'être envoyée aux galères. Cela, et sans doute aussi l'intervention du pasteur, qui me connaissait et fut assez courageux pour me défendre.

— Mais on t'a déclarée innocente ? demanda Giles d'un ton abrupt. Ils t'ont... ils t'ont libérée ? N'est-ce pas ?

Aubrey secoua tristement la tête.

— Ils ont déclaré que ma culpabilité *ne pouvait être prouvée*. Est-ce que tu sais ce que ça signifie, Giles ? Dans quel enfer cela m'a projetée ? C'est un point faible du droit écossais, qui n'existe pas chez vous.

Les sourcils froncés, Giles contempla le feu qui mourait doucement dans l'âtre.

— Cela veut dire que tu es libre ?

— Non, cela veut dire qu'on te laisse sortir de prison, mais que tu ne seras jamais libre. Car ce verdict laisse planer le doute sur toi. J'avais perdu mon nom, ma réputation. J'avais perdu Iain et ma maison. Fergus m'a pris tout ce qui m'était cher. Si bien que... je n'avais plus grand-chose à perdre.

— Mais pourquoi, Aubrey ? Pourquoi une telle cruauté ?

— Je pense qu'il a fait tout cela pour l'argent, et pour le titre dont il hérita.

— Le titre ? dit Giles qui commençait à peine à entrevoir toutes les implications de ce récit. Mais alors, Iain est...

— Oui, Iain est bien l'héritier du titre de Douglas, confirma-t-elle avec un hochement de tête. Un vrai dilemme pour Fergus. Seule l'existence de cet enfant l'empêchait d'accéder au rang de comte. Douglas était mort et j'avais été jetée à la rue, alors qu'il s'était installé au château. Officiellement, dans le but de veiller sur l'éducation de l'héritier de son frère.

— Alors, notre petit Iain est comte de Manders ?

Giles était perplexe.

— Cet enfant a un titre de noblesse, une fortune immense, un domaine... sans doute même deux ou trois. Et... et il vit *ici* ? Parmi les domestiques ? Depuis des années ?

— Et il ne s'en trouve pas plus mal, déclara Aubrey. En fait, je pense que les trois ans qu'il a passés à Cardow lui ont été très bénéfiques.

Giles agrippa brusquement Aubrey par les épaules.

— Aubrey, mon oncle était-il au courant de tout ça ?

Des larmes surgirent aussitôt dans les yeux d'Aubrey.

— Je n'en suis pas certaine, avoua-t-elle. Le major Lorimer ne s'intéressait pas à ce qui se passait dans le monde. Sa vie se limitait au château. Mais je ne lui ai jamais menti sur ma véritable identité.

Giles la considéra d'un air intrigué.

— Que veux-tu dire ? Lui avais-tu révélé que tu étais la belle-sœur de Manders, ou non ?

Aubrey se mordit la lèvre.

— Je lui ai simplement demandé d'avoir pitié de moi et de m'accorder ce poste de gouvernante. J'avais vu l'annonce dans le journal et reconnu son nom. C'était un ami de mon père et… il avait le sentiment d'avoir une dette envers notre famille.

— Quel genre de dette ?

— C'est un détail, ça n'a pas d'importance. Je lui ai demandé en échange de cette dette de m'engager au château et de permettre à Iain de vivre ici. Au début, il était réticent, mais par la suite… eh bien, je crois qu'il a fini par avoir confiance en moi, d'une certaine manière.

Le regard de Giles se fit lointain, tout à coup.

— Aubrey, qui était ton père ?

Elle hésita à répondre, sans trop savoir pourquoi.

— Il s'appelait Iain Farquharson, finit-elle par répondre. Il avait servi dans l'armée sous les ordres du major Lorimer. Une amitié très forte les unissait. Mon père est mort à Waterloo, en essayant de traîner le major blessé hors du champ de bataille. Après cela, je crois que le major ne s'est jamais pardonné d'avoir survécu.

— Farquharson, répéta Giles d'une voix étrange. Iain Farquharson. Aubrey, je… je me rappelle à présent.

— Quoi donc ? De quoi veux-tu parler ?

Il posa sur elle un regard grave.

— Ton père est devenu le lieutenant lord Kenross, n'est-ce pas ? Je l'ai rencontré une fois, à Londres. Le soir où, avec quelques-uns de ses hommes, il a remis un présent à mon oncle. Une montre.

Il marqua une pause. Ses yeux s'étrécirent et il s'exclama tout à coup :

— Ô mon Dieu! C'est pour cela qu'il t'a donné sa montre!

Aubrey garda les yeux fixés sur le drap.

— Ce n'est pas à moi qu'il l'a offerte, mais à Iain. Comme je te l'ai dit.

— Dieu du Ciel, Aubrey! Pourquoi n'as-tu pas expliqué cela? Pourquoi n'as-tu pas révélé qui tu étais, qui était ton père? Tout le monde savait que c'était le lieutenant Kenross qui avait donné cette montre à Elias!

— Et qu'est-ce qu'une telle confession m'aurait rapporté? demanda-t-elle doucement. En révélant mon vrai nom, j'aurais révélé du même coup que j'étais accusée de meurtre et d'enlèvement d'enfant. Les ragots se seraient déchaînés. Imagine cela : la fille d'un comte déguisée en gouvernante! En fin de compte, j'aurais de nouveau perdu ma liberté… et Iain.

— Aubrey, on ne peut laisser cette situation se prolonger, déclara Giles d'un air sombre. Il faut rétablir l'ordre dans tout ça.

Effarée, elle lui saisit le bras.

— Mais c'est impossible! Tu ne le vois pas?

— Aubrey, vous ne pouvez pas continuer de vivre comme ça, Iain et toi. Les gens ne peuvent pas continuer de croire que tu es «Mrs Montford», une domestique à l'honnêteté douteuse, qui aurait dérobé la montre de mon oncle!

— Je me moque d'être considérée comme une voleuse, dit-elle en lui enfonçant les doigts dans le bras. Lady Aubrey Farquharson est soupçonnée de meurtre. Laquelle des deux préfères-tu avoir chez toi?

— Que veux-tu dire, Aubrey?

— Giles, te rends-tu compte que j'ai enlevé cet enfant? C'est un pair du royaume, qui a été arraché à son lit au milieu de la nuit, que j'ai fait disparaître. J'ai aussi volé des vêtements, des bijoux et même de l'argent. Toutes ces choses étaient à nous, à ma famille, mais la justice ne l'entendra pas ainsi. Peux-tu imaginer ce qu'on me fera si je suis retrouvée, arrêtée? As-tu la moindre idée de ce qui risque d'arriver à Iain?

— Seigneur Dieu!

Le regard de Giles se perdit dans l'obscurité de la chambre et pendant quelques secondes il ne sut que dire.

— Giles, reprit Aubrey d'une voix pressante. Fergus McLaurin ne sait pas où est Iain. Personne ne le sait, à part toi. Tu comprends ce que je te dis ? Tu es le seul à savoir.

— Tu penses que ce McLaurin serait capable de faire du mal à Iain ? grommela Giles, le visage assombri par l'inquiétude.

— Je sais ce qu'il a fait à Douglas. Et ce qu'il m'a fait, à moi. Pourquoi en resterait-il là ? Éliminer Iain, l'héritier du titre, fait partie de son plan diabolique. Veux-tu courir ce risque ?

— Non. Non, je ne le veux pas.

Les doigts tremblants d'Aubrey resserrèrent encore leur pression sur le bras de Giles.

— Oh ! Giles, ce serait tellement facile de le tuer ! Iain est un enfant sans défense. Il est confiant, et Fergus est malin ; il ferait croire à une maladie, ou à un accident. Comprends-tu à présent pourquoi je n'ai rien voulu te dire ? Et pourquoi je ne veux pas quitter Cardow ?

Le comte l'attira doucement contre lui.

— Oh ! Aubrey. Je suis tellement désolé, mon amour, que tu aies subi tant d'épreuves.

Elle se remit à pleurer à gros sanglots, le visage caché contre la poitrine de Giles. Il la croyait. Il avait confiance en elle. *Il la croyait.*

— Garde-nous en sécurité ici, Giles, chuchota-t-elle. Laisse-nous rester à Cardow. Nous y sommes à l'abri.

Il l'embrassa de nouveau sur la tempe.

— Je vais faire mieux que cela, ma chérie, promit-il à voix basse. Je vais trouver une solution pour sortir de cette impasse. Je vais tout arranger, pour Iain et pour toi. Je le jure devant Dieu.

*

Par une nuit glaciale de novembre, la voiture noire et brillante de lord Vendenheim apparut de nouveau sur la route en lacets qui montait vers les remparts de Cardow. Malheureusement pour Vendenheim, son équipage n'était plus tout à fait aussi noir ni aussi brillant que le jour où Kemble et lui s'étaient lancés avec enthousiasme dans leur folle équipée vers le Nord.

En plus de la roue cassée à Darlington, il y avait eu une partie du harnachement arrachée près de Leeds, une portière sortie de ses gonds dans le Derbyshire, et pour finir, dans les environs de Bath, le cocher exténué n'avait pas su éviter une malle-poste qui avait laissé de longues traînées de peinture bleue sur la laque noire.

Max était parti de chez lui depuis si longtemps que sa femme allait sûrement le tuer à son retour. Et s'il devait passer encore un mois en compagnie de Kemble, il accueillerait certainement cette mort comme une délivrance. À moins que Catherine ne décide de le garder en vie pour mieux se venger de son absence...

Pour l'instant, Kem ronflait sur l'une des banquettes à l'intérieur de la voiture, dont la porte était maintenue fermée à l'aide d'une vieille cravate. Assis à côté du cocher, Max aidait le pauvre homme à garder les yeux ouverts. Finalement, l'homme parvint par miracle à faire passer l'équipage entre les murs d'entrée de la cour d'honneur.

Le second miracle fut que le petit valet chargé de surveiller la porte n'était pas tout à fait endormi. Il sortit donc pour les aider à décharger leurs malles. Kemble détacha la cravate, ouvrit la portière et descendit en s'étirant. Il entra dans le grand hall d'une démarche chancelante et, réprimant un bâillement, lança par-dessus son épaule :

— À demain, vieille branche. Je monte dans ma chambre.

— Monsieur, il faut qu'on vous prépare un lit ! s'exclama le petit valet, croulant sous le poids d'un sac plus gros que lui.

— Je pense que j'ai dû être femme de chambre dans une autre vie, répliqua Kem. Je me débrouillerai.

Sur ces mots, il saisit sa valise et monta d'un pas traînant. Max considéra le valet d'un air compatissant.

— Je crains de ne pas être aussi doué que mon ami, dit-il. En outre je vais devoir vous demander d'aller réveiller votre maître.

— C'est qu'il est 3 heures du matin, monsieur !

— Je sais. Mais si cela peut vous rassurer, je pense qu'il sera content de me voir.

Giles fut en effet content de voir Max. Et encore plus content que le valet ait pensé à frapper avant d'entrer, ce qui laissa à Aubrey le temps d'aller se réfugier dans la salle de bains, ses vêtements sous le bras.

— Je vais monter du café, murmura-t-elle quand il alla l'aider à s'habiller.

Puis elle s'éclipsa. Giles s'aspergea le visage avec de l'eau, s'habilla et se rendit directement dans la bibliothèque. Il pressentait que la journée allait être longue. Quand il entra, Max se tenait près de la cheminée, feuilletant un carnet relié de cuir noir. Il avait la mine défaite et Giles le trouva amaigri.

— Grand Dieu ! D'où arrives-tu ? s'enquit-il en allant lui serrer la main. Tu sembles avoir perdu au moins dix kilos, mon cher Max.

Max leva vers lui un visage hâve.

— Giles, as-tu déjà entendu parler du *haggis* ? Ou de *cullen skink* ?

— Cullen Skink ? répéta Giles avec un sourire en coin. Je crois que j'étais à Eton avec lui.

— Trouve autre chose, ça ne me fait pas rire.

Le sourire de Giles s'effaça.

— Eh bien, ce sont des plats traditionnels écossais, n'est-ce pas ?

Max esquissa une moue de mépris.

— J'ai appris à mes dépens, mon cher, que les Écossais ignorent tout du bon vin. Ils se nourrissent de porridge, de graisse de bœuf et d'intestins d'animaux farcis de toutes sortes de choses dégoûtantes qu'un bon chrétien n'est pas censé manger. Mon ami, tu vas me payer tout cela très cher ! ajouta-t-il en jetant son carnet de côté.

Sans compter que je n'ai pas encore évalué ce que tu me devais pour m'avoir obligé à passer un mois en compagnie de George Kemble. Mais tout cela en valait diablement la peine, car l'histoire que je vais te raconter va te faire dresser les cheveux sur la tête !

— Ah ! dit simplement Giles en se laissant tomber dans un fauteuil près de la cheminée.

Il se sentit soudain très las, et pas seulement à cause du manque de sommeil.

— Je crains de l'avoir déjà entendue, cette histoire. Et même, très récemment.

Max alla s'asseoir face à lui. Pendant un moment, il se contenta de tapoter en silence l'accoudoir de son fauteuil.

— J'en déduis qu'elle t'a tout expliqué ? finit-il par déclarer. Je veux dire, Aubrey. Tu sais qui elle est en réalité ?

— Max, j'ai toujours su qui elle était en réalité. Mais à présent, je connais son histoire, du moins, une partie. Je sais qu'elle s'appelle làdy Aubrey Farquharson, et qu'elle a été accusée d'avoir assassiné le comte de Manders. Quelle horreur… J'en frémis encore.

Max se détendit visiblement.

— Je suis content qu'elle t'ait tout raconté, dit-il avec soulagement. Cela paraît si invraisemblable ! Ta gouvernante est en réalité une dame de la noblesse qui se cache et son petit garçon est l'héritier d'un comte. En fait, elle s'est trouvée mêlée à une très sale affaire.

— C'est pourquoi j'ai l'intention de partir pour Londres dès demain, dit Giles. Je veux que tu m'accompagnes, Max. Il faut que j'aie une longue conversation avec le ministre de l'Intérieur.

Max haussa les sourcils.

— Avec Peel ? Pourquoi ?

— Je veux mettre un terme à cette affaire une fois pour toutes. Je veux que l'innocence d'Aubrey soit reconnue et qu'on ne laisse planer aucun doute sur elle. Et que son accusateur, son tortionnaire, soit mis au supplice sur-le-champ ! Je veux en outre que l'enfant soit placé sous ma protection jusqu'à sa majorité. Je veux qu'il récupère son nom et puisse hériter de son titre, comme c'est son droit !

— Ah…

Giles se pencha en avant et poursuivit, d'un ton qui ne tolérait pas d'opposition :

— Je veux épouser Aubrey, Max. Je le lui demande depuis des semaines. Et pas seulement depuis qu'elle m'a révélé sa véritable identité.

— Oh ! je te crois sans peine !

— Peel a une dette envers moi, reprit-il en plissant les yeux. Tu sais cela, Max. Il n'osera pas me refuser ce que je demande. Il faut que ce McLaurin soit mis hors d'état de nuire.

— Je ne doute pas de ta détermination, mon vieux. Tu sauras être impitoyable, j'en suis sûr. Toutefois, je suis heureux de t'apprendre que tu n'auras pas besoin de clouer ce type au pilori. McLaurin vient de quitter ce monde avec beaucoup d'à-propos.

Giles en demeura bouche bée. C'est l'instant que choisit Aubrey pour entrer avec un plateau chargé de toasts et de café. Max bondit sur ses pieds pour la débarrasser de son fardeau. Aubrey croisa son regard, sentit ses joues s'empourprer, et détourna les yeux.

— Aurez-vous besoin d'autre chose, monsieur le comte ? s'enquit-elle avec modestie.

Mais Giles se leva à son tour et lui tendit les mains.

— Viens, ma chère, dit-il avec douceur. Assieds-toi. Notre ami Max s'est rendu en Écosse.

— Je vais servir le café, annonça Max d'un ton sec. Je pense que nous en aurons tous besoin.

Aubrey blêmit mais garda le silence. Giles l'attira dans un fauteuil.

Max grimaça un sourire, sans parvenir à imprimer la moindre douceur à un visage si habitué à la sévérité qu'il paraissait sculpté dans le marbre.

— Votre pays n'est pas spécialement accueillant, à cette époque de l'année, lady Aubrey, dit-il en penchant prudemment la cafetière en avant. Nous avons néanmoins accompli la tâche que nous nous étions fixée.

Le regard d'Aubrey glissa de Max vers Giles, puis revint se fixer sur le policier.

— J'imagine ce que vous devez penser, dit-elle d'une voix étonnamment claire et forte. Mais je n'avais pas le choix, pas du tout. Pouvez-vous comprendre cela? J'ai fait la seule chose que j'aie pu faire.

Max lui tendit une tasse de café, mais elle ne remarqua pas son geste. Aussi, au bout de quelques instants, la posa-t-il simplement devant elle, sur la table.

— Je regrette de vous avoir causé de tels soucis, continua-t-elle sans le quitter des yeux. Je voulais simplement vivre à l'écart et faire mon travail tranquillement. J'aurais peut-être dû expliquer ce qui m'était arrivé, mais je ne... j'étais si...

— Si terrifiée? suggéra Max.

— Oui, avoua-t-elle en baissant les yeux. Terrifiée.

— Et non sans raison, je pense.

La remarque de Max sembla lui redonner confiance en elle. Giles se pencha pour lui prendre la main et elle ajouta, d'une voix qui ne tremblait plus:

— Je regrette que mon silence vous ait contraint à accomplir un voyage si pénible. Je viens d'expliquer toute l'affaire en détail à lord Walrafen. Vous êtes allé en Écosse pour rien.

— Oh! loin de là!

Max se pencha et se servit une tasse de café.

— À moins que le fait d'avoir découvert la vérité et démontré que l'accusation reposait sur un tissu de mensonges ne vous paraisse sans importance, ajouta-t-il.

Aubrey tressaillit.

— La vérité? Qu'entendez-vous par là?

Max fit tourner lentement sa cuillère dans le café.

— Fergus McLaurin a mal fini, dit-il au bout d'un instant. Je ne vous ennuierai pas avec les détails, mais il a eu une mort plus douce qu'il ne le méritait. Par la suite, Kem et moi avons retrouvé le valet qui avait témoigné contre vous. Nous avons échangé nos points de vue avec une grande honnêteté, dirai-je.

Giles émit un ricanement de mépris.

— Honnêteté ? Je doute que ce genre de type connaisse l'existence d'un tel mot.

L'air évasif, Max haussa les épaules.

— Peut-être était-il taraudé par les remords, à moins que ce ne soit l'effet de quelques coups bien placés ? Quoi qu'il en soit, lorsque Kem lui eut administré une série de ces coups, le gars devint incroyablement communicatif.

— Je n'aurais pas voulu être à sa place, avoua Giles avec une grimace.

— Moi non plus, répondit Max gravement. Comme vous le savez, Kem a très mauvais caractère. Je crains qu'il n'ait été incommodé par le temps exécrable que nous avons eu en Écosse. Lorsque ses chaussures italiennes préférées ont été irrémédiablement gâchées par une averse, cela a été la goutte d'eau qui a fait déborder le vase. Le valet de Fergus s'est trouvé sur sa route au mauvais moment.

— Dommage pour lui, fit Giles.

— En tout état de cause, nous avons traîné le vaurien devant les magistrats. Là, Fergus étant mort et l'humeur de Kem toujours aussi abominable, notre homme est devenu extrêmement volubile. C'est le moins que l'on puisse dire.

Du coin de l'œil, Giles vit Aubrey, manifestement soulagée, s'enfoncer dans son fauteuil.

— Pour être franc, Giles, ses aveux n'étaient plus vraiment nécessaires. Avec le temps, la rumeur publique était devenue très favorable à lady Aubrey. À Édimbourg, McLaurin s'était vite montré tel qu'il était : un vil opportuniste. Et parmi les domestiques, il n'y avait jamais eu le moindre doute sur l'innocence de lady Aubrey.

Le visage de la jeune femme reprit un peu de couleurs.

— Beaucoup d'entre eux sont venus prendre ma défense pendant le procès, murmura-t-elle. Quand on m'a laissée sortir de prison, la nourrice de Iain s'est arrangée pour que la porte de la nursery reste ouverte une nuit, afin de me permettre de venir le chercher. Par la suite, je me suis inquiétée pour elle. J'espère que Fergus ne s'est pas vengé trop durement.

Max sourit.

— Je pense qu'il avait d'autres chats à fouetter, madame. D'après ce qu'on m'a dit, ses ennemis étaient nombreux. Il passait le plus clair de son temps à regarder derrière lui, de crainte d'être assassiné!

Au fur et à mesure que Max parlait, Aubrey se détendait et retrouvait son calme.

— Mais quelle est la conclusion de tout cela? demandat-elle à la fin. Est-ce que c'est fini? Je n'ai plus rien à craindre?

— Plus rien, ma chère. Aucune charge ne pèse plus contre vous, à présent. J'ai même constaté une grande empathie à votre égard. Et, il faut le dire, une bonne dose d'embarras chez certains magistrats!

— Mais il y a encore l'autre...

Elle s'interrompit et reprit avec hésitation:

— Vous pensez toujours que... Enfin, je... je l'ai vu dans vos yeux... C'est pour cette raison que vous êtes parti en Écosse.

Giles la dévisagea, incrédule.

— Aubrey, ma chérie... à quoi fais-tu allusion?

Sa tasse de café à la main, Max se renfonça dans son fauteuil.

— Elle fait allusion au major Lorimer, déclara-t-il tranquillement. Et aux circonstances de sa mort, que nous n'avons pas encore élucidées, n'est-ce pas?

— J'ai décidé de ne me soucier que des vivants, grommela Giles en changeant de position dans son fauteuil.

Max lui fit un signe apaisant de la main.

— Détends-toi. J'ai aussi résolu cette affaire.

— En Écosse? Je ne pense pas que...

— Précisément, affirma Max en sirotant son café. Tu as trouvé le mot clé, mon vieux: penser. Réfléchir. C'est ce qu'un bon policier doit faire avant tout. Hélas! mes talents se sont rouillés. Imagine-toi que je me suis tellement laissé absorber par la lecture des rapports et les interrogatoires, que j'ai tout simplement oublié de considérer les choses sous un angle logique.

— Oh! Et tu as donc remédié à cela?

Max ne jeta pas un regard à son ami. Il se tourna vers Aubrey.

— Ma chère, chère amie, dit-il d'une voix très douce. Ne pensez-vous pas qu'il est temps de faire la lumière sur cet événement?

Pâle comme une morte, Aubrey se leva.

— J'ignore ce que vous voulez dire.

— Oh! lady Aubrey, murmura-t-il. Les plans les plus minutieusement échafaudés... ceux-là tiennent parfois le coup, vous savez. Mais vous, vous n'aviez aucun plan, n'est-ce pas?

Giles bondit sur ses pieds.

— Max, je ne tolérerai pas cela!

Mais Aubrey leur tourna le dos et se dirigea vers la porte.

— Je ne peux plus supporter cette situation, dit-elle. Je ne peux plus! C'est terminé.

Elle sortit en faisant claquer la porte derrière elle. Incrédule, Giles se tourna vers son ami.

— Maudit sois-tu, Max! Tu trouves qu'elle n'a pas assez souffert? Tu ne peux donc pas la laisser tranquille?

Max se leva et alla se poster près du bureau d'Elias.

— Oh! elle va revenir, dit-il en regardant par la fenêtre. Elle va revenir. Et il me tarde de voir ce qu'elle va nous ramener.

18

Où le major Lorimer a le mot de la fin

Aubrey revint en effet quelques minutes plus tard. Elle entra sans frapper et il était manifeste qu'elle avait pleuré. Elle tenait un livre, une petite Bible reliée de cuir noir, contenant plusieurs feuilles et enveloppes pliées en quatre. Après avoir lancé à Giles un regard triste, plein de regrets, elle alla droit vers le bureau, prit une lettre et la tendit à Max.

— Qu'il en soit fait selon votre volonté, lord Vendenheim, dit-elle d'un ton résigné. Ce fardeau reposera désormais sur vos épaules. Les miennes commencent à se fatiguer.

Intrigué par sa pâleur, Giles alla vers elle et la guida vers le fauteuil. Elle s'assit, prit sa tasse d'une main tremblante et but le café qui avait refroidi. Giles regarda fixement Max, dont les yeux noirs parcouraient la lettre.

— *Dio mio !* chuchota le policier.

Il tendit la feuille à Giles, comme à regret. Le comte la prit et alla se placer près de la lampe qui brûlait sur le bureau. Il reconnut l'écriture au premier coup d'œil.

Ma chère Aubrey,
Pardonnez-moi d'agir comme un lâche. Je tire ma révérence et j'espère que je n'ai pas taché le tapis car, vous connaissant, je sais que vous ne serez pas tranquille tant que tout ne sera pas parfaitement propre et en ordre.
La vérité, c'est que je préfère brûler en enfer avec les sui-

cidés plutôt que d'être un fardeau pour vous, pour Giles, et pour tout le monde.

Je meurs enfin et les fichus remèdes de Crenshaw ne pourront rien y faire ! Laissez les gens de l'Église m'enterrer où ils veulent et comme ils veulent. Quand je serai mort, je me moquerai bien d'être traité de lâche.

Dieu me pardonnera peut-être et alors il me mènera auprès de votre père, que j'aurais dû rejoindre depuis longtemps.

Soyez bénie pour tout ce que vous avez essayé de faire pour moi. Je vous souhaite bonne chance, à vous et au petit.

— Ô mon Dieu !

Giles s'obligea à lire la lettre de son oncle une deuxième fois puis ses bras retombèrent et il contempla Aubrey, à l'autre bout de la pièce. Elle avait fermé les yeux et tenait ses mains serrées sur ses genoux. Alors, il se tourna vers Max.

— J'aurais dû deviner ce qui s'était passé.

— Aubrey a tout fait pour que personne ne devine, déclara gravement Max.

Aubrey ouvrit alors les yeux. Son regard était clair et candide.

— Je ne pense pas que ce qu'il a fait est mal, dit-elle. Et ce n'était pas un lâche.

Max haussa les sourcils.

— En effet. Il faut une bonne dose de courage pour se tirer une balle dans le cœur.

— Mais pourquoi, Aubrey ? Pourquoi ? demanda Giles, égaré.

— Les choses se sont passées comme l'a dit lord Vendenheim, dit-elle alors que ses mains recommençaient à trembler. Je… je n'avais aucun plan. Quand je suis entrée ici, j'ai d'abord vu le sang. Et puis la lettre. Et j'ai… j'ai été prise de panique. Je savais que si je ne faisais rien, on dirait des choses horribles sur le major. Et sur la famille. Je n'ai pas supporté cette idée.

Giles retourna vers elle et lui prit la main.

— Oh! ma chérie...

Tout son esprit tourné vers ce qui s'était passé dans cette pièce, Aubrey garda les yeux fixés sur la chaise poussée devant le bureau.

— Je savais que les autres avaient peut-être entendu le coup de feu, et même qu'ils risquaient de revenir plus tôt du village à cause de ça. Alors, j'ai pris le pistolet et la lettre. Sans ces deux objets, on ne pouvait rien prouver. Sur le moment, cela m'a paru sensé.

— Mais tu prenais un tel risque, Aubrey! s'exclama Giles. Où avais-tu la tête?

— Giles, je n'ai pas réfléchi! répliqua-t-elle d'une voix un peu aiguë. Sinon, je me serais rendu compte qu'il y aurait une enquête! Qu'on me questionnerait, que mon passé risquait de resurgir. Même pour le major Lorimer, je n'aurais jamais couru le risque de laisser découvrir mon secret, le secret de Iain. Mais à ce moment-là, quand j'ai vu le major mort, je n'ai pensé qu'à une chose. Je ne voulais pas qu'il soit soumis au mépris de tous.

— Et vous avez été assez avisée pour garder la lettre, murmura pensivement Max.

— Oh! je ne redoutais pas d'être pendue pour meurtre, cette fois! Ce que je craignais, c'était d'être renvoyée en Écosse. Cependant, je ne voulais pas non plus révéler la vérité et qu'il soit traité en paria par l'Église. Ou qu'il soit considéré comme un lâche. Il en avait tant fait pour nous... pour nous tous. Il aurait suffi de presque rien pour que les circonstances soient différentes et que l'homme mort dans ce fauteuil soit mon père... ou n'importe quel autre soldat courageux.

— Tu as raison, bien sûr, dit Giles en repensant aux paroles qu'elle avait prononcées devant le cercueil de son oncle.

« Lorsqu'ils ne meurent pas sur le champ de bataille, ils meurent chez eux lentement, à petit feu. Nous ne devons pas oublier ça. Nous avons une dette immense envers eux. »

Aubrey n'avait pas oublié. Pendant que le reste du monde laissait plonger dans l'oubli le major Lorimer et les prouesses qu'il avait accomplies pour son roi, Aubrey, orpheline de guerre, s'était souvenu. Il se demanda s'il aurait eu le cran d'agir comme elle.

— Maintenant, dit-il d'une voix égale, je suppose qu'il faut défaire ce que tu as fait.

— Non! Surtout pas!

— Aubrey, nous ne pouvons pas laisser de tels soupçons peser sur toi. Tu as fait ce que tu pouvais. Mon oncle comprendrait, s'il était là.

Aubrey serra nerveusement les mains.

— Ce sera encore pire, si la vérité est révélée maintenant! Lord Vendenheim, dites-le-lui! Je vous en prie!

Les mains croisées derrière le dos, le visage sombre, Max réfléchissait.

— Je présume que vous avez eu la sagesse de vous débarrasser de l'arme, lady Aubrey?

— Je... c'était mon intention.

Max redressa brusquement la tête.

— Que voulez-vous dire?

Le regard d'Aubrey se projeta à l'autre extrémité de la pièce, dans un coin.

— Je... je voulais m'en défaire le plus vite possible. Quelqu'un aurait pu entrer. Alors, je me suis dit que je reviendrais la rechercher plus tard, pour la jeter dans l'étang...

— *Maledizione!* C'est ce que vous avez fait?

— Je n'ai pas pu, répondit-elle en se mordant la lèvre. Car j'avais fait quelque chose de terriblement stupide.

— Quoi donc?

Aubrey se leva et traversa la bibliothèque. Dans un angle sombre se trouvait un immense vase ancien. Une grande urne orientale, une sorte de jarre destinée probablement à contenir de l'eau. Aussi loin qu'il remontât dans ses souvenirs, Giles avait toujours vu ce vase dans ce coin, perché sur son socle d'acajou. Lorsqu'il n'était encore qu'un petit garçon, il s'en servait comme repère pour se mesurer. Il se souvenait que sa tête atteignait à peine le sommet de la jarre lorsqu'il avait quitté Cardow pour entrer à l'école.

Aubrey posa les mains sur le bord du vase et jeta un coup d'œil à l'intérieur.

— Je l'ai jeté là-dedans, dit-elle d'un air désolé.

Giles s'approcha. Max fit de même, saisissant au passage la lampe posée sur le bureau.

— Je ne sais pas ce qui m'est passé par la tête, ajouta Aubrey en scrutant la cavité obscure. Il fallait que j'agisse très vite.

Max se pencha en soulevant la lampe au-dessus du vase.

— Mon Dieu ! Même si quelqu'un avait eu l'idée de regarder là-dedans, il n'aurait rien vu. C'est beaucoup trop sombre.

Aubrey croisa les mains devant elle, comme une écolière qui vient d'être réprimandée.

— C'est le seul endroit auquel j'aie pensé sur le moment, mais le vase était trop profond pour que je puisse ressortir le pistolet. C'est aussi bien, car ainsi personne ne l'a découvert.

— *Per fortuna !* s'exclama Max d'un ton soudain plus léger. Si vous l'aviez jeté dans l'étang, cela aurait été bien ennuyeux.

— Mais vous ne pouvez pas plus l'attraper que moi, monsieur. Même votre bras n'est pas assez long pour cela.

Avec un sourire, Max posa la lampe sur le sol.

— Je vais le récupérer. Mais je vais avoir besoin de ton aide, Giles. Lady Aubrey, placez-vous à genoux, je vous prie, et glissez le bras à l'intérieur du vase dès que nous l'aurons fait basculer.

C'était une solution simple et élégante. Il y eut un inquiétant bruit de métal heurtant la porcelaine lorsque les deux hommes firent basculer le vase, mais rien ne se cassa. Aubrey glissa la main avec précaution à l'intérieur.

— Je sens quelque chose de froid !

Elle étira le bras, jusqu'à ce que ses doigts se referment sur le pistolet. Puis, elle se redressa et tendit l'objet à Max.

— Bien joué, ma chère, dit Giles.

La potiche fut redressée sur son socle et Max se dirigea sans hésiter vers la fenêtre qui se trouvait face au bureau. Il souleva le loquet et ouvrit le battant. Puis, sans donner à ses compagnons la moindre explication, il posa le canon du pistolet contre l'encadrement métallique et le fit glisser tout le long du cadre en appuyant fortement sur l'arme, de manière à laisser une longue rayure sur le canon. Puis, sous les regards éberlués de Giles et d'Aubrey, il lança le pistolet dans le jardin.

— Mais que diable… marmonna Giles, en regardant l'arme décrire un arc de cercle et disparaître dans l'obscurité.

Un bruit de feuillage leur apprit que le pistolet avait atterri dans les buissons du parterre.

Les mains posées à plat sur le bureau, Max tendit le cou pour observer le jardin.

— J'ai dans l'idée que Mr Higgins va bientôt faire une découverte capitale dans cette enquête, dit-il.

— Puis-je savoir laquelle ? s'enquit Giles en échangeant un regard avec Aubrey.

Max se redressa.

— N'importe quel imbécile comprendrait que le coup est parti accidentellement pendant que le major nettoyait son arme. La force de l'explosion a projeté le pistolet par la fenêtre et le canon a été endommagé en heurtant le cadre métallique.

— Tu ne feras jamais avaler une telle histoire à Higgins !

— Je confierai Higgins à ce bon Mr Kemble, dit Max. Quelques questions bien placées, deux ou trois suggestions amenées avec subtilité, et je te garantis qu'avant le déjeuner notre pauvre Higgins sera à quatre pattes dans les buissons en train de chercher le pistolet d'Elias.

— Tu crois cela ? demanda Giles en souriant. Tu as une grande confiance en ses pouvoirs de déduction !

— J'ai surtout confiance en Kemble, répliqua Max avec un peu d'aigreur. Par ailleurs, ce n'est pas tellement tiré par les cheveux. Lord Collup est mort de cette façon l'an dernier, en nettoyant son arme. J'ai fait allusion à cette affaire le jour même de mon arrivée. Lorsqu'il aura découvert le pistolet, je ferai remarquer à Higgins qu'il y a une rayure sur le canon. Kem s'apercevra alors qu'elle a pu être causée par le petit bout de métal qui dépasse du rebord de la fenêtre. Higgins en tirera ses conclusions et il ne nous restera plus qu'à applaudir en proclamant que c'est un génie. Après une telle victoire, il y a toutes les chances pour que Peel l'appelle au ministère de l'Intérieur et me fasse travailler sous ses ordres!

Max soupira en secouant tristement la tête.

— Max, tu es vraiment un ami! s'exclama Giles en enlaçant Aubrey. Maintenant, ma chérie, il faut que tu descendes te reposer. Une longue journée, riche en événements, nous attend.

Un profond silence régnait dans le hall des domestiques. Il était rare que le personnel de Cardow soit rassemblé ainsi, et chacun s'interrogeait sur la raison de cette réunion. Tous suivaient des yeux le comte de Walrafen qui faisait les cent pas devant eux, comme dans l'intention de faire encore monter la tension d'un cran. Il finit par leur faire face et par s'éclaircir la gorge.

— Je sais que vous vous demandez tous pourquoi je vous ai rassemblés ici ce soir, commença-t-il d'une voix forte et autoritaire. Je veux simplement éclaircir quelques malentendus et vous informer des changements qui vont bientôt se produire à Cardow.

Il se tourna vers Max et Mr Higgins, qui se tenaient un peu en retrait. Depuis l'autre bout de la pièce où elle était assise, Aubrey observait les trois hommes. Pour la première fois depuis des mois, des années peut-être, elle se sentait enfin tranquille, le cœur en paix. Elle ne savait pas précisément ce que Giles avait l'intention d'annoncer ce soir, mais il était certain que les rumeurs sur la mort du major Lorimer allaient être dissipées.

— Cet après-midi, Mr Higgins a fait une brillante découverte, tout à fait inattendue, poursuivit le comte avec gravité. Dans la mesure où cela concerne la mort de mon oncle, cela nous concerne tous. Aussi ai-je pensé qu'il était normal que vous appreniez la nouvelle de sa bouche.

Le juge de paix s'avança et s'éclaircit la gorge d'un air important. D'un même élan, tout le monde se pencha en avant pour ne pas perdre une parole de son discours. Il commença, lançant de temps à autre un coup d'œil à Vendenheim pour que celui-ci donne une explication complémentaire. On hocha la tête avec toute l'expression d'une attention profonde lorsque furent prononcés des termes aussi étranges que *trajectoire* ou *balistique*. À certains points du récit, il y eut inévitablement des murmures étonnés.

— Pour conclure, annonça enfin Higgins, je me vois dans l'obligation de demander au coroner de réviser son verdict et de déclarer qu'il y a eu mort accidentelle. Nous vous remercions tous pour votre coopération au cours de cette enquête difficile et éprouvante.

Higgins s'assit et il y eut un soupir de soulagement parmi la foule. Giles s'avança de nouveau pour s'adresser aux domestiques.

— Je voudrais simplement expliquer encore une chose. Cela concerne mon oncle et certains actes mystérieux qu'il a accomplis pendant les années précédant sa mort. Cela concerne également Mrs Montford.

Aubrey eut du mal à réprimer une exclamation de surprise.

Le regard de Giles balaya la vaste salle encombrée de tables et de chaises et alla se poser directement sur elle, comme si les paroles qu'il allait prononcer lui étaient tout particulièrement destinées.

— De grands changements vont se produire à Cardow, annonça-t-il. Ce seront des changements heureux. Du moins, je l'espère. Je souhaite donc que chacun d'entre vous les comprenne. Pour cela, je dois vous confier un secret important que jusqu'ici Mr Higgins et moi n'avons pas eu la liberté de partager avec qui que ce soit.

Tous les regards étaient rivés sur le comte. Jenks s'agita sur sa chaise. Pevsner attendait, bouche bée.

— Beaucoup d'entre vous savent que le major Lorimer avait été gravement blessé à Waterloo, enchaîna Giles. Et qu'il ne survécut que par la grâce de Dieu et grâce au courage de son meilleur ami, le lieutenant lord Kenross.

Il y eut des hochements de tête. Presque tous avaient déjà entendu cette histoire. Giles marqua une pause pour ménager son effet, puis annonça :

— Ce que vous ignorez, en revanche, c'est que Mrs Montford est la fille du lieutenant Kenross.

Il y eut des murmures de surprise. Pevsner sembla sur le point de s'étouffer. Les yeux toujours fixés sur Aubrey, Giles sourit et reprit :

— Mon oncle n'a donné cet emploi à Mrs Montford que pour la protéger d'un grave danger qui les menaçait, Iain et elle. En fait, Iain n'est pas du tout le fils de Mrs Montford, mais son neveu. Et il se trouve que *Montford* n'est même pas leur vrai nom.

— Mon Dieu ! s'exclama Betsy en plaquant une main sur sa bouche.

Le comte la regarda en souriant.

— C'est une histoire fascinante, n'est-ce pas, Betsy ? murmura-t-il. Il fallait que lady Aubrey et son neveu restent cachés ici, sous la protection de mon oncle, jusqu'à ce qu'une enquête très compliquée soit menée à terme par le ministère de l'Intérieur.

Lord Vendenheim et Mr Higgins approuvèrent solennellement d'un signe de tête.

— Une affaire très complexe, en effet, murmura Vendenheim. Très circonstanciée. Une terrible tragédie.

— Oui, une terrible tragédie, acquiesça Giles. Mais je suis heureux de vous apprendre que cette malheureuse affaire, en l'occurrence le meurtre du père de Iain, a finalement été élucidée.

L'air aussi grave et guindé que s'il s'adressait à la Chambre des lords, Giles marqua encore une pause.

— Les criminels ont été livrés à la justice et les droits des personnes lésées rétablis. Tout cela, en grande partie grâce à mon oncle.

— C'était un bien brave gentleman, pour sûr, murmura l'un des valets au premier rang.

Giles lui adressa un regard de reconnaissance.

— C'est vrai, Jim. Pour l'instant, je n'ai pas le droit de vous en dire davantage. Les détails de l'affaire apparaîtront probablement dans les journaux au cours des prochaines semaines. Je peux cependant vous faire part d'une merveilleuse nouvelle : Iain est maintenant libre de retourner chez lui, en Écosse.

Une nouvelle pause et Giles ajouta, d'un ton théâtral :

— Libre de se réapproprier son vrai nom et le rang qui est le sien : Iain McLaurin, comte de Manders.

Des exclamations fusèrent parmi les domestiques. On échangea des regards ahuris, on se tourna vers Aubrey.

— Oh! madame, c'est bien vrai ? s'exclama Betsy. Le pauvre petit Iain est donc un vrai lord ?

Rougissante, Aubrey acquiesça.

— Mais que cela ne fasse aucune différence pour vous, je vous en prie !

Giles se racla la gorge, ramenant l'attention sur lui.

— Naturellement, il ne serait pas convenable que la tante d'un comte continue de servir ici comme intendante du château, dit-il.

Betsy s'affaissa légèrement sur sa chaise. Mrs Jenks fronça les sourcils.

— Toutefois, je lui ai demandé de rester, mais à un autre titre. Je lui ai demandé de devenir ma femme, comtesse de Walrafen et maîtresse de Cardow.

Il y eut un silence, suivi de chuchotements. Pevsner blêmit et parut sur le point de tomber de sa chaise. Au premier rang, Jim se mit à rire.

— Vous lui avez *demandé*, monsieur ? Cela veut dire qu'elle ne vous a pas encore donné de réponse ?

— Pas encore, Jim, dit le comte d'un air chagriné. Cela fait pourtant quelques semaines que je lui ai posé la question, et je commence à désespérer.

Betsy partit à son tour d'un grand rire.

— Je vais lui parler, monsieur le comte ! Vous pouvez faire confiance à votre vieille Betsy !

— J'en suis bien heureux. Et maintenant, je crois que nous avons du sherry et les délicieux gâteaux à la myrtille de Mrs Jenks à partager, pour ceux que cela tente.

— Je suis tenté, approuva Jim, le jeune valet.

Le comte eut un sourire d'approbation.

— Excellent. Dans ce cas vous voudrez bien, je pense, porter un toast avec moi ? Si ce n'est à mon mariage, buvons du moins à la réalisation de mes plus chères espérances !

Épilogue

Oh ! chacun trouve sa place

Le bal de charité annuel donné par lord Walrafen parut interminable à la maîtresse de maison. Aubrey n'avait qu'une envie : se retrouver en tête à tête avec son mari. Au lieu de cela, elle devait se tenir à l'entrée de leur somptueuse maison de Mayfair, saluant, embrassant, serrant des mains, tandis que les derniers groupes d'invités descendaient l'escalier.

Un veilleur de nuit traversant Hill Street annonça qu'il était 3 heures. La rangée d'équipages garés le long de la rue remontait jusqu'à Berkeley Square. Les invitations au bal de lord Walrafen avaient toujours été très convoitées, mais cette année cela avait pris une ampleur inhabituelle, à cause des commérages causés par son mariage dans des circonstances si extraordinaires.

Par bonheur, les potins n'avaient fait aucun tort à la carrière de Giles. Aubrey en eut une fois de plus la conviction quand elle serra la main de Mr Peel et l'accompagna jusqu'au pied de l'escalier. De fait, les exploits de son oncle devenaient plus glorieux au fur et à mesure que l'on racontait son histoire, et une partie de cette gloire retombait sur Giles. Alors même que les amis de celui-ci racontaient comment son oncle avait protégé Aubrey et Iain du meurtrier qui les pourchassait, ils faisaient de Giles un modèle de droiture.

Les bons citoyens du village de Walrafen avaient commandé en l'honneur de Lorimer un mémorial de guerre en

341

marbre, qui avait été placé au centre du terrain communal. Le président de la Haute Cour de justice d'Écosse s'était rendu au mariage d'Aubrey. Giles avait bien entendu invité toutes les personnes de quelque influence en Écosse, et aucune d'entre elles n'avait osé refuser.

Aubrey fut ramenée au moment présent en entendant une dame toussoter derrière elle. Elle afficha son plus charmant sourire et se retourna.

— Bonne nuit, ma chère, dit la petite femme rondelette qui approchait. Et merci de m'avoir invitée, ajouta-t-elle en embrassant Aubrey sur les deux joues.

— Ce fut un immense plaisir, lady Kirton.

Lady Kirton était une amie de son mari et la tante de lord Vendenheim. Elle avait pris Aubrey sous son aile dès son arrivée à Londres. Cécilia et elle l'avaient emmenée dans Bond Street et dans la moitié au moins des demeures de Mayfair.

— C'était un bal merveilleux, ma chère, continua lady Kirton d'une voix théâtrale. Tellement supérieur à ceux que donnait Giles lorsqu'il était célibataire ! Grâce au Ciel, il a enfin trouvé une épouse. Mais je suis encore un peu contrariée à ce sujet, vous savez. Penser que j'ai manqué l'événement de l'année !

Aubrey fit signe à un valet d'aller chercher la cape de lady Kirton.

— Je regrette que vous n'ayez pas pu être avec nous. Mais mon mari tenait absolument à ce que la cérémonie se déroule à Édimbourg.

Lady Kirton lui prit le bras et l'entraîna un peu à l'écart de la foule des invités.

— Il a eu bien raison, ma chère enfant, chuchota-t-elle d'un ton grave. Il faut faire confiance aux instincts politiques de votre mari !

— Ses instincts politiques ? répéta Aubrey, abasourdie.

— Absolument, poursuivit lady Kirton sur le même ton. C'est tout ce qui compte, à Londres. Et je suis ravie de voir que vous continuez sur une excellente lancée. Votre retour à Édimbourg fut triomphal, ma chère, et ce triomphe rejaillit sur vous maintenant, à Londres. Vous serez toujours un atout dans la carrière de Giles, je le sens.

— Je vous remercie, dit Aubrey.

Lady Kirton se tourna un instant pour permettre à un valet de lui poser une cape en cachemire sur les épaules.

— N'oubliez pas que je donne une soirée en votre honneur la semaine prochaine, reprit-elle à haute voix. Et le bal chez le frère de Cécilia aura lieu vendredi prochain. Tout de suite après, il y aura la garden party de Mrs Castelli. Ma chère, vous allez être la coqueluche de la Saison ! Cécilia et moi y veillerons.

Giles surgit tout à coup au côté d'Aubrey et lui enlaça la taille.

— Elle fait déjà fureur dans certains cercles privés, annonça-t-il en prenant la main de lady Kirton pour la baiser. Le mien, par exemple. À présent, sauvez-vous, Isabel. Un nouveau marié a mieux à faire que de s'attarder auprès de ses invités.

Lady Kirton lui donna une tape avec son face-à-main.

— Petit polisson ! dit-elle avant de s'élancer dans l'escalier.

Une vingtaine d'autres invités vinrent faire leurs adieux et la salle de bal finit par se vider tout à fait. Quelqu'un saisit le coude d'Aubrey et elle se retourna vivement, pour se retrouver face à face avec lord Delacourt.

— Bravo, ma belle ! dit-il avec familiarité. Grâce à vous, la Saison sera un peu moins triste que d'habitude. Puis-je vous complimenter pour votre robe ? Ce bleu vous va à ravir.

Il se pencha vers elle et demanda d'un ton de conspirateur :

— Puisque vous n'en avez plus l'usage, pourrais-je avoir votre vieille robe de laine grise pour oncle Nigel ?

— Ma robe de gouvernante ? s'exclama Aubrey, éberluée.

— Je vous conseille de renoncer, David, dit Giles. N'oubliez pas qu'elle est écossaise, mon cher. Elle portera cette robe pour nettoyer le sol, jusqu'à ce qu'elle soit usée aux genoux !

David plaqua une main sur sa poitrine, l'air faussement horrifié.

— Vous plaisantez, j'espère ? Madame la comtesse de Walrafen nettoyant le sol ?

Aubrey les toisa d'un air sévère.

— Je n'ai pas l'intention de le faire moi-même. Je ne l'ai jamais fait, sauf quand le personnel était...

Giles ne la laissa pas finir et partit d'un éclat de rire.

— C'est comme cela, David ! Je l'ai surprise au moins six fois cette semaine à passer son doigt sur les meubles pour vérifier qu'ils étaient propres !

— Je ne vois pas quel mal il y a à s'occuper de sa maison, rétorqua Aubrey d'un air offensé. Il faut que j'aie quelque chose d'utile à faire. Et je veux le faire ! Surtout à Cardow.

David haussa les épaules.

— En attendant, ma chère, vous êtes coincée à Hill Street jusqu'à la fin de la Saison. Mais j'ai peut-être un petit travail pour vous. Cécilia est de nouveau enceinte et il faudrait que quelqu'un la remplace à la Société de Nazareth pendant quelques mois.

— Mais je n'ai aucune expérience ! protesta Aubrey, flattée par la proposition.

— Sottises ! Vous avez un don pour diriger et administrer. Par ailleurs, lady Kirton a besoin de quelqu'un pour la seconder. Et puis, au bout de quelques semaines là-bas, vous aurez définitivement acquis votre réputation de parangon de vertu ! J'en sais quelque chose.

— Vous ?

David esquissa un sourire.

— C'est ainsi que j'ai racheté la mienne, avoua-t-il. Ah ! Regardez ! Voilà ma bien-aimée !

Un quart d'heure plus tard, Aubrey put enfin ôter ses chaussures de bal. Giles enleva sa veste, son gilet et se tint devant elle en manches de chemise.

— Je suis heureuse que ce soit enfin terminé ! s'exclama-t-elle en faisant rouler ses bas de soie sur ses chevilles. J'espère, mon amour, que tu es fier de moi.

— Je suis toujours fier de toi, Aubrey. Maintenant, devine ce qui me rend heureux, moi ?

Aubrey s'avança vers lui et lui dénoua sa cravate.

— Tu es heureux que je sois folle d'admiration devant toi ? suggéra-t-elle.

— Ah oui ! C'est certain, admit-il en riant. En fait, je pensais à Cardow. Je t'ai trouvée si belle, la première fois que je t'ai vue, là-bas. Tu semblais faire totalement partie de la maison. Je comprends que tu aimes ce château et je voudrais que nous y retournions dès que possible.

Aubrey laissa la cravate tomber sur le sol.

— Tu me le promets ?

— Sur l'honneur, répliqua-t-il en lui embrassant le bout du nez. Je veux y aller, Aubrey. Je veux que Iain grandisse là-bas. À vrai dire, j'ai un peu le mal du pays. N'est-ce pas merveilleux ? Et puis je suis tellement content que nous soyons heureux, toi et moi ! La malédiction du château de Cardow a certainement été brisée par notre bonheur.

Aubrey lui entoura la taille de ses bras et posa la joue sur le tissu fin de sa chemise.

— Tu veux parler de cette vieille légende ridicule, qui prétend qu'aucune jeune mariée ne peut être heureuse à Cardow ?

Giles lui embrassa la gorge et murmura, les lèvres contre son cou :

— Oui.

— Elle n'est pas seulement brisée, balbutia-t-elle, étourdie par ses baisers. Elle est envolée, balayée. Elle n'existe plus. Je t'aime et j'aime Cardow. Je suis une épouse heureuse, Giles. Et je suis plus heureuse là-bas que partout ailleurs. Il me tarde d'y retourner.

— Et moi, il me tarde de te faire l'amour, murmura-t-il d'un ton rauque. Ma place sera toujours près de toi, Aubrey. Où que tu sois.

Elle se sentit parcourue d'un frémissement de désir. Giles s'écarta légèrement pour la regarder.

— Ce diable de Delacourt avait encore raison ! Le bleu te va réellement à ravir.

— Vraiment ? fit-elle en battant des cils. Hier, tu disais que c'était le vert émeraude qui m'allait le mieux.

— N'oublie pas que je suis un politicien, répliqua-t-il avec un regard brûlant de désir. Hier encore, lord Grey m'a accusé de toujours dire ce qu'il fallait pour obtenir ce que je voulais.

— Oh ! Comme c'est vil de sa part.

— Les Whigs sont comme ça. Au fait, mon amour, t'ai-je déjà dit à quel point j'admirais tes perles ?

Aubrey posa les doigts sur son collier, l'air hésitant.

— Celles-ci ?

Giles hocha la tête et la passion assombrit son regard.

— Je me rappelle la première fois que je les ai vues, dit-il en posant les doigts sur les boutons, dans le dos de la robe d'Aubrey. Et je me souviens d'avoir pensé, malgré les moments angoissants que nous vivions alors, qu'elles devaient avoir un aspect superbe sur ta peau nue.

— Et maintenant que tu les vois sur moi, qu'en penses-tu ?

— Elles sont vraiment très belles.

Il marqua une très légère pause et ajouta :

— Pour autant que je puisse en juger.

Aubrey le dévisagea sans comprendre.

— Veux-tu que j'allume plus de lampes ?

Il dégrafa un bouton de sa robe et murmura, les lèvres contre les siennes :

— Non, mon amour. Je veux juste te voir… un peu moins vêtue.

Amour et Mystère

Sous le charme d'un amour envoûtant

Le 8 juillet
Quand surviennent les ténèbres
de Shannon Drake (n° 7695)

Au cours d'un voyage en Écosse, Jade visite un cimetière avec un groupe de touristes. L'excursion tourne soudain au cauchemar lorsque l'occupante de la tombe principale, Sophie de Brus, se réveille et se jette sur eux ! Heureusement, un homme mystérieux, Lucian, se porte à leur secours.
Un an plus tard, à La Nouvelle-Orléans, Lucian, qui n'est autre qu'un vampire, réapparaît dans la vie de Jade. Parce qu'elle ressemble à s'y méprendre à la femme qu'il a aimée des siècles plus tôt, elle est en danger.

Passion intense

Quand l'amour vous plonge dans un monde de sensualité

Le 8 juillet
Caresses interdites
de Bertrice Small, Thea Devine (n° 7694)

Veuve depuis peu, la jeune Lucinda entend en profiter, mais son frère n'est pas de cet avis. Pour la punir, il la fait emmener dans une propriété isolée où un maître masqué doit lui faire entendre raison grâce à des jeux coquins… Contre toute attente, Lucinda capture le cœur de son geôlier.

Pour éponger les dettes de son père, Lisa est obligée d'épouser Court, mais elle affirme que ce sera toujours sans amour. Court décide alors de la soumettre grâce à des jeux amoureux qui ne tardent pas à les faire succomber tous les deux.

Deux nouvelles historiques et sensuelles par les maîtres incontestés du genre.

7692

Composition Chesteroc Ltd
Achevé d'imprimer en France (Manchecourt)
par Maury-Eurolivres
le 8 juin 2005.
Dépôt légal juin 2005. ISBN 2-290-34579-2

Éditions J'ai lu
84, rue de Grenelle, 75007 Paris
Diffusion France et étranger : Flammarion